GERAINT ANDERSON

CITYBOY

GELD, SEX UND DROGEN IM HERZEN
DES LONDONER FINANZDISTRIKTS

Bibliografische Information der Deutschen Bibliothek
Die Deutsche Bibliothek verzeichnet diese Publikation in der
Deutschen Nationalbibliografie; detaillierte bibliografische Daten
sind im Internet über <http://dnb.ddb.de> abrufbar.

Die Originalausgabe erschien unter dem Titel
CITYBOY – BEER AND LOATHING IN THE SQUARE MILE
ISBN 978-0-7553-4616-5

Gestaltung und Layout: Johanna Wack, Börsenbuchverlag, Kulmbach
Satz: Silke Eden, Mediengarten Eden, Kulmbach
Übersetzung: Dr. Tilmann Kleinau

Druck: Bercker Graphischer Betrieb & Co KG

ISBN 978-3-938350-88-1

Für Fragen rund um unsere Bücher:
buecher@boersenmedien.de

Weitere Informationen unter:
www.boersenbuchverlag.de

BÖRSEN MEDIEN
AKTIENGESELLSCHAFT

Postfach 1449 • 95305 Kulmbach
Tel. 0 92 21-90 51-0 • Fax 0 92 21-90 51-44 44

In lieber Erinnerung an Andy.
Er war der Beste von uns.

CITYBOY – WER IST DAS?

Er ist der dreiste Typ im schicken Anzug, der sich mit der Financial Times unterm Arm in der U-Bahn an Ihnen vorbeidrängelt. Er ist der egoistische Hanswurst, der auf ansonsten netten Dinnerparties laut damit angibt, wie viel Geld er wieder an der Börse verdient hat. Er ist der gierige, rücksichtslose Sack, der mit seinen Geschäften dafür sorgt, dass diese Welt immer mehr zum Drecksloch verkommt. Es gab eine Zeit, da war dieser Typ ich selbst ...

Wir übernehmen keine Haftung ...

Zugegeben, dieses Buch ist wahr in dem Sinne, dass es eine präzise Beschreibung eines bestimmten Karrieretyps in der Londoner City darstellt. Aber keinen der hier beschriebenen Charaktere, keine der dargestellten Institutionen gibt es wirklich, jede Ähnlichkeit ist rein zufällig. So, wie ich nicht der hier geschilderte Steve Jones bin, ist jeder der Charaktere in diesem Buch frei erfunden – es sind keine Individuen, sondern klassische City-Typen, und hoffentlich werden sie auch als solche erkennbar. Obwohl in diesem Buch immer wieder auf tatsächlich existierende Menschen und Orte Bezug genommen wird, mischen sie sich mit fiktiven Menschen und Ereignissen, die ich um der Story willen erfunden habe.

Ich habe nicht nur die Namen und Ortsnamen geändert, um unschuldige (und schuldige) Personen zu schützen, sondern ich möchte auch klarstellen: Es geht mir hier nicht um bestimmte Personen oder Institutionen, sondern eher um die Kultur in der City als Ganzes.

INHALTSVERZEICHNIS

PROLOG (DER KOKSER)

Im Nachhinein betrachtet war es das fünfte Glas Absinth, das meiner Bank den Verlust von 1,2 Millionen Pfund einbrachte. Aus ein paar Bierchen am Sonntagabend im Pub wurde plötzlich eines jener Saufgelage alter Schule, an denen sich ein 29 Jahre alter Börsenmakler lieber nicht mehr beteiligen sollte. Während wir noch im Pub herumhingen, rief einer von uns den Dealer an, und ein paar Gramm feinster bolivianischer Stoff kamen per Mopedkurier angefahren. Als ich an der Reihe war, aufs Klo schlenderte und den steifen neuen Zwanziger an meine hungrigen Nasenlöcher hielt, ging es mir durch den Kopf: Gott sei Dank, morgen ist Montag – und Bankfeiertag. Bald laberten meine drei geschätzten Kameraden nur noch Unsinn, als würden sie dafür bezahlt, während ich mich in den feinen ledernen Armsessel des Pubs sinken ließ und im Geiste zufrieden auf den mir schon vertrauten Autopilot-Zustand umschaltete.

Bis heute ist es mir rätselhaft, wie jener denkwürdige Abend bei Sam endete. Alles, was ich weiß, ist, dass die Dinge total aus dem Ruder liefen, und das schon, bevor dieses übel schmeckende grüne Gesöff auftauchte. Sam wurde wieder mal seinem Ruf gerecht, selbst sein bester Kunde zu sein, und meine drei arbeitslosen Loser-Freunde taten das, was sie am besten können – sinnenfroh gaben sie sich in vollen Zügen der Maßlosigkeit hin. Gegen 5.00 Uhr morgens – der Dealer hatte uns inzwischen noch zwei weitere Male beehrt – war bei uns kaum noch an eine zusammenhängende Sprache zu denken. Jeder von uns, die wir da in traditioneller Haltung mit hochgezogenen

Knien um den alten Esstisch von Sams Großmutter herum kauerten, zeigte schon die üblichen Stimmungsschwankungen, die eine harte Drogensession wie diese unweigerlich mit sich bringt. In einem Anflug von gereizter, dichter Stimmung entschied ich mich, das Wort zu ergreifen und etwas zu sagen, um meine Kameraden wissen zu lassen, dass es mich noch gibt. Ich sagte: „Jungs, ich bin heilfroh, dass heute Bankfeiertag ist!"

Aus irgendeinem perversen und paranoiden Grund hörten die anderen sofort mit ihrem koksgeschwängerten Gelaber auf, drehten sich zu mir um und sprangen mir wie Kobolde ins Gesicht. Der Koksdealer und „Künstler" Jim hörte als erster mit seinem blöden Gekicher auf und schrie mich manisch grinsend an: „Du Idiot – das ist doch erst nächste Woche!"

„Verarsch mich nicht, du Schwuchtel", erwiderte ich mit der scheißfreundlichen Lässigkeit, die, das war mir klar, jeder im Raum sofort durchschaute. Mit meinem falschen Grinsen und meinen nervös zwinkernden Augenlidern sah ich aus wie ein Teenager, der mit seinen Eltern spricht, als wäre nichts, und hinter seinem Rücken die Zigarette ausdrückt.

„Nein, mein Freund, heute ist der 18. und Bankfeiertag ist erst am 25.!", bestätigte Nick, das dritte Mitglied unserer „Anonymen Loser". Es war mir ein Rätsel, wie er so was wissen konnte, wo er doch seit 1992 keinen Tag mehr vernünftig gearbeitet hatte. Aber seine Stimme strotzte so von Selbstvertrauen, dass die Menge Koks in seinem Riechkolben, die ausreichte, um die ganze kolumbianische Armee zwei Wochen lang zum Marschieren zu bringen, wohl nicht der alleinige Grund dafür war.

„Zum Teufel, dann muss ich ja in einer Stunde in der Arbeit sein. Schöne Bescherung! Das Genie hat heute Urlaub und ich seh' aus wie ein Junkie!" Ich weiß nicht mehr, ob ich das nur gedacht oder laut gesagt habe. Ich weiß nur noch, dass ich die Meile bis zu meiner Bude wie ein Gestörter gerannt bin und mich dabei fühlte, als hätte Mike Tyson mir in den letzten vier Stunden mit seinen Fäusten eine Herz-Kreislauf-Massage verpasst. Ich kämpfte, bis ich den richtigen Schlüssel in die Tür bekam, rannte die Treppen hinauf und sprang unter die Dusche. Mit immer noch feuchten Haaren schlüpfte ich in mein Thomas-Pink-Shirt und kämpfte beim Hinausgehen mit meinem „Gieves and Hawkes"-Sakko.

Die Fahrt mit der U-Bahn kam mir wie eine Ewigkeit vor. Gelegentlich sah ich mein Spiegelbild in den dunklen Scheiben des Zuges und dachte: „Ich sehe wie ausgekotzt aus." Während ich zitternd und nervös die *Financial Times* las, ohne ein Wort davon zu behalten, kam mir der Gedanke, ob ich nicht lieber einfach krank machen sollte. Leider fiel mir mit meiner vernebelten Birne dieser verführerische Gedanke erst bei der Station Oxford Circus ein, als ich schon den halben Weg zur Arbeit zurückgelegt hatte. Nur eine seltsame, vielleicht sogar ungerechtfertigte Loyalität zu meinem Team verhinderte, dass ich an der falschen Stelle aus dem Zug sprang. Trotz des kalten Schweißes auf meiner Stirn dachte ich, ich könnte alles vielleicht nach ein paar starken Tassen Kaffee wieder ausbügeln und würde nicht groß auffallen, vorausgesetzt, in meinem Arbeitsbereich war viel los.

Ich betrat das Gebäude, passierte die Sicherheitskontrolle, indem ich meine Chipkarte durchzog, und nahm den Aufzug in den vierten Stock. Um genau 6.55 Uhr lief ich durch das riesige Großraumbüro hindurch zu meinem Schreibtisch und ließ mich durch nichts beirren, auch nicht durch ein anzügliches: „Na, das Wochenende war wohl nicht übel, was?" eines mehr oder weniger wohlwollenden Kollegen, der mich als das zitternde Wrack sah, das ich ja auch war. Ich hatte nur noch fünf Minuten Zeit, um die Reuters-Überschriften in meiner Sparte zu sichten, aber in Wirklichkeit verbrachte ich diese blöden fünf Minuten damit, den großen Herrn da oben zu bitten: „Lass nichts in meiner verdammten Sparte passieren."

Als ich um genau 7.00 Uhr auf einem meiner zwei Monitore die roten Überschriften aufblinken sah, die mich darüber informierten, dass ein Elektrizitätswerk von Scottishpower soeben in Utah in die Luft geflogen war, fühlte ich, wie mir das Blut in den Adern stockte. Es dauerte nicht lange, da wurden meine Achselhöhlen und meine Halsgegend von giftigem Schweiß feucht, und ich war nicht mehr in der Lage, vernünftig zu atmen. „Allmächtiger", dachte ich, „von allem, was mir heute passieren kann, ist dies das Schlimmste." Mein Kollege, das Genie, war im Urlaub und ich hatte die Aufgabe, mich an seiner Stelle um die Firmen zu kümmern, die er zu analysieren hatte. Scottishpower war eine seiner wichtigsten Kaufempfehlungen in der von uns beackerten Sparte, und wie man sah, war in diesem, von durchgeknallten Mormonen geführten Staat Tausende von Meilen von meiner kleinen weichen Birne entfernt wirklich etwas Ernstes passiert.

Kaum eine Minute später klingelte mein Telefon. Schon bevor ich die Nummer auf meinem digitalen Display sah, wusste ich, dass der Anrufer mein Trader Gary war, der von mir wissen wollte, wie er sich ab Börseneröffnung um 8.00 Uhr verhalten sollte. Lange starrte ich das blinkende Telefon an wie das Kaninchen die Schlange. Erst als meine Kollegen schon anfingen, zu mir hinüberzuschauen, nahm ich all meinen Mut zusammen und nahm den Hörer ab. Als Wertpapieranalyst in der Sparte Energieversorgung gehörte es zu meinen Aufgaben, Gary und andere Trader zu informieren, welche Nachrichten es über die von ihnen gehandelten Firmen gab. Stumm wie ein Fisch dazusitzen und vor mich hin zu starren war keine gute Lösung. In einem Ton falscher Zuversicht, der sogar mich selbst erstaunte, sagte ich zu Gary: „Das ist nur ein kleineres Problem. Es ist nur ein 430-Megawatt-Kraftwerk betroffen, das für die Dauer von fünf Monaten ausfällt. Bei laufendem Betrieb macht das Kraftwerk einen Umsatz von etwa einer Million Dollar pro Tag, und wenn wir das auf, sagen wir, 35 Prozent taxieren, bedeutet das für Scottishpower eine Umsatzeinbuße von ungefähr 103 Millionen Dollar, das sind bei einem Wechselkurs von 1:1,45 circa 67 Millionen Pfund Sterling. Geteilt durch die 1.830 Millionen Aktien sind das nur vier Pence Verlust pro Aktie." Gary schluckte das tatsächlich. Ich legte den Hörer auf, seufzte erleitert und klopfte mir im Geiste anerkennend auf die Schulter.

Ich dachte gerade, das Schlimmste sei nun überstanden, da klingelte das Telefon erneut. Diesmal sah ich James Smythes Namen aufleuchten. Dieser eitle Geck hatte die Aufgabe, das morgendliche Meeting um 7.20 Uhr vorzubereiten, in dem die Analysten die Trader und Verkäufer über neueste kursbeeinflussende Entwicklungen in ihrer Sparte und ihre neuesten Analysen informierten. James bat mich: „Steve, bitte sei so gut und komm sofort zu uns hinunter und erkläre uns den Vorfall um Scottishpower kurz am Mikrofon." Sein schleimiger, ach so netter Tonfall machte mich ganz wütend. Ich wusste, ich hatte keine andere Wahl, als zu kommen. Ich stand auf und ging schnurstracks zum Lift. Das Rest-Kokain in meinem Körper sorgte dafür, dass ich nach außen hin halbwegs wach und ansprechbar wirkte.

Das Gewimmel der Leute an einem Montagmorgen auf dem Parkett einer großen Investmentbank kurz vor Börsenbeginn lässt sich mit nichts anderem vergleichen. In dem riesigen Großraumbüro, das ungefähr so groß ist wie ein Fußballfeld, sitzen Hunderte von Wertpapierhändlern, Verkäufern, Maklern und Spezialisten hinter ihren jeweils sechs Bildschirmen und warten begierig darauf, etwas zu hören oder zu sehen, womit sie in dieser wichtigen halben Stunde Tausenden von Konkurrenten in den anderen Banken in aller Welt um eine Nasenlänge voraus sind. Manche von ihnen sprechen hastig in zwei Telefonhörer zugleich, andere rufen einander quer übers Parkett bestimmte, nur den Insidern dieses krank machenden Geschäfts geläufige Ziffern und Ausdrücke zu. Der alles überlagernde Drang, möglichst viel Geld zu verdienen, prägt jede einzelne Handlung und jede laut gerufene Anweisung und ist nur mit der Angst vergleichbar, große Mengen Bargeld durch eine unüberlegte Entscheidung zu verlieren. Die ohnehin gewaltige Spannung wird durch die Tatsache, dass jeder jeden beobachten und daraus

Schlüsse ziehen kann, noch auf die Spitze getrieben. Die Börse ist nichts anderes als ein störrisches, unkontrollierbares Wildpferd, auf dem man sich nur für kurze Zeit halten kann. Es gilt, in dieser kurzen Zeit möglichst viel für sich herauszuholen.

Ich eilte also ans Pult, wartete, bis der Analyst vor mir seinen Vortrag beendet hatte, und bleich wie ein Käsekuchen, mit verschwitztem Hemd und weit aufgerissenen Augen beruhigte ich mich innerlich und erklärte den Hunderten fleißigen Arbeitsbienen um mich herum in einem langsamen, gemessenen Tonfall, was da gerade passiert war. Während ich dies tat, blickte ich ab und an zu den Bildschirmen auf, die mein bleiches, nervöses Gesicht in regelmäßigen Abständen in dreifacher Größe von der Decke herab quer über das ganze Parkett warfen. Ich wusste, alle Trader und Verkäufer in unseren Büros in Frankfurt, Paris, Mailand und Madrid würden meine weisen Worte hören und meinen Auftritt beobachten, und die in New York auch, wenn auch zeitversetzt, fünf Stunden später, als Aufnahme.

Erst als ich zur Bewertung dieses Vorfalls aus Anlegersicht kam, bemerkte ich plötzlich, dass der sonst übliche Lärm auf dem Parkett verstummte. Ich sah, wie sich die Verkäufer gegenseitig anstupsten und mit dem Finger auf mein Bild zeigten, und es dauerte nicht lange, da hörten alle an den Tischen um mich herum auf zu arbeiten und starrten nur noch in meine Richtung. Ein paar Sekretärinnen hielten sich in theatralischer Manier vor Schreck mit der Hand den Mund zu, während ein paar junge Burschen laut loslachten. Was zum Teufel war hier los? Ich hatte eine Art Nahtoderfahrung, der Mix aus Drogen und Stress erweckte in mir das Gefühl, ich bewegte mich in einem Traum – oder, besser gesagt, in einem schaurigen Albtraum.

In diesem schrecklichen, surrealistisch anmutenden Chaos sah ich auf den Bildschirm, der direkt vor mir an der Decke hing. Ich sah meinen dreifach vergrößerten Kopf, in ganz Europa gesendet, und aus meinem rechten Nasenloch tropfte Blut auf meine Unterlippe und von da aus auf mein Hemd. Ich reagierte spontan. Ich hielt mir mit Daumen und Zeigefinger die Nasenlöcher zu und rannte in Richtung Toilette, wobei ich James Smythe mit meiner freien Hand beiseite schob und das gesamte Parkett in einem Zustand von Schock bis Verblüffung zurückließ.

Ich stopfte mir etwas Watte ins Nasenloch, sammelte mich und ging ruhig zu meinem Stockwerk zurück. Als ich lässig und möglichst unauffällig auf meinem Stuhl Platz nahm, gab es tosenden Beifall von meinen Kollegen. Der eine fragte: „Wohl gerade aus Kolumbien zurück, was?", der andere: „Oder warst du am Wochenende mit Keith Richards zusammen?" Ich machte eine

Verbeugung wie auf der Bühne und winkte dazu cool mit der Hand, aber trotz all der falschen Show ahnte ich, dass ich mich von dieser Blamage nicht so bald wieder erholen würde.

Um genau 8.05 Uhr sank der Kurs der Scottishpower-Aktien um zehn Pence. Gary rief an und schrie mich in seiner unnachahmlichen Art an: „Du hast doch gesagt, das ist nur eine 4-Pence-Geschichte! Vielleicht sinkt der Kurs sogar noch weiter!" Ich blieb meiner Devise, Vertrauen zu verbreiten, obwohl mir ganz und gar nicht wohl dabei war, treu und meinte: „Ich glaube, du hast recht. Kauf ruhig." 20 Minuten später gab der Kurs der Aktie um weitere 20 Pence nach. Gary rief erneut an; diesmal war er richtig sauer. Er brüllte: „Was soll das, verdammt noch mal? Ich habe 5,2 Millionen Aktien gekauft und jetzt saufen sie ab. Was mache ich jetzt, du Klugscheißer?" Mit brüchiger Stimme und nervös unterm Tisch klopfenden Beinen gab ich weiterhin den Coolen und sagte: „Bleib dran, Alter, du wirst sehen, die Käufer kommen schon noch." Schweißgebadet kaute ich auf meiner Unterlippe herum.

Diesmal spürte ich, dass er merkte, dass ich mit meinem Latein am Ende war und sich mein ganzes Selbstvertrauen in Luft auflöste. Wie ein lebender Toter, ein Zombie, griff ich nun selbst zum Hörer und versuchte halbherzig, meine Kunden zum Kauf der Aktie und zur Stützung des Bestands zu überreden. Aber die Kunden bissen nicht an. Obwohl die Aktien von Scottishpower bei Börsenschluss nur 18 Pence verloren hatten, hatte Gary kalte Füße bekommen und seinen gesamten Bestand ausgerechnet zum niedrigsten Kurs verkauft, nämlich um 23 Pence weniger. Der Vorfall in Utah hatte dazu geführt, dass der Markt alle in den USA befindlichen Kraftwerke von Scottishpower als risikoreich einstufte, was sich auf den Wert der gesamten Aktie verheerend auswirkte. So kam es, dass ich meiner Bank, bei der ich arbeitete, 1,2 Millionen Pfund Verlust einbrachte.

Ich war gerade dabei, den dritten Kunden am Telefon davon zu überzeugen, dass der Markt bloß überreagiert habe, da klingelte das Telefon meiner Sekretärin. Wie ein waidwunder Boxer kurz vor dem K.-o.-Schlag sah ich zu ihr hinüber und wusste schon, bevor sie den Mund aufmachte, was sie jetzt sagen würde. „Der Boss möchte dich sprechen – sofort!"

Ich murmelte etwas Unverständliches und erhob mich langsam, wie ein zum Tode Verurteilter kurz vor der Hinrichtung, von meinem Bürostuhl und stolperte auf das Büro des Chefs zu. Auf dem Weg dorthin konnte ich die Augen aller auf mir fühlen, und obwohl ich lässig die Hand hob, als sei nichts, wäre ich jetzt am liebsten nach rechts abgebogen, zu den Aufzügen, Richtung Ausgang, zur Freiheit. Mein Herz klopfte laut. Ich war weiß wie ein Bettlaken, der Schweiß rann mir über die Stirn und ich war innerlich total erschöpft. Mit letzter Kraft hielt ich die Tränen zurück und ging auf das gläserne Chefbüro zu. Als ich das braunrote, wutverzerrte Gesicht meines Chefs sah, der mich schon von innen heraus anstarrte, wusste ich, dass es ein verdammt langer, harter Tag für mich werden würde ...

Heute, da ich weiß, was für ein entsetzlicher Mist mir in den vier Jahren danach passiert ist, wünschte ich rückblickend, das fette Schwein hätte mich damals auf der Stelle entlassen. Ich wünschte, diese dämlichen Mormonen hätten gleich noch ein anderes Kraftwerk in die Luft gejagt und ich hätte mich ebenso nutzlos erwiesen wie damals und man hätte mir eine halbe Stunde Zeit gegeben, meinen persönlichen Kram zu packen und abzuhauen. Dann wäre es mir erspart geblieben, Dinge zu tun, die es mir bis heute schwer machen, mich im Spiegel anzusehen. Dann wäre ich nicht von dem sinnlosen Mist aufgefressen worden, von dem wir Cityboys leben müssen, und hätte mich nicht zu dem Menschen entwickelt, den meine Freunde und meine eigene Familie kaum noch wiedererkannten. Dann wäre ich nicht Teil eines Systems geworden, das unser aller Welt nur schlechter macht, und zwar unwiederbringlich schlechter. Dann hätte ich mich nicht selbst verloren.

Heute sitze ich am Strand, höre das Plätschern der sanften Wellen, ein Glas Tee in der einen, einen Joint in der anderen Hand. Was mich tröstet, ist der Gedanke: Jetzt ist der Tag der Vergeltung. Denn ich breche ab heute den Ehrenkodex des Schweigens, der für jeden auf der Square Mile verbindlich ist, und decke auf, was in der City wirklich so abgeht. Ich möchte den hässlichen Unterleib dieser elegant gekleideten Gemeinschaft bloßstellen, deren einziges Bestreben ist, ihre Mitglieder so reich zu machen, wie es nach menschlichem Ermessen nur geht. Ich möchte den Normalbürgern die vielen Laster dieser Gemeinschaft vorstellen, denn die werden ihnen bewusst vorenthalten, damit sich die gierigen Cityboys weiterhin ihren privilegierten Lebensstil leisten können.

Was mich selbst anbelangt, ich beziehe meine Kraft aus dem Nietzsche-Spruch: „Was dich nicht umbringt, macht dich stärker." Wer weiß, was mir alles in diesem bescheuerten Business widerfahren ist, wird mich zu Recht für einen der stärksten Männer Londons halten.

DER GURU

Jeder verkauft seine Seele an den Teufel ... Aber ich habe mich dafür entschieden, das nur zu einem verdammt guten Preis zu tun. An einem warmen Juliabend des Jahres 1996 ging ich die Bishopsgate entlang und bereitete mich auf das Treffen mit einem Mann vor, der mein Leben verändern würde. So wie Luke Skywalker Yoda brauchte und König Arthur seinen Merlin, hatte das Schicksal entschieden, dass ich David Flynn treffen und von ihm lernen sollte. Damals wusste ich herzlich wenig über die Börse, aber dieser bedeutende Mann wollte mir die Tricks zeigen, die man drauf haben muss, um es in dieser schrecklichen Branche zu etwas zu bringen, wobei er natürlich auch darauf achtete, meine korrupte Seite erfolgreich zu kultivieren. Zugegeben, diese zweite Aufgabe wurde ihm durch meine natürliche Neigung zu den größten Lastern auf diesem Planeten ziemlich leicht gemacht.

Am Tag zuvor hatte ich mir beim Friseur meinen albernen Pferdeschwanz abschneiden lassen. Außerdem hatte ich in einer Art symbolischem Ritual des Erwachsenwerdens meine drei Ohrringe entfernen und mir meinen komischen Ziegenbart abrasieren lassen. Nun, mit meinem gebrauchten, für sechs Pfund bei einem Wohltätigkeitsladen gekauften Anzug, sah ich schon fast wie ein junger, smarter Börsenhändler aus – wenngleich wie ein noch ziemlich armer, erfolgloser (was nicht so gut ist). Auch wenn ich noch keine Ahnung hatte, worauf ich mich jetzt einließ, wusste ich doch, dass diese Relikte meiner Hippie-Zeit in der Welt der Nadelstreifenanzüge und „flotten" Frisuren nicht so gut ankommen würden. Heute, da ich auf alle positiven und negativen Konsequenzen meiner Entscheidung, Broker zu werden, zurückblicken kann, kann ich Hand aufs Herz zugeben, dass das vorzeitige Ende meiner Frisur, die nach Austauschstudent aus Deutschland um 1987 aussah, eindeutig eine gute Wahl war. Obwohl das tiefe psychische Trauma als Ergebnis meiner Karriereentscheidung meine City-Erfahrungen aus meiner Sicht bis heute prägt, war der Wechsel der Haartracht ein Lichtblick inmitten all der Finsternis.

Dabei war dieser Look keine bloße Fassade gewesen – ich war damals ein echter Hippie, waschecht, mit linken Ansichten. Ich war wie besessen von Filmen und Filmzitaten und hatte mir bis dahin nicht ein einziges Mal Gedanken über die Finanzwelt gemacht. Ich erinnere mich daran, dass manche meiner Bekannten im Abschlussjahr in Cambridge den einen oder anderen Infostand einer Investmentbank im Rahmen der „Schnupperrunde" (der Rekrutierungsveranstaltung der Wirtschaft für gute Studenten) besuchten, aber ich war zu beschäftigt damit, Gras auf irgendwelchen, nach Grantchester fahrenden Kähnen zu rauchen, um mich um so einen Blödsinn zu kümmern. Außerdem war mein Vater ein prominentes Mitglied der Labour-Partei und hatte mich schon in frühen Jahren zur Mitarbeit in Bürgerinitiativen ermutigt. Zugegebenermaßen hatten meine politischen Ambitionen nach einem Jahr Pause, in dem ich in Asien weilte und Gras rauchte, gelitten. Danach, zurück in Cambridge, machte ich Erfahrungen mit Pillen und Speed und engagierte mich mehr in der örtlichen Raverszene. Nach einer Zwei in Geschichte dachte ich, ich könnte der Realität ein weiteres Jahr entkommen und ging für ein halbes Jahr Orgienfeiern zurück nach Asien. Ich verlor erneut den Kontakt zur Wirklichkeit und war so verblendet, dass ich vorhatte, in den nächsten fünf Jahren nur noch irgendwelchen asiatischen Billigschmuck, den ich in Delhi gekauft hatte, auf den Straßenmärkten Europas zu verticken. Als ich mit vier großen Taschen voll von dem Plunder in London-Heathrow landete, waren meine Eltern, wie man verstehen wird, zeimlich besorgt – zumal ich beim Herumtreiben im Himalaya auch noch etwa 20 Kilo abgenommen hatte.

Zum Glück für meine Eltern – und für mein armes, benebeltes kleines Gehirn – entschied ich mich damals auch dafür, ein einjähriges MA-Studium der Revolution an der Sussex University in Brighton zu absolvieren, bevor ich meine große Reise antreten wollte. Meine verdrehte Logik besagte, dass ich, um als Weltenbummler zu überleben, zuerst einmal Karate und Spanisch lernen müsse und dass ich diesen noblen Ambitionen am besten an der Uni nachgehen könne. Meine feuchten Träume, dass junge Studentinnen einem welterfahrenen Globetrotter wie mir reihenweise zu Füßen liegen müssten, taten ein Übriges zu diesem Entschluss. Heute nehme ich an, dass nicht zuletzt mein doofer Pferdeschwanz daran schuld war, dass diese Träume größtenteils unerfüllt blieben.

Irgendwann während dieser ziemlich chaotischen Zeit rief mich mein Bruder an und veranlasste mich, mein Leben um 180 Grad zu ändern. Ich vermute, man kann mit einiger Sicherheit sagen, dass unsere Eltern ihn beschwatzt hatten, seinen rebellischen jungen Bruder ein bisschen an die Hand zu nehmen, und ich weiß bis heute nicht genau, ob ich ihm dafür dankbar sein soll oder ob ich ihn deswegen nicht besser verdreschen sollte.

Mein Bruder hatte ein paar Jahre in der City als Fondsmanager gearbeitet und war so angepasst, dass es, wenn wir uns begegneten, immer so war, als würden zwei Welten aufeinanderprallen.

Unser Gespräch lief ungefähr so ab: „Hi, Steve, ich bin's, John." „Hallo, Kumpel, na, wie geht's?" „Prima. Hör mal, lass uns Tacheles reden – sag mal, hältst du immer noch an diesem lächerlichen Plan fest, diesen Plunder in der ganzen Welt zu verkaufen? Ich meine, was hast du wirklich mit deinem Leben vor?" „Gute Frage. Weiß nicht. Ich mache gerade einen Kurs, der mir nicht besonders gefällt, bin auch nicht so gut darin und bin mir nicht sicher, ob das, was du ‚Plunder verkaufen' nennst, wirklich das Richtige für mich ist." „Wenn du willst, kann ich dir ein Bewerbungsgespräch bei einer Investmentbank vermitteln." „Äh … na ja, warum eigentlich nicht? Ich kann's ja mal probieren. Sag mal, was tun Investmentbanken eigentlich?" „Mach dir deswegen keinen Kopf, das erfährst du schon noch. Komm einfach am nächsten Donnerstag nach London, und ich mach dir einen Termin bei einer französischen Bank, bei der Banque Inutile ."[1]

Mein Bruder konnte den Termin arrangieren, weil er Kunde der Banque Inutile war. Wie ich später lernen sollte, gibt es kein besseres Mittel der Kundenbindung für einen Börsenmakler als das, einen Verwandten eines Kunden in seinem Hause unterzubringen. Das heißt, wenn Johns Makler bei der Banque Inutile ihm nicht wenigstens ein Vorstellungsgespräch in Aussicht gestellt hätte, hätte er seinen Kontakt zu meinem Bruder aufs Spiel gesetzt. Zwar haben sich die Dinge mittlerweile etwas geändert, aber damals ging es, wenn man einen Fuß in die Tür kriegen wollte, vor allem darum, wen man kannte, und nicht so sehr darum, was man wusste … und ich konnte froh sein, dass es sich so verhielt, denn ich war bis dahin noch keinem Banker

---

1) „Inutile" ist Französisch und bedeutet „nichtsnutzig" (Anm. d. Übers.).

nahe gekommen, es sei denn, um irgendeinen Bankangestellten am Schalter zu fragen, ob er meinen Überziehungskredit nicht erhöhen könnte. Wenigstens ging ich nicht gänzlich unbedarft zu dem Bewerbungsgespräch. Am Vorabend, dem Mittwochabend, gab mir mein großer Bruder noch rasch einen zehnminütigen Crashkurs in Sachen Investmentbanking. Hier ist eine Zusammenfassung der wichtigsten Punkte:

1. Die City ist ein großer Marktplatz, auf dem Leute, die Geld investieren wollen, um damit Rendite zu erzielen, andere Leute treffen, die wollen, dass man Geld in ihre Unternehmen steckt (so weit hab ich's verstanden).
2. Aktienkurse gehen je nach Angebot und Nachfrage rauf oder runter. Wenn es mehr Kaufinteressenten als Verkäufer gibt, gehen die Kurse rauf, im anderen Falle eben runter (okay, das kapier ich auch noch).
3. Der faire Wert einer Aktie spiegelt den künftigen Cashflow des Unternehmens wider – abdiskontiert mit den Kapitalkosten und geteilt durch die Anzahl der Aktien (nein, tut mir leid, bis vor einer Minute bin ich noch ganz gut mitgekommen, aber jetzt blick ich's nicht mehr … aber da ich vor meinem älteren Bruder nicht so dumm dastehen will, halte ich lieber die Klappe und nicke weise).
4. Die zwei wichtigsten Maßstäbe für die Bewertung von Aktien sind das Kurs-Gewinn-Verhältnis, das berechnet wird, indem man den Aktienkurs durch den Nettogewinn der Aktie teilt, sowie der anteilige Ertrag, der berechnet wird, indem man die Dividende durch den Aktienkurs teilt (nun ja, wie auch immer …).
5. Anleihen sind etwas Ähnliches wie Schuldscheine (Mist, der Film mit Clint Eastwod beginnt in fünf Minuten …).
6. Ähm … das war schon das Wichtigste (fein, dann reicht's ja noch für den Film …).

Bei meinem Glanz in den Augen muss er den Eindruck gehabt haben, dass ich von dem, was er mir da erzählte, sowieso nicht viel verstand und dass ich mich wohl jetzt schon fragte, warum ich überhaupt nach London gekommen war. Ich bedauerte auch bereits den ganzen unfreiwilligen Imagewechsel, dem ich mich zuvor unterzogen hatte, und die drei Lager-Bier, die ich mir heute Abend nicht mehr leisten konnte, weil ich mir für das Geld den piekfeinen Anzug gekauft hatte.

In einem Anfall von Verzweiflung meinte John: „Schau mal, ich sehe wie ein kompletter Idiot aus, wenn du nicht wie ein halbwegs vernünftiger Bewerber rüberkommst. Also, pass auf – wenn es hart auf hart kommt und David dich fragt, wie du dir die Zukunft der Finanzanalyse vorstellst, dann antworte bitte genau das, was ich dir jetzt sage." „Okay, Kumpel." „Du sagst: ‚Ich finde, das Kurs-Gewinn-Verhältnis kommt als Berechnungsgrundlage immer mehr aus der Mode. Die Gewinne können inzwischen von findigen Finanzvorständen so leicht schön gerechnet werden, dass sie fast bedeutungslos geworden sind – wie man auch an Terry Smiths neuem Buch ‚Berechnung von Wachstum' ablesen kann. Ich glaube, dass es, bis wir wieder solidere Bilanzen haben, die Bewegungen im freien Cashflow sind, die die Performance der Aktienkurse bestimmen.'" Ich nickte altklug und fuhr mit der Hand über mein neuerdings kahles Kinn, als wüsste ich genau, worüber er da dozierte. Dabei war alles, was ich wusste, dass „Magnum Force" vor zwei Minuten angefangen hatte und dass der Bösewicht Clint nicht auf mich warten würde.

Am nächsten Abend um genau 18.55 Uhr, auf dem Weg zur Bishopsgate, fragte ich mich, ob das hier nicht ein ziemlich ungewöhnlicher Ort für so ein wichtiges Vorstellungsgespräch war. Zugegeben, ich verstand nicht viel von den Praktiken in der City, aber diese komische Bar namens „The Moon Under Water" schien mir nicht gerade der geeignete Ort, um mein finanzielles Fachwissen unter Beweis zu stellen. Das war doch wohl Verarsche angesichts der mühevollen Arbeit, die ich in die Vorbereitung dieses denkwürdigen Treffens investiert hatte. Meinten es diese Komiker wirklich ernst mit ihrem hoch dotierten Jobangebot auf der Börsenmeile? Ich beschloss, diese trüben Gedanken weit weg zu schieben, atmete tief durch, um mein unerwartet heftig pochendes Herz zu beruhigen, und betrat die laute, verrauchte Bar.

Das Bild, das sich mir bot, als ich die Tür öffnete, war mir so fremd wie eine Opiumhöhle aus dem 19. Jahrhundert. Hunderte von Männern in schicken dunkelblauen Anzügen standen herum und schrien einander an. Fast alle waren Weiße, die meisten jünger als 40. Die große Mehrzahl von ihnen trug auffällig bunte Krawatten mit großem, dickem Windsorknoten, ein paar Verwegene allerdings hatten ihre Krawatten abgenommen. Es waren auch ungefähr sieben Frauen darunter, um die herum sich, egal wie gut sie aussahen, je eine Gruppe geiler Männer scharten. Die meisten von ihnen fielen optisch völlig aus dem Rahmen, weil sie es wagten, anders als dunkelblau oder schwarz gekleidet daherzukommen. Alles war in einen dichten Nebel von Zigaretten- und Zigarrenrauch gehüllt und auf den meisten Tischen standen orangefarbene Eiskübel mit Champagnerflaschen darin. Es gab im gesamten Lokal keinen einzigen Turnschuh, keine Army-Hose und keine Jogginghose. Es waren nur drei Schwarze da, von denen zwei hinter der Bar standen. Der ungewöhnlich hohe Lärmpegel, der hier herrschte, strahlte irgendwie ein starkes Selbstbewusstsein aus, das Nichteingeweihte wie mich ziemlich verunsichern konnte. Alle paar Sekunden lachte irgendjemand ungewöhnlich laut – so laut, als hätte man es bestellt. Jeder Lacher warf beim Lachen seinen Kopf zurück, und das mit einem zur Schau getragenen Selbstbewusstsein, von dem ich nur träumen konnte. Das hier war etwas anderes als die Studentenkneipe an der Sussex University, aber auch anders als die Bar am Strand von Had Rin in Thailand.

Ich unterdrückte den Drang, auf schnellstem Wege kehrtzumachen, und machte mich auf die Suche nach David Flynn, dem Abteilungsleiter Stammaktien der Banque Inutile. Erkennungszeichen gab es keines, aber mein Bruder hatte mir eine einfache, sehr praktische Beschreibung gegeben: „David sieht aus wie eine große, brünette Version von Heinrich VIII., nachdem er sich auf die Kuchendiät verlegt hat." (Diese Diät war, wie ich später herausfand, bei Brokern sehr beliebt, wenngleich bekanntlich als Diät nicht sehr erfolgreich.)

Es dauerte nicht lange, da erspähte ich den Hünen, der, von einer Schar Günstlinge umgeben, in einer Ecke des Raumes Hof hielt. Während ich mich dem Stehtisch, an dem er stand, nervös näherte und die speichelleckerischen Blicke seiner Jünger auffing, staunte ich über den treffsicheren Blick meines Bruders. Dieser David sah tatsächlich wie eine groß geratene Version Heinrichs VIII. aus, wenn auch mit dunkleren Haaren und einem größeren Bauch als dieser. Aber da war auch etwas an seinem Gang, an der königlichen Haltung und den boshaften Augen, das mir das Gefühl gab, wenn schon nicht den verfressenen Tudor-König selbst, so doch eine Art moderne Reinkarnation Heinrichs VIII. vor mir zu haben. Offensichtlich stand hier ein Mann mit gewaltigem Appetit und nicht weniger zügellosen Sitten vor mir.

Ich stellte mich neben diesen modernen Monarchen und wartete ruhig, dass er den Kopf in meine Richtung drehte. Nach einer halben Ewigkeit tat er es schließlich. Ich streckte die Hand aus und sagte: „Steve Jones, der Bruder von John. Ich komme zum Vorstellungsgespräch."

Prüfend sah er mich von oben bis unten an, bis ich ganz verlegen wurde. In diesen vielleicht vier Sekunden schien er meine ganze Persönlichkeit einzuatmen. Ich konnte mich des Eindrucks nicht erwehren, dass er in mir gleich den Dilettanten sah, der ich war. Sah er nur mich, wie ich da vor ihm stand, oder sah er auch, dass es noch keine 24 Stunden her war, dass ein Ziegenbart mein Kinn und drei Ohrringe mein Ohr geziert hatten und dass ein neckischer Pferdeschwanz auf meinen Schultern gelegen hatte? Gewiss sah er gleich, dass der Anzug, den ich trug, eher nach einem Verkäufer aus dem Kaufhaus aussah als nach einem aufstrebenden Star am Finanzhimmel, aber dann dachte ich, die Jungs an der Bar hätten das schon registriert, als ich hereinkam und mich gar nicht hereingelassen.

„Sie wollen also ein Wertpapieranalyst werden, was?", fragte er mit seiner leisen, weichen Stimme und schien dabei beinahe zu lächeln. Seine Umgebung wartete nur darauf, bei jedem seiner Sätze in ein Gelächter auszubrechen. Ich fühlte mich so gemütlich wie ein rothaariges Kind im Waisenhaus. „Ja, ich wollte das schon seit meiner Schulzeit werden. Es war schon immer mein Ziel!", sagte ich und bemühte mich verzweifelt, cool auszusehen. „Ach, wirklich? Wie traurig für Sie! Und was haben Sie getan, um dieses Ziel zu erreichen? Wenn ich mir Ihren Lebenslauf so ansehe, habe ich den Eindruck, dass Sie fälschlicherweise dachten, in Asien am Strand Dope zu rauchen sei die beste Voraussetzung für eine Karriere als Banker." Obwohl sein Gesicht bei diesen Worten ziemlich unbewegt war, was man von seinem Fanklub nicht sagen konnte, schienen sich seine Augen über jedes meiner Worte lustig zu machen.

„Nun, erstens möchte ich dazu sagen, dass ich, als ich im Ausland war, keine Drogen genommen habe." Bei diesen Worten hob er leicht eine Augenbraue und schaffte es, mich in Nullkommanichts zum Erröten zu bringen, was mir seit meiner Schulzeit nicht mehr passiert war. Ich fuhr fort: „Zweitens bin ich viel gereist, seit ich wusste, dass ich dieses Berufsziel anstrebe, denn ich konnte mir denken, dass ich, wenn ich erst an der Börse bin, nicht mehr dazu komme, Urlaub zu machen." „Soll das heißen, Sie sind der Meinung, es macht keinen großen Spaß, bei mir zu arbeiten?" „Nun", stammelte ich, „ich kann mir vorstellen, dass die Arbeit als Analyst zumindest in den ersten paar Jahren mehr harte Arbeit als Vergnügen sein wird."

Irgendwie lief die Sache gar nicht gut. Ich hatte nicht übel Lust, das Gespräch auf der Stelle zu beenden, aber mein Stolz ließ mich ausharren und diesen leichten, aber unaufhörlichen Spott ertragen. Nach ein paar weiteren blöden Fragen zu meiner Motivation und meinen Plänen wurde ich innerlich ruhiger, denn ich spürte, dass dieses ganze dämliche Verhör für ihn wie für mich reine Zeitverschwendung war. Ich war schon drauf und dran, mich zu entschuldigen und zu gehen, da hörte ich auf einmal, wie aus dem Nirgendwo, diese schönen, mir seltsam vertrauten Worte: „Wie sehen Sie die Zukunft der Finanzanalyse in den nächsten paar Jahren?"

Er hatte kaum mit seiner Frage begonnen, da wusste ich: Jetzt kommt das, was ich hören will. Hastig und mit eintöniger Stimme, es klang ein bisschen wie auswendig gelernt, haspelte ich die Antwort meines Bruders herunter. David hielt inne, sah mich prüfend von oben bis unten an und sagte: „Interessant … aber jetzt hören wir mit dem Blödsinn auf und trinken erst mal einen." Mir fiel ein Stein vom Herzen. Sogar die Dummköpfe, die um David herumscharwenzelten, schienen von meiner Antwort beeindruckt zu sein. Einige wollten sogar eine Diskussion vom Zaun brechen und einer fragte mich zu meinem Entsetzen, wie man den Cashflow eines Unternehmens wohl am besten berechnen könne. Ich tat so, als hätte ich die Frage nicht gehört und verschwand auf die Herrentoilette. Als ich am Urinal stand und auf mich heruntersah, war ich mit mir selbst zufrieden wie selten zuvor in meinem 24-jährigen Leben. Ich grinste so breit, dass mein Nebenmann sich wohl gewundert haben mag, was ich da an heißen Informationen in der Hand hielt.

Das sogenannte Vorstellungsgespräch endete erst, als David und ich jeder zwei Flaschen Champagner geleert hatten. Als ich in der U-Bahn Richtung Westen nach Hause fuhr, nachdem ich kaum noch in der Lage gewesen war, die paar Meter bis zur Haltestelle Liverpool Street zu laufen, klangen mir seine letzten Worte noch in den Ohren, nämlich: „Also, ehrlich gesagt hattest du den Job schon fünf Minuten vor dem Vorstellungsgespräch. Wir brauchen intelligente, großspurige Typen und du passt ganz gut in unser Schema. Außerdem finde ich dich sympathisch. Du hast es fast vermasselt mit dem ganzen Kram von wegen Kurs-Gewinn-Verhältnis, Cashflow und so, aber ich lasse es dir für diesmal noch durchgehen. Aber merk dir: Erzähl keinen Mist, vor allem keinem, der das besser kann als du – und besondere keinem von meinem Kaliber!" Seine klugen Worte hallten immer noch in meinem berauschten Schädel nach und ich ging beschwingt zu Bett mit dem Eindruck, alles, was er wollte, war jemand, der gut labern und viel trinken konnte – zwei Fähigkeiten, in denen ich es in meinem kurzen Leben schon weit gebracht hatte.

Bevor ich mit meiner Karriere in der City beginnen sollte, war da noch das kleine Problem, dass ich meine Magisterarbeit über die französischen Studentenunruhen von 1968 noch schreiben musste. Ich verstand nicht recht, inwiefern ein 25.000 Wörter langer Aufsatz mit dem Titel „Arbeiter und Studenten in Frankreich im Mai 1968 – ein problematisches Verhältnis" mein Leben besser machen, meine Karriereaussichten verbessern oder mir zu einem guten Start verhelfen könnte, aber ein Rest von Schuldgefühl gegenüber meinen Eltern, die mir mein Studium bezahlt hatten, veranlasste mich, die Arbeit zu Ende zu führen. Endlich, am 8. August 1996, reichte ich mein hastig heruntergeschriebenes großes Werk in der Uni ein; zu meinem Erstaunen erfuhr ich ein paar Monate später, dass ich bestanden hatte. Am Tag nach der Abgabe meiner Arbeit fuhr ich zur nachtschlafenden Zeit von 6.30 Uhr mit der Central Line gen Osten. Obwohl meine neuen Kolleginnen und Kollegen, die nur kurz von ihrer *Financial Times* aufsahen und beim Anblick meines billigen, hässlichen Anzugs denken mussten, ich sei auf dem Weg in ein Kaufhaus und nicht an die Börse, wusste ich es besser. Ja ... bald würde ich ein gottverdammter Börsenmakler sein ... was auch immer das war. Schlaftrunken taumelte ich um 6.50 Uhr aus der U-Bahn und fragte mich, was um alles in der Welt da wohl auf mich zukäme. Nervös eilte ich auf den zwölfstöckigen Büroblock zu, der die geschätzte Banque Inutile beherbergte. Ich ging vorbei an ehrwürdigen alten Gebäuden und imposanten modernen Betonburgen und versuchte, mit den gestressten City-Arbeitern Schritt zu halten, die alle zur Arbeit eilten. Als ich mit Schmetterlingen im Bauch das bedrohlich aussehende Gebäude betrat, lief in meinem Kopf eine Platte ab, die einen Sprung hatte. Der Text war: „Hey diddly dee, a broker's life for me."

Der Text hatte eine seltsam beruhigende Wirkung und machte das ganze Erlebnis hier irgendwie erträglicher. Ich nahm meinen Sicherheitsausweis in Empfang, fuhr in den zwölften Stock hinauf und betrat, nach einem letzten tiefen Atemzug, das, was in den nächsten zweieinhalb Jahren mein Arbeitsplatz sein sollte. Ich wusste, man würde mich mit einigem Wohlwollen in Empfang nehmen, denn mein Bruder hatte der Banque Inutile als Zeichen seiner Dankbarkeit am Vortag noch eine große Order gegeben. Allein das war schon eine erste Lektion für mich, aus der ich ersehen konnte, wie die City funktioniert.

Ein Flur durchzog das Stockwerk der Investmentabteilung der Banque Inutile und teilte die gesamte Fläche in zwei voneinander getrennte Großraumbüros. Auf der einen Seite saßen die Wertpapieranalysten und starrten auf die Excel-Tabellen auf einem der jeweils zwei Bildschirme vor ihnen. Auf dem anderen Bildschirm befand sich meist entweder ein Analysebericht, den sie gerade für einen Kunden schrieben, oder eine Übersicht der Nachrichtenagentur Reuters mit den wichtigsten Meldungen aus ihrer speziellen Sparte und dem gesamten Marktgeschehen. Auf dieser Seite des Gebäudes war es relativ ruhig, es herrschte die konzentrierte Atmosphäre einer Bibliothek. Obwohl die Analysten Mitte der 90er-Jahre durchaus hin und wieder mit ihren Kunden telefonierten, taten sie es damals viel seltener als heutzutage. Damals war ihre wichtigste Aufgabe die, die Trader und Verkäufer auf der anderen Seite des Gebäudes mit frischen Ideen zum Geldverdienen zu versorgen. Zu diesem Zweck schrieben sie unermüdlich immer neue Modellanalysen der börsennotierten Unternehmen. Sie entschieden immer wieder neu, ob deren Aktien überbewertet waren und daher verkauft werden sollten oder unterbewertet waren und daher gekauft werden sollten. Man erklärte mir, dass hier mein Arbeitsplatz sei – inmitten der anderen „Jungspunde", wie der Politiker Nigel Lawson Typen wie uns zehn Jahre zuvor zu nennen pflegte. Innerhalb der Bank selbst nannte man uns die „Zauberer", und das waren die Leute, mit denen man mich an meinem ersten Arbeitstag bekannt machte – ein Haufen von Zahlenfreaks, die hauptsächlich in Oxford oder Cambridge studiert hatten und von denen die meisten so gut wie kein Charisma in die Wiege gelegt bekommen hatten. Ich konnte es kaum erwarten – das konnte ja heiter werden ...

Auf der gegenüberliegenden Seite des Gebäudes befand sich der wesentlich hektischere Traderbereich. Selbst der Börsensaal einer so kleinen Bank wie der Banque Inutile summte und brummte montags um 7.15 Uhr schon wie ein Bienenschwarm. Die hektische Atmosphäre vor Handelsbeginn, die dort herrschte, erinnerte mich immer an die letzten fünf Minuten vor einem großen Fußballspiel ... obwohl das bei meiner Lieblingsmannschaft, den Queens Park Rangers, nicht so wild ist wie bei den großen Klubs der Premier League. Hier brüllten die Trader ihren Kunden ins Ohr, wie sich der Markt und bestimmte Aktien aller Wahrscheinlichkeit nach heute Morgen verhalten würden. Hinter den Verkäufern saßen die Trader und Marktspezialisten, deren Aufgabe es war, Aktien zu einem bestimmten Kurs zu kaufen oder zu verkaufen. Diese meist fetten Jungs aus Essex waren ein tolles Team. Das Alter der Dienstzugehörigkeit sah man meist an ihrem Bauchumfang und wir Analysten näherten uns ihnen mit extremer Vorsicht. Obwohl die meisten von ihnen keine Universität von innen gesehen hatten, waren sie so dermaßen bauernschlau (viele von ihnen stammten schon von Tradern ab), dass man schon wahnsinnig gerissen sein musste, um sich auf eine verbale Auseinandersetzung mit ihnen einlassen zu können. Sie hassten herablassende und arrogante Analysten genauso leidenschaftlich, wie sie Kuchen und schnell verdientes Geld liebten. Sehr früh in meiner Karriere war ich Zeuge, wie ein egoistischer Kollege, der sich mit ihnen anlegte, von ihnen erniedrigt wurde, und ich beschloss, diesen Fehler selbst lieber nicht zu machen.

Ich sprach gerade mit Tony, meinem Trader, da hörten wir zufällig, wie ein Analyst der Bankensparte eine Auseinandersetzung mit seinem eigenen Trader hatte. Wir wussten nicht, worum es dabei ging, aber das Ende vom Lied war, dass der Analyst die berechtigte, aber nicht sehr höfliche Frage stellte: „Wie auch immer, Daryl, warum bist du bloß so ein fetter Bastard?" Daryl drehte sich ganz langsam in seinem Sessel zu ihm um und gab ihm mit perfektem Timing und Sinn für Komik die unter diesen Umständen einzig mögliche Antwort: „Warum? Weil mir deine Frau jedes Mal einen Keks gibt, wenn ich mit ihr schlafe."

Daryls Antwort hatte bestimmt nicht die Klasse von Oscar Wilde oder Noël Coward, aber all seine Traderkollegen lachten laut, und das allein zählte. Der Analyst, der ihn attackiert hatte, murmelte eine Entgegnung, die niemand verstand, er wurde rot und lachte nervös und etwas gezwungen. Er kapierte, dass er gerade eine öffentliche Ohrfeige bekommen hatte und zog mit eingezogenem Schwanz davon, sobald er konnte. Ich hatte diesen notorischen James-Blunt-Verschnitt sowieso nie leiden können und konnte mein Lachen kaum unterdrücken. Aus dieser kleinen Begegnung zog ich zwei wichtige Lehren, nämlich:

1. Leg dich nicht mit den Tradern an.
2. Schlagfertigkeit ist eine der wichtigsten Eigenschaften im Investmentbanking.

Ich glaube, ich habe einen natürlichen Hang dazu, andere zu verarschen und nicht zu kneifen, wenn man mich angeht. Es schien, als wären diese zwei Eigenschaften wichtiger als Sorgfalt oder analytische Fähigkeiten, wenn es darum ging, den Respekt der Trader zu bekommen, was von zentraler Bedeutung war, damit man mir vertraute und mich mit den wichtigen Kunden auch persönlich bekannt machte. All das klang wie Musik in meinen Ohren.

Aber dieses blöde Analysieren, das meine Hauptaufgabe war, machte mir ganz schönes Kopfzerbrechen. Ich hatte, seit ich 15 Jahre alt war, nichts mehr mit Mathe am Hut gehabt, und es war mir klar, dass meine Ignoranz bald ans Licht kommen würde. Ich wusste also nicht viel über Mathe, aber das wusste ich, dass ich Tabellen und mathematische Formeln nicht so leicht blenden konnte wie die Menschen, mit denen ich es zu tun hatte.

Am ersten Tag jedoch war das noch kein Problem. Ein freundlicher Hochschulabsolvent aus dem Team der Versicherungssparte zeigte mir, wo sich die Toiletten und die Kaffeemaschinen befanden, und stellte mich den ungefähr 40 anderen Analysten auf meinem Stockwerk vor. Ich hörte 40 Namen und konnte nicht einen davon behalten. Obwohl ich insgesamt mehr als zwei Jahre bei der Banque Inutile arbeitete, lernte ich in dieser Zeit nur die Hälfte der Namen derer kennen, die auf meiner Seite tätig waren (und noch weniger aus dem Traderbereich). Das lag nicht nur an meiner Alzheimer-ähnlichen Begabung, jeden mir vorgestellten Namen sofort wieder zu vergessen, sondern daran, dass jedes Team einer Wertpapiersparte wenig mit den anderen Teams zu tun hatte. Gelegentlich fragten wir die Leute von der Ölsparte mal nach ihrer Einschätzung, wie sich der Ölpreis wohl entwickeln würde (wobei wir ihre Prognose anschließend geflissentlich ignorierten, denn sie stimmte sowieso nie), denn ihre Vorhersage hatte Auswirkungen auf unsere eigenen Vorhersagen bezüglich des Strompreises, und manchmal kamen die Teams der Wertpapiersparten Chemie oder Ingenieurwesen zu uns und baten uns um unsere Einschätzung der Strompreisentwicklung, denn die Energiekosten waren ein wichtiger Teil der laufenden Kosten der von ihnen betreuten Unternehmen, aber das war's auch schon.

Zum Mittagessen nahmen sie mich mit in das Schnellrestaurant „Pret A Manger", das in Ermangelung einer Kantine meine Hauptnahrungsquelle wurde. Die Anzahl der Thunfisch-Baguettes und der Schinken-Salat-Tomaten-Sandwiches, die ich dort im Laufe der Zeit aß, muss rekordverdächtig gewesen sein. Ansonsten klemmte ich mich hinter meine Arbeit und versuchte einfach zu verstehen, was so ein Wertpapieranalyst eigentlich macht.

Zum Glück steckte David mich in ein Team, zu dem auch ein frisch von der Uni gekommener Mathematiker namens Henry gehörte. Henry half mir dabei, Dividenden im Kopf auszurechnen und Unternehmensbewertungen mittels der Discounted-Cashflow-Methode vorzunehmen. Leider, was ich anfangs noch nicht wusste, hatte man mich einem Wirtschaftssektor zugeteilt, der als so interessant galt wie die Teeparty eines Buchhalters, nämlich der europäischen Energieversorgersparte. Und, was noch weniger amüsant war, man gab mir gleich zu Beginn die Aufgabe, mich um die britischen Wasserwerke zu kümmern. Selbst die übrigen Energiewerte wirkten verglichen mit denen noch spannend wie ein Krimi. Ich kann mich bis heute nur darüber wundern, dass es der Chef der Analystenabteilung durch seine spontane Entscheidung schaffte, mich dazu zu bringen, zwölf Jahre lang nur Unsinn zu reden. Interessanterweise bin ich inzwischen dem lieben Gott (ich meine den da ganz oben, nicht David Flynn) dafür dankbar, dass ich in die Energieversorgersparte kam, nachdem ich jetzt weiß, was für ein Gemetzel es nach 2000, nachdem die Technologie-Blase platzte, in den attraktiveren Sparten gab.

Nachdem ich ein paar Monate lang Bewertungsanalysen (Spreadsheets) erstellt, meine Wertpapiersparte näher erkundet hatte (hauptsächlich, indem ich die Informationen anderer Banken studierte, die meine Kollegen von ihren Klienten erbettelten) und mich jeden Donnerstagabend und jeden Freitagmittag zusammen mit den Kollegen volllaufen hatte lassen, freundete ich mich allmählich mit diesem seltsamen Beruf an. Irgendwann in dieser Zeit kam David zu mir und sagte in seiner gewohnt lässigen, lockeren Art: „Lass uns nach der Arbeit mal einen trinken gehen!"

Natürlich nahm ich sein Angebot dankend an. Seit ich hier angefangen hatte, hatten wir ein paarmal miteinander plaudern können, aber nur zusammen mit anderen im Pub und daher auch nur sehr oberflächlich. David war mir inzwischen sehr sympathisch und ich empfand großen Respekt für ihn. Er hatte so etwas an sich, das in mir den Wunsch weckte, auf ihn Eindruck zu machen und um seine Zustimmung zu werben. Ich hatte das Gefühl, ich könnte an diesem Donnerstagabend beides hinbekommen.

Gegen 17.30 Uhr ging David an meinem Schreibtisch vorbei. Ich stand sofort auf und ging ihm nach, zur Tür hinaus. Um keine Kollegen zu treffen, gingen wir in einen selten besuchten Pub in der Shoreditch High Street und tranken dort miteinander ein paar Gläser Guinness. David eröffnete das Gespräch und fragte mich: „Und, wie läuft's?" „Ganz gut, denk ich. Ist aber auch ein ganz schöner Scheißbrocken, dieser Börsenkram!" „Na ja, ich hoffe, du machst nur Spaß, aber an dem, was du da sagst, ist mehr Wahres dran, als du vielleicht denkst. Ich will dir heute Abend ein paar Tipps geben, wie man es in diesem gottverdammten Business zu etwas bringt, und wenn wir das hinter uns haben, stelle ich dir meine Freundin vor."

In der nun folgenden halben Stunde verriet mir mein Obi Wan, mein Yoda, mein Merlin seine Geheimnisse, wie man ein erfolgreicher City-Analyst wird. Was er mir erklärte, ist vielleicht nicht immer spektakulär, aber leistete mir mehr als ein Jahrzehnt lang gute Dienste. Hier ist eine Zusammenfassung seiner sechs wichtigsten Punkte:

1. „Nicht lockerlassen." Man sollte sich den Kunden regelmäßig in Erinnerung rufen und sie so oft wie möglich teuer zum Essen einladen. Die jüngeren Kunden sollte man mit auf die Piste nehmen und mit ihnen zu Rugby-Spielen, Konzerten und so weiter gehen. Zu meinen späteren Erfolgen in diesem Bereich trug die Tatsache bei, dass die meisten meiner Konkurrenten langweilige Zeitgenossen waren, deren Idee von einem unterhaltsamen Nachtprogramm keine Katze hinterm Ofen hervorlocken

konnte. Verglichen mit diesen Trantüten hatte meine Wenigkeit, der Analyst Steve Davis, eine Lebenslust wie Iggy Pop.

2. „Schreib oder stirb." Das bedeutet: Möglichst oft Analysen und Berichte schreiben. Manche Analysten versenken sich in Kalkulationstabellen und Zahlen, aber wir sind nicht hier, um die Wahrheit zu verkaufen, sondern Stimmungen. Das, was die Aktienkurse am meisten in die Höhe treibt, sind Wechselkursschwankungen, wachsendes Bruttosozialprodukt, der Ölpreis und so weiter – alles Dinge, die man kaum vorhersagen kann. Alles, was man tun muss, ist, eine einigermaßen plausibel klingende Geschichte zu erfinden, die schwer zu widerlegen ist, sie aufzuschreiben und zu warten, bis die Idioten anbeißen – und das werden sie.

3. „Sich selbst loben." In diesem Job gibt es keinen Platz für Bescheidenheit. In anderen Branchen mag das ja gelten, aber in der City ist Bescheidenheit tödlich. Warum? Weil ein bisschen Angeberei vor dem Boss, vielleicht noch in Kombination mit versteckter Kritik an der Leistung eines Kollegen, im Nu mit einem Bonus von 30.000 Pfund belohnt werden kann. Man weiß, dass viele nach dem Kuchen schnappen, und das heißt, man muss Einsatz zeigen. Es ist ein ungeschriebenes Gesetz dieses Berufes: Wenn dir jemand den Erfolg vor der Nase wegschnappen und sich mit deinen Federn schmücken kann, dann wird er es tun. Um Weihnachten herum, wo über die Verteilung von Boni entschieden wird, sind moralische Erwägungen, die in der City sowieso nie hoch im Kurs stehen, besonders wenig angebracht. Erfolgreiches politisches Taktieren ist die Erklärung dafür, dass zwei gleichermaßen erfahrene, umsichtige und talentierte Broker, die dieselbe Sparte in derselben Bank unter sich haben, ganz unterschiedlich hohe Gehälter bekommen können.

4. „Sich immer ein Hintertürchen offenhalten." Vollmundige Statements wie „die Aktie geht bestimmt rauf, weil ..." machen einen bloß abhängig von der künftigen Entwicklung. Wer weiß, was gut für ihn ist, hält sich lieber den Rücken frei. Noch wichtiger: Nutze E-Mails, um sicherzugehen, dass verbale Absprachen mit den Kollegen mehr wert sind als das Papier, auf dem sie nicht geschrieben stehen. Solche Mails beginnen für gewöhnlich mit: „Wie besprochen hast du zugestimmt, dass ..." Diese Praxis hat mir mehr als einmal den Arsch gerettet.

5. „Im Windschatten eines erfolgreichen Analysten segeln." Der beste Weg, um die Karriereleiter schnell hochzuklettern, ist der, an ein bereits erfolgreiches Team anzudocken – idealerweise mit einem Staranalysten, der einem zeigt, wie der Hase läuft, und einem alle wichtigen Kunden

vorstellt. Wenn man dann alles Wichtige von ihm gelernt hat, geht man woanders hin und macht sein eigenes Team auf, wobei man möglichst viele seiner Kunden und Ideen mitnimmt.

6. „Nichts von dem Mist ist wirklich wichtig." Davids exakte Worte waren: „Stress bringt dich schneller um, als Kaninchen sich vermehren." In dem Moment, in dem man seinen Job zu ernst nimmt oder es sich zu sehr zu Herzen nimmt, dass ein Aktienkurs sich anders verhält, als man es vorausgesagt hat, oder dass ein Kunde einen nicht mag, ist man faktisch tot. Man darf nie vergessen, dass es in diesem Job nur darum geht, dass ein paar geldgeile Idioten auf reichlich sinnlose Weise Papiere zwischen sich hin- und herschieben. Es geht hier nicht darum, wie man den Krebs besiegt – es geht nur um die beste gesetzlich erlaubte Möglichkeit, so schnell wie möglich Geld zu machen. Dies war seine wichtigste Lektion und ich habe sie nie vergessen, auch wenn ich mich, wie man noch sehen wird, nicht immer daran gehalten habe.

David war verwirrt und etwas enttäuscht, als er sah, dass ich mir während seines halbstündigen Vortrags tatsächlich Notizen machte. Sobald er damit fertig war, leerte er sein Bierglas in einem Zug, knallte es auf den Tisch, stand auf und sagte nur: „Komm, lass uns zu Isabella gehen!" Ich wusste, dass David verheiratet war. Dass er mich seiner Frau vorstellen wollte, gab mir das Gefühl, ab jetzt zum Kreis seiner Vertrauten zu gehören – und das fühlte sich gut an.

Nach einer sehr kurzen Taxifahrt (Davids Motto war: „Warum zu Fuß gehen, wenn uns jemand fährt?") zur Abzweigung der Shoreditch High Street hielten wir vor einem Strip-Lokal namens „Pinks". Ich fand es ein wenig ungewöhnlich, dass wir seine bessere Hälfte in einem Strip-Lokal treffen wollten, aber ich hatte nichts dagegen. Nachdem wir den zwei Gorillas vor der Tür jeder einen 5-Pfund-Schein als Eintrittsgeld gegeben hatten, betraten wir durch dicke Samtvorhänge eine richtige Lasterhöhle alten Schlags. Das „Pinks" wirkte wie ein normaler Pub – mit dem Unterschied, dass es keine Fenster hatte und dass die Gäste alle Männer waren, vor allem ältere Männer, die nicht viel redeten, sondern uns nur anstarrten, während wir hineingingen. Der andere Unterschied war, dass es eine Bühne gab mit einer nackten, unten rasierten Schönheit, die langsam eine Stange hinunterglitt, rechts von dem Eingang, durch den wir kamen. Ein paar Sekunden lang war ich verwirrt, denn ich verstand nicht ganz, warum all die alten Spanner in meine Richtung starrten. Ich war froh, dass mein schäbiger Anzug diesmal nicht im

Mittelpunkt der Aufmerksamkeit stand. Die Klientel war eine witzige Mischung von verarmten Degenerierten in billigen Klamotten, die ihr Bier tranken, und mir, dem Cityboy, dessen besagter Anzug und dessen Schuhe im Wert von 200 Pfund hier ziemlich aus dem Rahmen fielen. Das Tolle an dieser Art von Strip-Lokalen des Londoner East Ends ist, dass die Unterschiede in Sachen Arbeit und Wohlstand hier an der Tür abgegeben werden und alle Zuschauer durch ihr gemeinsames „Hobby" vereint sind. Im „Pinks" waren wir keine Broker, Bauarbeiter oder Müllmänner, wir waren einfach nur Bewunderer der weiblichen Reize – oder Perverse, je nachdem, wie man's nimmt. Wir bestellten zwei Bier und setzten uns auf zwei Barhocker mit dem Rücken zur Bar, um die Show zu genießen. Nach einem tiefen, herrlich kühlen Schluck Lager fragte ich David, wann seine Frau denn käme. Ohne mit der Wimper zu zucken oder mich anzusehen, sagte er nur: „Sie ist schon da – da oben, auf der Bühne." Die schöne, nackte, kaffeebraune Brünette, die auf der Bühne war, als wir eintraten, beugte sich gerade vornüber, den Rücken zum Publikum, und spreizte dabei die Pobacken. Fast wäre ich an meinem letzten Schluck Bier erstickt, versuchte aber, mir nichts anmerken zu lassen. Nach ein paar Sekunden Zögern äußerte ich einen meiner dümmsten Sätze der letzten 35 Jahre, nämlich: „Sie sieht ... äh ... sehr nett aus."
David zog es vor, jeden Anflug von Ironie zu ignorieren und grunzte etwas Zustimmendes. Nachdem der laute R'n'B-Titel zu Ende war, und damit auch Isabellas Tanz, ging eine Stripperkollegin von ihr mit einem Bierkrug durch die Reihen, in den jeder eine 1-Pfund-Münze warf. Ich fummelte noch in meinen Taschen herum, um eine Münze zu finden, da warf David schon zwei Pfund-Münzen in den Krug, und das mit jener Unbekümmertheit, die nur der hat, der es gewohnt ist, sich junge Damen anzuschauen, die sich in Spelunken wie dieser für Geld nackt ausziehen.
Nach ein paar Minuten stand Isabella vor uns. In ihrem neon-orangefarbenen Stringtanga und dem dazu passenden Oberteil mit Guckloch sah sie nun schon wesentlich seriöser aus als zuvor. Fast unschuldig küsste sie David auf die Wange und setzte sich zu uns. Sie war ungefähr 25 Jahre alt, hatte den Körper eines Bademoden-Models und ein knochiges Gesicht, das selbst Audrey Hepburn eingeschüchtert hätte. Ich musste leider zugeben, dass sie wesentlich attraktiver war als alle Mädchen, mit denen ich jemals liiert war, und trotzdem ging sie mit diesem fetten, alten Sack. Da drängten sich mir auf der Stelle zwei Fragen auf. Erstens: Gibt es keine Gerechtigkeit mehr auf der Welt? Und zweitens, noch viel wichtiger: Wie komme auch ich zu so einer Frau?

34

Nach ein paar belanglosen Artigkeiten gab mir David unabsichtlich einen Hinweis zur Beantwortung dieser zweiten, mir so wichtigen Frage. Er griff in seine Anzugtasche, nahm eine schöne Goldkette heraus und legte sie Isabella, die sich leicht nach vorne neigte, um den Hals. Aus heutiger Sicht betrachtet war meine Naivität damals ziemlich groß, aber Davids Selbsttäuschung war noch viel größer. Denn als Isabella uns verließ, um ein weiteres Mal an der Stange zu „tanzen", drehte er sich zu mir um und sagte mit dem schmachtenden Blick eines liebestollen Teenagers: „Ich glaube, sie liebt mich wirklich. Das ist es!"

Ich konnte es nicht glauben, dass ein sonst so zynischer alter Hase wie David den wahren Grund ihrer Zuneigung nicht wahrhaben wollte. Das einzig Reale an ihrer Liebe waren doch die Brasilianischen Real, in die sie später, nach ihrer von der Einwandererbehörde erzwungenen Ausreise, seine Britischen Pfund Sterling eintauschen würde.

Im Laufe meiner Jahre an der Börse konnte ich immer wieder beobachten, wie sich geile, alternde Broker-Böcke in Sachen Frauen der Selbsttäuschung hingaben. Wie oft sah ich dicke alte Säcke in modischen Sportjacken, die in irgendwelchen finsteren Kneipen in Soho junge Frauen anquatschten und sich allen Ernstes einbildeten, die interessierten sich für etwas anderes als ihre Kohle – ein Bild, zum Lachen komisch, wäre es nicht so traurig! Einer der zahlreichen Gründe dafür, dass ich mir schwor, der City endgültig den Rücken zu kehren, bevor ich 40 Jahre alt wurde, war der fette, sabbernde Idiot, der gerade dabei war, ein süßes junges Ding aufzureißen, den ich eines Tages in einer Kneipe sah … das Peinliche war nur, dass es sich um mein eigenes Spiegelbild handelte, das sich in einer der versifften Spiegelwände des Nachtklubs abzeichnete …

Nach jenem denkwürdigen Abend gewöhnte ich mich besser an den Arbeitsalltag eines Analysten und die 4-Augen-Gespräche mit meinem Guru fanden gelegentlich statt. Ich saß an meinem Schreibtisch und versuchte immer noch verzweifelt zu verstehen, was alles zu meinem Arbeitsbereich gehörte und was zum Teufel so ein Wertpapieranalyst eigentlich machte. Abgesehen davon, dass er sich mit schöner Regelmäßigkeit in seinem Stammlokal volllaufen lässt, gehören zur Routine eine endlose Reihe von Analyseberichten, die Vermarktung derselben per Telefon bei den Kunden und in Präsentationen und das Ausführen der Kunden zu feinen Lunches und Sportveranstaltungen. Wir mussten unsere Klienten, Vertreter und Trader über wichtige, kursbeeinflussende Entwicklungen in unserer Sparte informieren, und egal, wie kundig wir tatsächlich waren, immer zu allem eine „Meinung" parat haben, um nicht inkompetent zu erscheinen. Das Ganze schien mir nicht sonderlich anspruchsvoll zu sein. Nichts an dem Job schien mir zu erklären, warum die dafür gebotenen Gehälter die von Rechtanwälten, Wirtschaftsprüfern, Unternehmensberatern und so weiter weit in den Schatten stellten. Aber das war schließlich nicht mein Problem, sondern das der Rechtsanwälte, Wirtschaftsprüfer und Unternehmensberater, die sich das gefallen ließen.

Die einzige größere Lernerfahrung, die ich im Jahr 1996 machte, war die Weihnachtsfeier der Banque Inutile – bei der ich mich ziemlich zum Narren machte. Es war die erste einer langen Reihe von Geschäftsparties, die bestenfalls so endeten, dass ich auf der Heimfahrt in der U-Bahn einpennte und irgendwo in einem Kaff wie Morden (oder Mordor, wie es meine Kollegen scherzhaft nannten) aufwachte, schlimmstenfalls jedoch damit aufhörten, dass beunruhigte Kollegen mich hinauswarfen. Die denkwürdige Banque-Inutile-Weihnachtsfeier von 1996 hätte das vorzeitige Ende meiner Börsenkarriere bedeutet, hätte David sich über meinen absurden Zustand nicht so amüsiert und sich nicht vorgenommen, sich noch ein paar weitere Jahre so ein Schauspiel zu gönnen. In mancher Hinsicht habe ich ihn bestimmt enttäuscht, in dieser Beziehung jedoch nie.

Die Weihnachtsfeier unseres Büros begann mit einem Surren freudiger Erwartung. Im Dezember arbeitet sowieso niemand in der City wirklich viel, daher ist die Weihnachtsfeier oft nur der Höhepunkt leberzerfressender Sessions im Pub. Es ist echt die Jahreszeit, in der man aus dem Kater kaum noch rauskommt. Obwohl die britischen Wasserwerke ihre Halbjahresergebnisse schon Anfang Dezember veröffentlichen, war ich noch nicht so erfahren, dass man mir zutraute, diese Ergebnisse für unsere Trader zu interpretieren. Das war Henrys Privileg. Daher hatte ich die Nachmittage meistens frei und konnte sie mir mit Kollegen, Freunden und ein paar weniger wichtigen Kunden, die man mir zugeteilt hatte, um die Ohren hauen. Die Weihnachtsfeier begann um 18.30 Uhr, aber ich hatte zuvor schon mit einigen hartgesottenen Kollegen zwei Stunden lang Bier und Sambucca getrunken. Schon als ich bei der Party ankam, war ich voll wie ein Eimer, und was danach passierte, bevor meine wohlmeinenden Kollegen mich hinauswarfen, weiß ich nicht mehr. Laut Zeugenaussagen habe ich Folgendes angestellt:

1. Es hätte fast eine Schlägerei gegeben zwischen mir und einem Bekannten von der Bank, über dessen Tanzkünste ich mich sehr mokierte. Gott sei Dank ging ich großzügig von dem Hünen weg, bevor er handgreiflich wur-

de. Ich nehme an, der Rugby-Stürmer ist heute noch froh darüber, dass ich so nett war, Gnade vor Recht ergehen zu lassen und ihn nicht anzufassen.

2. Ich erklärte zwei Kollegen, einem Mann und einer Frau, beide verheiratet, dass ich und die anderen ihr nächtliches Techtelmechtel im Kopierraum sehr wohl durchschauten. Insbesondere die wutschnaubende weibliche Hälfte des Pärchens war danach schlecht auf mich zu sprechen und strich mich wohl von ihrer Weihnachtskartenliste.

3. Ich legte auf dem Tanzboden eine Kür hin wie ein mit Ecstasy vollgepumpter Teenager. Anscheinend zog ich auch mein Hemd aus, als wären wir in einem Strip-Lokal und nicht in einer seriösen Bank. Hinterher hieß es im Kollegenkreis, mein innovativer halbnackter Kriegstanz mit lasziven Beckenschwüngen sei bei unseren hohen Gästen aus Paris nicht so gut angekommen.

4. Ich fuhr David Flynn übers Haar und streichelte seinen stetig wachsenden Bauch. Von all den peinlichen Dingen, die ich an diesem denkwürdigen Abend anstellte, war es das, was ich am meisten bereute. Nicht nur, dass es ungefähr so angebracht war, wie der Queen den Hintern zu tätscheln – David war auch derjenige, der über meine Boni zu entscheiden hatte, solange wir beide bei der Banque Inutile waren.

5. Ich machte die 42 Jahre alte und glücklich verheiratete Sekretärin des Pharma-Teams an. Das war nicht nur sehr ungehörig, sondern brachte mir auch den lang anhaltenden Spott meiner Kollegen ein, denn die Dame war hässlich wie die Nacht. Solch ein Weib angemacht zu haben, sagten sie, sei schon schlimm genug, aber einen Korb von ihr zu kriegen, das sei der Beweis, dass es mir an Klasse fehle.

6. Zu guter Letzt kotzte ich noch hinter das Buffet, weil ich es nicht mehr bis aufs Klo schaffte. Ich war in einem Zustand, dass ein paar Arbeitskollegen sich meiner erbarmten und mich mit sanftem Druck ins Freie geleiteten. Am nächsten Morgen wachte ich voll angezogen auf dem Boden neben meinem Bett auf. Ich roch und fühlte mich wie Richard Burton nach einer fünftägigen Sauftour – und ich sage das im vollen Bewusstsein der Tatsache, dass er 1996 bereits zwölf Jahre tot war.

Weihnachtsfeiern am Arbeitsplatz sind immer ein potenzielles Minenfeld, aber in Investmentbanken sollte man sie lieber ganz meiden, wenn man zu Exzessen neigt. Im Vollrausch kann ein einziger Klaps auf den Po einer Dame einen den sechsstellig dotierten Job oder gleich die ganze City-Karriere kosten – Letzteres wäre ja, genau genommen, eher ein Segen, aber man sollte lieber aus freien Stücken gehen, als riskieren, hinausgeworfen zu werden. So eine Weihnachtsfeier im Büro kann natürlich für eine attraktive, geldgeile Sekretärin auch die Gelegenheit sein, sich einen Millionär zu angeln. Ich habe gehört, dass gewisse ehrgeizige Mittelschichtmütter, deren Töchter nicht immer die intelligentesten sind, ihre hübschen Töchter überredet haben, als Sekretärin in die City zu gehen und sich an reiche Männer heranzumachen. Vielleicht haben diese Mütter ihr Handwerk selbst von ihren Eltern gelernt, die sie vor 30 Jahren in ein Sekretärinnen-College in Oxford oder Cambridge geschickt haben in der Hoffnung, sie würden dort einen netten, klugen (und naiven) Studenten mit guten Aussichten kennenlernen. Aber um auf die Weihnachtsfeier 1996 in der Banque Inutile zurückzukommen: Ich kann mit einiger Sicherheit sagen, selbst wenn ich so reich gewesen wäre wie Bill Gates und so gut aussehend wie Brad Pitt – es hätte im ganzen Raum keine einzige Frau gegeben, die so verrückt gewesen wäre, mit mir anzubandeln, so fürchterlich betrunken war ich. Mein Verhalten und mein Zustand waren damals so schlimm, dass sogar ein so toleranter Boss wie David sich verpflichtet fühlte, mir am nächsten Morgen in seinem Büro gehörig den Marsch zu blasen, als ich schließlich eintrudelte – kaum in der Lage, einen richtigen Satz herauszubringen und mit grauenvollem Kopfweh. Bei einer seriösen und absolut professionellen Bank wie Goldman Sachs hätte ein solcher Auftritt genügt, um meine so glänzend begonnene City-Karriere im Handumdrehen zunichte zu machen. Aber die Analysten-Abteilung der Banque Inutile unter der Leitung von David Flynn war stolz auf ihre Toleranz gegenüber „exzentrisch veranlagten" Angestellten (man könnte auch sagen kindischen Idioten), und daher ließ man mir diese frühen Verfehlungen durchgehen.

Die Monate vergingen und das Lernpensum stieg steil an. Es dauerte nicht lange und ich konnte mit Henrys Hilfe Finanzierungsmodelle in Excel für die fünf britischen Wasserwerke erstellen und im Mai 1997 schrieb ich meine erste Marktanalyse, die den Kunden sagte, sie sollten die Aktien der britischen Wasserwerke kaufen, denn ... sie würden bald raufgehen oder mit ähnlich differenzierten Begründungen. David pflegte sich als Boss ziemlich wenig einzumischen – hauptsächlich, weil er Wichtigeres zu tun hatte, wie etwa brasilianischen Schönheiten beim Strippen zuzusehen –, aber dank seiner flüchtigen Durchsicht meines Berichtes konnte er die schlimmsten Fehler ausmerzen. Diese Unternehmensanalyse war mein Gesellenstück auf dem Weg zu etwas Reputation in meinem Arbeitsbereich, und um der Wahrheit die Ehre zu geben, es war zumindest keine Blamage.

Das Schreiben dieser Analyse hatte jedoch zwei irritierende Folgen für mich: Erstens war ich ab jetzt offiziell der zuständige Analyst der Banque Inutile für die Wasserwerte. Das bedeutete, dass ich dafür verantwortlich war, dem gesamten Markt die Ansichten meiner Bank über britische Wasserwerk-Aktien zu unterbreiten. Es bedeutete auch die todlangweilige Arbeit, auf die Ganzjahresergebnisse der britischen Wasserversorgungsbetriebe zu reagieren, die im Juni erschienen. Die zweite nervige Konsequenz war, dass ich meine erste Werbetour unternehmen musste, wenn auch nur zu den Klienten in Großbritannien, da ich noch nicht weit genug war, um die Klienten in ganz Europa oder Amerika zu besuchen.

100 gelangweilten Idioten morgens um 7.20 Uhr zwei Minuten lang etwas über Mikrofon zu erzählen, nachdem ich kaum Zeit gehabt hatte, den um 7.00 Uhr erschienenen, 30-seitigen Finanzbericht der Nachrichtenagentur Reuters zu sichten, war schon beim ersten Mal kein Vergnügen und wurde es auch später nicht. Der Zeitdruck führt dazu, dass es unzählige Gelegenheiten gibt, Mist zu bauen, und wer zu Beginn seiner City-Karriere gravierende Fehler macht, braucht Jahre, um sich davon wieder zu erholen. Das ganze Verfahren ist sehr stressig, aber wir Analysten müssen ruhiger wirken als alte Männer, die man mit Schlafmitteln ruhiggestellt hat, oder wir verlieren an Autorität und werden nicht ernst genommen. Einmal hörte ich von einer Analystin einer US-Firma, die vor dem Mikrofon in Tränen ausbrach, und das ist absolut tödlich in einer Investmentbank, wo andere Emotionen als Ärger und blasierte Selbstzufriedenheit generell unangebracht sind. Ein Gerücht behauptet, besagte Dame hätte die City bald darauf verlassen und wäre Vorschullehrerin geworden – was vielleicht gar kein so großer Unterschied zur Börsenmaklerin ist. Der Stress, den wir Broker haben, wird ja immer wieder als Argument für unsere astronomischen Gehälter angeführt, aber dieses Märchen habe ich nie geglaubt. Ich hatte immer schon den Eindruck, dass Krankenschwestern erheblich mehr Stress haben, denn die Leute sterben, wenn sie etwas falsch machen. Wenn ich im „Le Gavroche" essen gehe, sehe ich komischerweise kein Pflegepersonal am Nebentisch sitzen, sondern nur meinesgleichen.

Meine erste Präsentationsrunde vor unseren Kunden war ziemlich interessant ... etwa zwei Tage lang. Eigentlich war es eine ziemlich stressige Angelegenheit, aber nach sechs Stunden Sitzungsmarathon pro Tag wurde es zur Routine, jeden Tag denselben Quatsch zu wiederholen, immer mit denselben „zufällig improvisierten" Textstellen, und es wurde allmählich ziemlich öde. Ein einstündiger Powerpoint-Vortrag vor erfahrenen Fondsmanagern, von denen manche schon jahrzehntelang im Geschäft waren, war für mich 25 Jahre alten Jungspund mit meinen billigen, schlecht sitzenden Anzügen, der ihnen weismachen wollte, diese oder jene Aktie könne die Performance ihres Portfolios entscheidend verbessern, schon eine große Herausforderung. Viele der Klienten waren überhaupt nicht an meinen Argumenten interessiert. Sie hörten sichtlich kaum zu und schielten nur auf ihre teuren Armbanduhren, um zu prüfen, wann der Spuk endlich vorüber sei. Andere, vor allem die Jüngeren, Konkurrenzfreudigen, brachten ihre Zeit damit zu, Fehler in meiner Argumentation aufzuspüren. Wenn ich nach meinen Vorträgen ins Büro zurückkam und mir ansah, was sie in ihrem Portfolio hatten, konnte ich feststellen, dass sie eigentlich nur deshalb gegen mich waren, weil sie Aktien hatten, zu deren Verkauf ich geraten hatte, und umgekehrt. Manche von diesen Blödmännern wollten mich Neuling nur auflaufen lassen und ich brauchte die Geduld einer Mutter Teresa, um nicht einfach zu sagen: „Haut doch ab, ihr Schwachköpfe!" Gott sei Dank brachte ich die Kraft auf, diese aggressiven Impulse zu unterdrücken – anderenfalls wäre es mir wohl nicht geglückt, langfristige Kundenbeziehungen herzustellen.

Bei diesen frühen Sitzungen litt ich oft unter dem, was in Fachkreisen „Hochstaplersyndrom" genannt wird. Um der Wahrheit die Ehre zu geben, hat mich dieses Syndrom während meiner gesamten City-Karriere nicht mehr verlassen, egal wie erfolgreich ich wurde. Was ich damit meine? Man sitzt da und spuckt große Töne über die Vorzüge einer bestimmten Aktie oder die Problematik einer anderen – und plötzlich spürt man einen grässlichen Anfall von Selbstzweifel in sich hochkriechen. Ich habe unzählige Male gedacht: „Hoffentlich kriegen meine Kunden und Kollegen jetzt nicht mit, was ich für ein Dummschwätzer bin! Wie kann ich sie weiterhin hinters Licht führen, wo ich doch nur ein Glücksritter und Blender bin, der Glück gehabt hat im Leben – ein kiffender Hippie, der rein zufällig diese für ihn völlig abwegige Laufbahn eingeschlagen hat?"

Am dritten Tag meiner Werbetour sprach ich vor acht Fondsmanagern von Prudential. Plötzlich hatte ich das untrügliche Gefühl, der gelangweilt aussehende Typ mittleren Alters mit Brille da hinten würde gleich meinen verbalen Durchfall unterbrechen und etwas sagen wie: „Moment Mal, ich glaube, Sie reden da völligen Unsinn. Ich habe keine Lust, meine kostbare Zeit damit zuzubringen, mir diesen Quatsch noch länger anzuhören!"

Ich war dermaßen überzeugt davon, dass sie mich alle durchschauten, dass ich mich nur mit Mühe zurückhalten konnte, als einer von ihnen mich unterbrach, um eine Frage zu stellen. Ich wollte schon schreien: „Sie haben ja recht, es ist meine Schuld! Es mir eigentlich total egal, ob bei United Utilities demnächst eine Cashflow-Krise droht, und selbst wenn, wer weiß denn schon, ob sie überhaupt eintritt? Bitte nehmen Sie mich nicht ernst." Zum Glück ist so etwas nie passiert.

Dieses „Hochstaplersyndrom" betrifft Leute aus vielen unterschiedlichen Branchen, aber weil die Gehälter in der City so absurd hoch sind, glaube ich, dass es uns Börsenhändler besonders stark betrifft. Man fragt sich doch: Sind wir es überhaupt wert, dass diese Idioten uns so viel Geld in den Rachen schmeißen? Es ist auch sonnenklar, dass die City immer wieder neue Leute braucht, die ihre selbst gebastelten, aus der Luft gegriffenen Weisheiten, an die sie nicht mal selbst glauben, im Brustton der Überzeugung verkünden, denn wenn man nicht den Eindruck macht, ein professioneller Broker zu sein, der weiß, was er sagt, wird man von niemandem ernst genommen. Was heißt das? Dass die Investmentbanken der Welt voll sind von Leuten, die mit großem Selbstbewusstsein Ansichten vortragen, an die sie vielleicht nicht mal selbst glauben. Ich bin überzeugt davon, dass Ereignisse wie das Platzen der Technologie-Blase 1999–2000, als die Aktienkurse der Internet-Firmen in astronomische Höhen kletterten, nur deshalb eintreten konnten, weil die Analysten es so sehr gewohnt waren, auf Teufel komm raus Selbstvertrauen zu verbreiten. So konnten Börsenmakler den Fondsmanagern ohne mit der Wimper zu zucken in die Augen schauen und allen Ernstes behaupten, die an sich bereits völlig überbewerteten Aktien würden noch viel höher im Kurs steigen. Nach ein paar Jahren Arbeit in diesem gottverlassenen Geschäft weiß ich jetzt, dass so ziemlich jeder in der City ein absoluter Schwätzer und Blender war. Alles, was man tun musste, war, sich ein Seemannsgarn zu spinnen, das nur einen Hauch überzeugender klingen musste als das all der anderen Deppen, und alles war geritzt. Im Rückblick kann ich sagen, dass ich in dieser Disziplin gar nicht so übel war, denn in meiner ganzen Laufbahn hat mich keiner jemals als Lügner und Blender entlarvt, aber das machte es damals auch nicht leichter für mich.

Ich hatte also bis Juli 1997 Finanzierungsmodelle für die von mir betreuten Unternehmen erstellt, einen Analysebericht verfasst und diesen vielen der in London ansässigen Fondsmanager persönlich vorgestellt. Jetzt war ich ganz offiziell ein City-Wertpapieranalyst, was ich auch daran merkte, dass mich eines Tages ein Journalist anrief und mich für den Wirtschaftsteil der *Daily Mail* um meine Prognose bat. Den Artikel, in dem ich zitiert wurde, zeigte ich am nächsten Tag stolz meinem Vater, dessen Freude darüber, dass sein Jüngster jetzt auch „seriös" geworden war, lediglich durch die Tatsache getrübt wurde, dass er meinen Namen ausgerechnet in einer konservativen Zeitung lesen musste. Theoretisch lief also alles bestens – ich verdiente 24.000 Pfund im Jahr und konnte mich schon auf meinen ersten Bonus in einem halben Jahr freuen. Das Problem war nur, dass ich trotz allem immer noch nicht davon überzeugt war, dass dies das richtige Leben für mich war. Die Telefongespräche und E-Mails von meinem Freund Alex, der als Künstler in Indien ein schönes Leben hatte, erinnerten mich immer wieder daran, dass es neben der grauen, stumpfsinnigen Plackerei hier noch ein anderes Leben gab. Ich hatte mir schon im zarten Alter von 15 Jahren geschworen, dass ich an meinem 40. Geburtstag nicht aufwachen wollte mit dem Gefühl, mein ganzes bisheriges Leben sei nur durchschnittlich verlaufen. Sollte, wollte ich nichts als ein weiterer Zeitverschwender werden, der irgendwann stirbt und bis dahin kaum einen Tag richtig gelebt hat?

Ich grübelte noch, wie meine langfristige Lebensplanung aussehen sollte, als ich mich immer mehr mit meinem Trader Tony Player anfreundete. David hatte mir gute Tipps an die Hand gegeben, wie man es in diesem seltsamen Geschäft zu etwas bringt, aber Tony zeigte mir nun eine noch dreckigere Seite des Börsenspiels; seine Weisheit und sein praktischer Rat sollten sich bald als genauso wichtig für meinen Erfolg erweisen.

DER TRADER

Als der liebe Gott die Laster unter den Menschen verteilte, warf er ein Auge auf Tony Player und dachte sich: „Was soll's, dem geb ich alle auf einmal!" Mit der Zeit merkte ich, dass Tony eigentlich ein netter Bursche war, aber er verbarg das sehr geschickt. Richtig gekonnt sogar. Nachdem ich ganz offiziell der Wertpapieranalyst der Banque Inutile für die britische Wasserversorgersparte geworden war, sprach ich regelmäßig mit Tony, denn er handelte tagein, tagaus mit den Aktien in meiner Sparte – auch mit anderen – mit Fondsmanagern und anderen Tradern. Wenn es irgendwelche Nachrichten gab, versuchte ich ihn möglichst schnell über deren Auswirkungen auf den Aktienkurs zu informieren. Wenn ich das nicht getan hätte, hätte er die Aktien einem anderen, besser informierten Trader zu billig angeboten und hätte sie anschließend vielleicht von jemand anderem zu einem viel höheren Kurs kaufen müssen. Unser Geplauder bei derartigen Aktionen brachte mir mit der Zeit einige der seltenen Freundschaften unter City-Kollegen ein, die mir wirklich etwas bedeuteten.

Tony war nur 30 Jahre alt, aber er arbeitete schon an der Börse, seit er 18 war, und galt deswegen als alter Hase. Er hatte den Börsencrash von 1987 ebenso mitbekommen wie jenen Schwarzen Mittwoch von 1992, als der damalige englische Schatzkanzler Norman Lamont den lächerlichen Versuch unternahm, die Zinsen binnen eines Tages von 10 auf 15 Prozent zu erhöhen, nur um Großbritannien im Rahmen des Wechselkursmechanismus der EU halten zu können. Clevere Spekulanten wie George Soros kapierten damals schnell, dass die Versuche der Politiker, die fundamentalen ökonomischen

43

Realitäten außer Kraft zu setzen, ungefähr so erfolgreich sein würden wie meine Versuche, mit Miami-Vice-ähnlichem Pferdeschwanz und flauschigem Ziegenbart flachgelegt zu werden. Die Aktionen von Soros und seinesgleichen, die fortwährend auf dem Geldmarkt Britische Pfund verkauften, zwangen die britische Regierung zum Einlenken und bewirkten Großbritanniens Ausstieg aus dem Europäischen Wechselkursmechanismus. Der ganze Vorfall kostete Großbritannien geschätzte dreieinhalb Milliarden Pfund – ungefähr 60 Pfund pro Einwohner, Kinder mitgerechnet. Dieser Vorfall überzeugte Tony mehr als alles andere davon, dass an Margaret Thatchers vielzitiertem Ausspruch: „Man kann nicht gegen den Markt an!" viel Wahres dran ist.

Der Glaube an die Allmacht und die gelegentlich irrationale Natur des Marktes wurde von den meisten Tradern geteilt. Er hatte einige amüsante Folgen für meine Treffen mit Tony. Morgens ging ich meistens zuerst an seinem Schreibtisch vorbei und plauderte mit ihm über das, was an der „Street" gerade so abging. Er drehte sich in seinem Stuhl zu mir um, nahm vorübergehend den Blick von seinen sechs Bildschirmen, die vor ihm standen und ihm alle potenziell kursbeeinflussenden Informationen lieferten, und sagte etwas wie: „Steve, die Börse ist heute Morgen wieder verdammt reizbar. Reichlich nervös und sprunghaft."

Er sprach über die Börse oder den Markt, aber es war, als meinte er ein unbezähmbares Wildpferd oder ein loderndes Buschfeuer. Obwohl mich das anfangs ziemlich amüsierte, begriff ich mit der Zeit, dass seine Beschreibungen durchaus zutreffend waren. Der Markt ist das Produkt der Emotionen von Tausenden von Menschen. Die zwei wichtigsten Emotionen, die Broker und Anleger fühlen, sind Angst und Gier. In Kombination mit einem gewissen Herdentrieb können sie extreme und vollkommen irrationale Auf- und Abwärtstrends auslösen.

An anderen Tagen sprach Tony über den Markt, als wären wir mitten in einem zweitklassigen Western. Er sagte dann Dinge wie: „Verdammt ruhig da draußen ... zu ruhig für meinen Geschmack!", so als käme gleich eine Horde Apachen über den Hügel geritten, um unsere ehrwürdige Bank einzukreisen. Aber genau diese Fähigkeit, Marktentwicklungen schon zu spüren, bevor sie eintreten, unterscheidet den professionellen Börsenhändler vom Dilettanten. Es schien mir, als könne man diese Fähigkeit nicht lernen und als sei sie bei dem scharfsinnigen Sohn eines Verkäufers aus dem Londoner East End (das war Tony) viel wahrscheinlicher als bei einem rein analytisch vorgehenden Volks- oder Betriebswirt, der frisch aus Oxford kommt. Meine Erfahrungen in der City haben dies nur bestätigt.

Tony besaß alle Eigenschaften, die ein typischer Aktienhändler mitbringen sollte. Nun gut, sein Bauch hatte noch nicht ganz die Proportionen erreicht, die man von einem Cheftrader erwartete, aber das ließ sich mit ein paar Stück Kuchen und ein paar Bier am Tag mehr leicht ändern. Der Schärfe seines Verstandes und seines Wortwitzes kamen nur seine Lust auf Alkohol und Stripperinnen sowie seine raubeinige Sprache gleich. Es schien ihm eine diebische Freude zu bereiten, in Gegenwart der feinen, gebildeten Analysten wie ein Fuhrkutscher zu fluchen – vor allem natürlich gegenüber denen, die ihn etwas herablassend behandelten. Er sprach solche Leute immer mit „Boss" an, was oberflächlich betrachtet unterwürfig klang, aber eigentlich bei ihm und seinen Traderkollegen eine versteckte Beleidigung war.

Meine erste Sause mit Tony hatte ich an einem Donnerstag im September des Jahres 1997. Es war ungefähr 17.00 Uhr und wir sprachen über die möglichen Folgen einer angekündigten regulatorischen Maßnahme auf die Kurse, als er mich plötzlich stoppte und sagte: „So, Schluss mit dem Scheiß, ich bin so spitz wie Nachbars Lumpi. Mann, ich brauch jetzt dringend Action. Warum gehen wir zwei nicht zu ‚Corney and Barrow' in den Broadgate Circle und machen ein paar Essex-Schlampen klar?" Da ich nichts Besseres zu tun hatte und mich geehrt fühlte, dass ein erfahrener Trader wie Tony mich einlud, mit ihm auf die Piste zu gehen, sagte ich sofort zu. Donnerstagabend ist für gewöhnlich der Abend, an dem die Börsianer miteinander einen trinken gehen, denn die Wochenenden sind in der Regel für Freundin, Familie und enge Freunde reserviert. Wie Tony mir erzählte, wussten das auch die Legionen von Mädchen aus Essex, die in ihren weißen Stilettos und tief ausgeschnittenen Kleidern in den Bars der City nur darauf warteten, sich einen reichen, stinkbesoffenen Cityboy zu kapern und so ihre finanzielle Zukunft zu sichern. Auf dem Weg zur Bar erklärte mir Tony: „Alles, was du tun musst, um im „Broadgate C and B" eine abzuschleppen, ist, dich in Armani-Klamotten zu werfen und ein paar Flaschen sündhaft teuren Schampus zu spendieren. Du wirst sehen, bevor du einen Mucks sagen kannst, umschwirren sie uns wie die Fliegen die Scheiße und wir müssen sie abwimmeln."

Der Gedanke an die 100-Pfund-Flaschen Champagner schreckte mich etwas ab, aber ich wollte es meinem soeben erst gewonnenen neuen Freund nicht zeigen. Die Tatsache, dass ich immer noch meinen sechs Pfund teuren Anzug anhatte, ließ mich am Erfolg unserer Mission zweifeln, aber Tonys Savile-Row-Anzug, seine 250 Pfund teuren Schuhe und die Rolex an seinem Handgelenk, die bestimmt 3.000 Pfund gekostet hatte, würden meine offensichtlichen Unzulänglichkeiten vielleicht wettmachen. Wir erklommen die

Stufen zu der langen, kreisrunden Bar am Broadgate Circle und zögerten nicht lange, Tonys klugen Plan in die Tat umzusetzen.

Wir setzten uns an einen Tisch, der groß genug war, ein paar Gäste zu bewirten, und ließen uns die Flasche mit Bollinger-Jahrgangschampagner in einem großen Eiskübel auf den Tisch stellen, das Etikett gut sichtbar nach vorne gerückt für den Fall, dass die Essex-Girls tatsächlich so clever waren, wie Tony meinte. Tony bremste meine Versuche, Smalltalk zu machen, und beschäftigte seinen kreativen Geist damit, mir die Vorzüge der zahlreichen Blondinen um uns herum zu beschreiben und mir zu sagen, was er alles mit ihnen machen würde. Innerhalb von fünf Minuten hatte er einen solchen Schwall von zotigen Bemerkungen vom Stapel gelassen, dass ich mit meiner politisch korrekten Kinderstube ganz rot wurde. Natürlich achtete ich darauf, mir meine Verlegenheit nicht anmerken zu lassen, um nicht als furztrockener Akademiker und totales Weichei abgestempelt zu werden.

Tony legte los: „Sieh dir nur den Vorbau und das Fahrgestell von der an. Verdammt noch mal, ich gäbe was dafür, wenn ich nur mal ihren Schatten bumsen dürfte!" Oder: „Junge, die, die du so toll findest, die is nix. Die ist eher gemütlich als spritzig, wenn du weißt, was ich meine." Oder: „Sieh mal die Möpse von der neben der Bar. Schau dir ihre Nippel an – entweder ihr ist kalt oder sie hat zwei Erdnüsse unter ihrem Pulli eingeschmuggelt." Oder: „Mann, hat die da drüben Beißerchen. Mit denen kann sie durch einen Tennisschläger in eine Orange beißen … oder in einen Apfel durch nen Briefkasten." Oder: „Die ist'n Spritzer wert, findest du nicht?" Oder: „Den Körper hat sie von Baywatch, aber dem Gesicht nach zu urteilen arbeitet die in der Geisterbahn …" Oder: „Die da sieht vom Weitem gut aus, aber von nah bei Weitem nicht so gut. Aber was soll's, jedes Loch ein Treffer, nicht wahr?" Oder: „Ich bin nicht gerade Fred Feuerstein, aber die würd ich schon im Bett rocken, bis ihr schwindelig wird." Oder: „Die da ist zwar kein Paradepferd, aber reiten kann man schon auf ihr …" Dieser Sturzbach von sexistischen Sprüchen schien kein Ende zu nehmen. Ich lachte und lachte und war mehr als bereit, mich mit diesem urkomischen, moralisch aber wohl ziemlich zweifelhaften Typen anzufreunden.

Tony hatte auch eine Angewohnheit, die, wie ich herausfand, viele Cityboys haben, nämlich die Ladies in unserer direkten Umgebung mit Fachtermini aus unserer Branche zu beschreiben. So waren bestimmte Brüste für ihn „ein schönes Paar Aktiva, die ich gern in die Finger kriegen würde", und eine schon etwas in die Jahre gekommene Lady war „nur noch ex Dividende". Als sich uns schließlich zwei Miezen näherten, rief er mir, noch bevor sie in Hörweite kamen, zu: „Oh, ich fühle schon, wie der Markt fester wird. Es gibt ernsthaft Potenzial nach oben." Ich hielt mich mit Lachen zurück, um unser Treffen nicht gleich zu vermasseln.

Schwer aufgebrezelt und orange vom Selbstbräuner sahen Sharon und Tracey wie klassische „Goldgräberinnen" aus Essex aus. Aber sie antworteten auf Tonys erste Frage: „Woher seid ihr zwei Hübschen denn?", indem sie sagten, sie kämen aus Shepherd's Bush. Tonys nächster Satz ließ sie kichern. Er sagte: „Wisst ihr, was sie sagen? Ein Vogel in der Hand ist in Shepherd's Bush so viel wert wie zwei." Weil Sharon den eines Einstein würdigen Intellekt besaß, Tonys komplizierten Witz zu verstehen, stupste er mich an und meinte: „Sie ist schlauer als die durchschnittliche Dani Behr, wenn du weißt, was ich meine." Ich wusste zwar nicht, was er meinte, aber es wurde mir schnell klar, dass Tony das Gespräch übernahm und seine Aufmerksamkeit auf die relativ attraktive Sharon konzentrierte, während ich mit ihrer Freundin vorliebnehmen musste, die, offen gesagt, eine ziemliche Vogelscheuche war. Während ich mich mit Tracey abmühte, kicherten und lachten Tony und Sharon, als hätten sie schon viel Übung mit dieser Art Konversation und verstünden sich bestens auf die Spielregeln. Bei mir war das ganz und gar nicht der Fall. Tracey fragte mich, was denn mein Sternzeichen sei, und ich antwortete mit einem uralten Gag, den sie aber nicht zu verstehen schien: „Ich bin Jungfrau, aber wie alle Jungfrauen glaube ich nicht an Sternzeichen." Während diese Antwort bei den Girls aus Cambridge immer Gelächter auslöste, sah Tracey mich nur ernst an und meinte: „Ja, das habe ich schon öfter über euch Jungfrauen gehört." Ich wusste nicht, ob das ein Witz sein sollte oder nicht, daher lachte ich nervös, wofür ich bei ihr nur einen verwunderten Blick erntete.

Bald tranken wir den Champagner literweise und ich begann, mich ziemlich betrunken zu fühlen. Ich wurde es müde, die schleppende Konversation mit Tracey aufrecht zu erhalten, und machte mir langsam ernsthaft Sorgen um die Rechnung, die uns nachher erwartete. Glücklicherweise gab der sturzbetrunkene Tony einen sexistischen Kommentar zu viel ab und beleidigte damit die Frauen. Selbst Sharon fand seine Bemerkung: „Eine Nacht mit mir, Schätzchen, und du läufst eine Woche lang wie John Wayne" nicht mehr witzig. Entweder war es das oder sie bekam das Gefühl, wie ein krummbeiniger Cowboy herumzulaufen sei eine Freudennacht mit dem groben, fetten, besoffenen Tony nicht wert. Nach diesem Kommentar versaute Tony sich alle weiteren Chancen, indem er auf Traceys Bemerkung, sie sei „bipolar", antwortete, das es sei ihm „völlig wurscht", woher sie komme. So dauerte es nicht mehr lange und die beiden Ladies wankten von dannen, wahrscheinlich um sich von jemand anderem zu noch mehr kostenlosem Champagner einladen zu lassen. Tony und ich standen dumm herum und fühlten uns, wie er es so nett ausdrückte, „wie zwei alte Jungfern bei einer Hochzeit". Tony drehte sich betrunken zu mir um und zeigte mir deutlich, dass er es ernst meinte, wenn er sagte, er wolle Sex. Er meinte: „Scheiß drauf, Steve, lass uns die Fliege machen. Fahren wir lieber in einen Puff in Soho und setzen wir dort die Party zünftig fort. Ich zahle. Warum eine Amateurin nehmen, wenn wir auch 'ne Professionelle kriegen können, wenn du weißt, was ich meine? Die Weiber dort sind erste Sahne!"

Das aber war auch mir zu viel. Obwohl ich gerne mit dem charismatischen Tony zusammen war, war es mir doch zu krass, irgendeine Prostituierte zu bumsen. Ich ignorierte seine trunkenen Einwände, lehnte seine freundliche Einladung ab und unsere Wege trennten sich. Später fand ich heraus, dass der Hang zu Prostituierten bei einer bestimmten Sorte Cityboy ziemlich ausgeprägt war – vielleicht, weil die Machokultur der City es schwierig macht, geeignete Frauen zu finden. Käuflichen Sex zu suchen, ob in einem Strip-Lokal oder in einem Bordell, passte auch irgendwie zum Ethos der City, dass jede Dienstleistung eben ihren Preis bzw. Kurs hat. Offensichtlich hatten viele meiner Kollegen bei dem berühmten Beatles-Song „Money can't buy me love"[2] nicht richtig zugehört.

Auf dem Nachhauseweg in der U-Bahn musste ich über die komischen Momente der Nacht lachen. Gottlob hatte Tony mein halbherziges Angebot, mich an der Zeche von 450 Pfund zu beteiligen, mit einer Handbewegung abgelehnt. Dass dienstältere, besser bezahlte Kollegen alle Drinks übernehmen mussten, war Tradition in der City – zu diesem Zeitpunkt eindeutig ein Vorteil für mich, aber später, als es mich traf, eine ganz schöne Belastung. In Wahrheit war es für die meisten Broker weniger ein Akt der Großzügigkeit als ein Beleg für ihren höheren Status und ihren Reichtum – etwas, wovon Cityboys anscheinend nie genug kriegen können.

Tonys Rolle in meiner City-Erziehung beschränkte sich keineswegs darauf, zweifelhafte Frauenzimmer in verkommenen Bars abzuschleppen. Nach dieser ersten gemeinsamen Kneipennacht gingen wir regelmäßig miteinander einen trinken und anlässlich dieser Zechtouren gab er mir Lektionen, die ich nie mehr vergaß und die mir bei meiner Börsenkarriere sehr halfen.

---

2) Übersetzt: „Liebe kann man nicht für Geld kaufen." (Anm. d. Übers.).

David Flynn hatte mir die theoretischen Erfolgsregeln beigebracht, Tony hingegen gab mir praktische Tipps zur Kundengewinnung und, noch wichtiger, zur persönlichen Gewinnmaximierung. Wenn David mein Karl Marx war, war Tony also eine Art Lenin für mich. Allerdings wusste ich zur damaligen Zeit noch nicht so recht, welche historische Figur ich sein sollte … vielleicht der rücksichtslose, letztlich erfolgreiche Stalin oder eher der ineffektive Trotzki mit Eispickel im Kopf?

Die erste Lektion, die Tony mir beibrachte, war, dass diejenigen Kunden, die sich für deinen Freund halten, die besten Kunden sind. Bei ein oder zwei Gläsern Stella Artois, die er immer „Liebestöter" nannte, erklärte er mir: „Schau, Steve, ein Kunde, der denkt, du wärst sein Kumpel, käme sich doch richtig gemein vor, wenn er dir nicht immer wieder eine Provision zuschanzen würde. Also tu, was du tun musst, um diese Wichser dazu zu bringen zu denken, sie seien deine Freunde, und schon hast du sie an der Angel. Und, wie die Amis immer so schön sagen: ‚Wenn du sie erst am Haken hast, hast du bald auch ihre Herzen und ihre Seele erobert.' Weißt du, was ich meine?"

Vielleicht wusste der gute Tony gar nicht, dass er mit seinem Ratschlag voll und ganz auf der Linie der altehrwürdigen Börsianer lag, die das moderne Investmentbanking hervorgebracht hatten. Denn einer der legendären Warburgs hatte bekanntlich schon vor Jahrzehnten gesagt: „Freunde dich mit dem Mann an – dann werde sein Banker." Tonys Hinweis auf diese Strategie war wahrscheinlich einer der besten Karrieretipps, die ich jemals bekam, und einer, den die meisten meiner Kollegen, obwohl er offensichtlich sinnvoll war, nicht befolgten, denn sie dachten, lange, detaillierte Analysen und ausgedehnte, langweilige Telefongespräche mit den Kunden über die wirtschaftliche Entwicklung würden ihnen Einfluss und freundschaftliche Beziehungen zu den Kunden einbringen. Das Problem bei dieser gängigen Strategie ist, dass es in der City nur so von Brokern wimmelt, und da die meisten Klienten mehr als nur eine Sparte abdecken, erhalten sie Tag für Tag Hunderte von Anrufen, Analysen, E-Mails und persönliche Benachrichtigungen via Bloomberg. Daher war es schwierig, sich durch diese konventionellen Mittel der Kontaktpflege überhaupt noch von seinen fleißigen Kollegen abzusetzen.

Ich entschied sehr bald, dass mein persönlicher Verkaufsvorteil der sein sollte, dass ich meine Kunden zu Parties, in Bars und Nachtklubs und zu Konzerten mitnahm und sie dabei betrunken machte. Die Idee dahinter war die, dass sich diese größeren Kunden dann bei firmeninternen Abstimmungen, wer ihrer Meinung nach der beste Broker sei, was für die Provisionen an unsere Bank sehr wichtig war, schuldig fühlten, wenn sie meinen Namen nicht ganz oben auf die Liste setzten. Der andere Grund dafür, dass meine Wahl auf diese Karrierestrategie fiel, war noch zwingender. Ich war schon immer ein fauler, aber sinnenfroher Nichtsnutz gewesen und fand daher die Diskussionen über Entwicklungstrends in der Energieversorgersparte lange nicht so prickelnd wie Kneipenabende oder Plaudereien mit hübschen Frauen oder ... so ziemlich alles andere. Während sich die meisten normalen Menschen wohl nicht groß darüber wundern würden, war das ein ziemlich radikales Denken in einer Welt von pingeligen, von Zahlen und Analysen besessenen Eierköpfen. So etwas zuzugeben, wäre wahrscheinlich für einen Goldman-Sachs-Robotertyp ein Frevel, der postwendend mit einer Kündigung geahndet würde.

Meine Aufgabe, eine Gruppe von Klienten heranzuziehen, die mir loyal verbunden waren, weil wir miteinander auf Parties gingen, wurde durch die Tatsache erleichtert, dass die europäische Energieversorgersparte in der zweiten Hälfte der 90er-Jahre nicht besonders groß war (circa fünf Prozent des gesamten Marktes). Die Sparte galt auch nicht als besonders kompliziert, denn sie war in hohem Maße durch Regeln bestimmt. Daher wurde dieser Bereich oft jungen, unerfahrenen Klienten anvertraut (von denen die meisten Männer waren), die später, wenn sie etwas Erfahrung hinzugewonnen hatten, eine attraktivere Sparte zugewiesen bekamen. Das bescherte mir reiche Jagdgründe voller junger Männer, die jung, dumm und vielversprechend waren und die ich dank der Tatsache, dass ich schon etwas älter war, da ich ja vor meiner Börsenzeit einige Jahre lang die Welt bereist und jede Menge Zeit vergeudet hatte, leicht beeindrucken und beeinflussen konnte. Zugegeben, diese Strategie erwies sich über die Jahre hinweg als sehr nützlich für mich, allerdings um den Preis, dass meine Leber und meine Nasenschleimhäute schrecklich darunter litten. Die konventionellen, computergestützten Kundenbindungsstrategien meiner Kollegen endeten nur in Kurzsichtigkeit und Handbeschwerden vom vielen Tippen – die sie dank ihrer sonstigen Hobbies früher oder später sowieso bekommen hätten.

Das Einzige, was noch besser funktioniert als ein Kunde, der denkt, er sei dein Freund, ist ein Kunde, der befürchtet, er bekommt eine Menge Ärger, wenn du es willst. Eines Tages tanzte ich im Klub „Space" auf Ibiza, als wäre ich der uneheliche Sohn von Prince und Michael Jackson (zumindest dachte ich das damals), da erspähte ich einen verheirateten Klienten, der mit einem knackigen italienischen Mädel am Strand knutschte. Ich dachte: „Das ist ja wie Weihnachten und Ostern auf einmal." Obwohl er verzweifelt bemüht war, keinen Augenkontakt mit mir aufzunehmen, wusste ich selbst in meinem zugedröhnten Zustand, dass ich mir diese Gelegenheit nicht entgehen lassen durfte. Ich ging also mit einem breiten Grinsen im Gesicht und einer erhobenen Augenbraue, die dem armen Kerl nicht entgehen konnte, auf ihn zu. „Äh, hi, Steve, äh ... das ist Sylvie ... eine Freundin von mir", stammelte er und sah ungefähr so locker aus wie George W. Bush bei einer Studentenversammlung. „Hi, James", erwiderte ich und reichte ihm und seiner Flamme die Hand. Nach ein paar Drinks und einigen schüchternen Scherzen ging ich wieder zu meinen Kumpels zurück – aber nicht ohne ihn gefragt zu haben, wie es seiner Frau und seinen Kindern gehe, während Sylvie auf dem Klo war, um „ihre Nase zu pudern". Und als ich wieder im Büro war, vergewisserte ich mich, dass er als einer der ersten angerufen hatte. Zyniker könnten jetzt sagen, dass die Tatsache, dass meine Bank von nun an erheblich mehr Provisionen von ihm erhielt, wenig mit der gestiegenen Qualität meiner Recherchen zu tun hatte – aber das ist mir egal.

Meinen Chefs war es egal, wie ich die Knete hereinbrachte (solange es auf legale Weise geschah) – sie hielten es mit der alten Weisheit „Geld stinkt nicht". Zugegeben, meine Methoden waren etwas unkonventionell, aber diese Freiheit ist das Schöne am Beruf eines Wertpapieranalysten. Jedes Spartenteam bildete eine unabhängige Einheit für sich. Wir erhielten von unserer Bank das Büro, die Computer und ein Budget für Ausgaben zur Verfügung gestellt und dazu die Anweisung, möglichst viel Geld zu verdienen – aber wie wir das bewerkstelligten, war im Großen und Ganzen unsere Sache. Wir konnten selbst bestimmen, zu welchen Anteilen wir Berichte schreiben, Kundenanrufe tätigen und Präsentationen durchführen wollten. Solange das, was wir taten, mehr Gewinn als Verlust einbrachte, mischte sich unsere Bank nicht ein, aber wenn die Bilanz nicht stimmte, gab es Ärger. Wenn ein bisschen subtile Erpressung uns dabei half, Verluste zu vermeiden, warum nicht?

Obwohl sich meine Begegnung im „Space" als lukrativ erwies, hatte meine Praxis, Kunden bei Parties und Festivals zu treffen, auch einige Nachteile. In den guten alten Anfangszeiten meiner City-Laufbahn konnte ich mir noch ziemlich sicher sein, dass mein Besuch von Rave-Parties und Festivals wie dem von Glastonbury nicht durch ein unerwartetes Zusammentreffen mit einem Klienten getrübt wurde. Die Sommersaison für City-Typen begann für gewöhnlich mit der unbeschreiblich langweiligen Chelsea-Gartenshow und ging weiter mit ebenfalls ziemlich öden Events wie dem Royal Ascot und der Henley-Regatta. Privat hätte ich solche Veranstaltungen nie besucht, ich tat es nur wegen der Kundenpflege. Aber dann, gegen Ende des 20. Jahrhunderts, änderte sich die Welt für mich. Plötzlich tauchten meine City-Klienten auch in Glastonbury oder auf dem V-Festival auf, liefen in grünen Gummistiefeln und Barbour-Jacken, die sie sich wahrscheinlich von Daddy geliehen hatten, durch das Gelände, schlürften Champagner und hausten in teuer gemieteten Jurten.

Einmal, ein paar Jahre zuvor, war ich zu Gast auf einem 24-Stunden-Maskenball bei einem Freund, auf einem Grundstück mit Herrenhaus namens Winstanley Hall. Laut *Daily Mail*, und die hat wirklich den Finger am Puls der Zeit, also muss es stimmen, war diese Party der Auftakt der „alternativen Sommersaison". Auf dem Weg zur Toilette begegnete ich zu meinem Entsetzen einem ziemlich wichtigen Hedgefonds-Klienten von mir, der mit verdächtigen weißen Pulverspuren an der Nase aus der Toilette stürmte. Der sichtlich verlegene Kunde entschied sich rasch für das unter den gegebenen Umständen Normalste und sprach mit mir übers Geschäft. Ich glaube, ich kann mit einiger Sicherheit behaupten, dass es auf der ganzen Welt kaum etwas Lächerlicheres gibt als einen ägyptischen Pharao, der vor einem Dixi-Klo mit einem russischen Kosaken über die Auswirkungen steigender Zinsen spricht, mit Feuerwerk am Himmel und stampfendem Techno-Rhythmus im Hintergrund. Trotz der an sich trockenen Materie war mein Klient aus einem Grund, den ich mir leicht denken konnte, sehr rede- und begeisterungsfreudig und ließ mich erst nach 20 wertvollen Party-Minuten wieder ziehen.

Das einzige, was noch schlimmer sein kann als ein Kunde, der einen auf einer Party mit Geschäftlichem belästigt, ist, einen Kunden zu treffen, der trotz des formlosen, privaten Rahmens erwartet, wie ein Kunde behandelt zu werden. So traf ich auf derselben Party außer dem schnatternden Pharao auch noch einen anderen Kunden, verkleidet als Julius Cäsar. Wir setzten uns, und trotz des Szenenwechsels war ich Cäsars Untertan – oder vielmehr, passend zur Verkleidung, sein Sklave. Die ständige Schleimerei der Broker, die verzweifelt auf ein gutes Geschäft aus sind, hat zur Folge, dass sich bestimmte, fehlgeleitete Klienten irgendwann tatsächlich für den Nabel der Welt halten. Das ist einer der Hauptgründe für die Arroganz, die die Kundschaft der City blendet. Kaum hatte Mister Cäsar mich erspäht, da schickte er mich auch schon los, um ihm einen Drink zu holen, als wären wir auf einer förmlichen Cocktailparty im „Coq d'Argent". Was tat ich? Trotz der geschäftlich wahrscheinlich negativen Folgen lächelte ich ihn betont freundlich an, sagte: „Bis gleich" und verschwand im Dunkel der Nacht. Ich finde, keine

Kundenbeziehung ist es wert, dass ich meine Samstagnacht dafür opfere. Tony brachte mir nicht nur bei, wie man Kunden plaudernd bei Laune hält (und ab und zu ein bisschen erpresst). Er gab mir auch ein paar noch viel wichtigere Lektionen über Geschäftspolitik, die dazu dienten, schlechte Zeiten besser zu überstehen und möglichst viele Boni herauszuholen. Weil ich zutiefst überzeugt davon war, dass man mich jeden Moment entlarven und aus diesem lukrativen Job wieder hinauswerfen konnte, hatte ich mich von Anfang an dafür entschieden, lieber auf kurzfristig wirksame Gehaltsmaximierung als auf langfristige Karrierestrategien zu schielen.

Aus heutiger Sicht betrachtet kann ich sagen, dass die Lektionen, die Tony mir zu diesen Themen gab, meine City-Karriere mindestens um ein Drittel profitabler gemacht haben, als sie es sonst gewesen wäre. Er sagte: „Hör mal, Steve, diese Schweine zahlen dir doch keinen Cent mehr als nötig. Alle sind nett und locker drauf, solange alles rund läuft, aber sobald die schlechten Zeiten kommen, und die kommen bestimmt irgendwann mal wieder, lassen sie dich fallen wie 'ne heiße Kartoffel. Die halten nicht loyal zu dir, also brauchst du auch nicht zu denen zu halten. Halte sie wachsam, indem du sie ganz subtil wissen lässt, dass du jederzeit für mehr Kohle woanders hingehen würdest. Geh ab und zu zu einem Vorstellungsgespräch – besonders in der Zeit, in der Boni verteilt werden. Und lass dir um Gottes willen deine Zufriedenheit nie anmerken, egal wie hoch dein Bonus ist. Das bringt dir nichts ein – ganz im Gegenteil."

Diese letztere Weisheit ist ganz zentral für jede City-Karriere, und sie war besonders wertvoll für mich, weil es Januar 1998 war und sich der Bonustag – „B-Tag" genannt – in der Banque Inutile näherte. Ich würde zum ersten Mal einen Bonus bekommen, denn ich hatte 1996 nur ein paar Monate für die Banque Inutile gearbeitet und daher im Januar 1997 noch keinen Bonus bekommen. Der „B-Tag" ist in jeder Bank eine sehr amüsante Geschichte. Jetzt sind die schauspielerischen Fähigkeiten eines Robert de Niro gefragt. Niemand arbeitet an diesem Tag wirklich viel und alle sind nervös und aufgeregt wie an der Uni, wenn die Examensnoten veröffentlicht werden. Der Unterschied zur Uni ist nur, dass hier, im Großraumbüro, jeder direkt neben dem anderen sitzt und jede kleinste Gesichtsregung seiner Kollegen beobachten kann. Daher geht es an diesem Tag darum, seiner Umgebung das genaue Gegenteil dessen vorzuspielen, was man wirklich fühlt. Da die Boni für Wertpapieranalysten von null (ein deutlicher Hinweis der Bank, dass man sich lieber eine andere Arbeit suchen sollte) bis zum Zehnfachen des Gehalts und mehr (das heißt, über eine Million Pfund) gehen können, geht es um sehr viel.

Das Beste ist, am Morgen des B-Tags eine ungezwungene Lässigkeit an den Tag zu legen, auch wenn ein armselig ausfallender Bonus bedeuten würde, dass Ihre Frau sich damit abfinden muss, dass Sie den gemeinsamen Sprössling nun doch nicht auf das Eliteinternat schicken können. Sie dürfen sich jedoch auch nicht zu cool geben, sonst könnte jeder annehmen, dass Sie einen garantierten Bonus bekommen, was Neid wecken könnte. Während meiner City-Karriere gelang es mir sicherzustellen, dass man mir die Hälfte meiner Boni garantierte, indem ich entweder zu einer anderen Bank ging und ein oder zwei Boni als Teil meines Paketes forderte oder indem ich damit drohte wegzugehen und einen garantierten Bonus verlangte, damit ich bliebe. Ich war mit dieser Praxis nicht allein und war froh, dass ich während der kritischen Tage nicht dieselben Ängste ausstehen musste wie viele meiner Kollegen.

Allerdings würde ich jedem neuen, hoffnungsfrohen Cityboy raten (Sie tun mir jetzt schon leid), falls er jemals einen garantierten Mindestbonus versprochen bekommt, nicht zu erwarten, dass ihn sein Boss mit mehr als dem vereinbarten Mindestbonus überrascht. Die Chancen, dass dieser Glücksfall eintritt, stehen denkbar schlecht!

Die zweite Aufgabe für begabte Schauspieler ist, totale Enttäuschung bis hin zu psychotischer Wut zu fingieren, wenn Ihr Boss Sie in sein Büro bittet und Ihnen „den Brief" überreicht. Egal, welche Zahl er Ihnen nennt, Sie sollten ein Gesicht machen, als hätte er Ihnen soeben angeboten, Ihre Genitalien in den nächsten vier Stunden mit einem Käsehobel zu bearbeiten. Der geringste Hinweis darauf, dass Sie denken könnten, Ihr Bonus sei zufriedenstellend ausgefallen, wird Ihnen so ausgelegt, als hätten Sie sich sehr gefreut, und dann macht Ihr Chef sich eine Notiz, dass Ihr Bonus das nächste Mal nicht höher ausfallen muss. Ich muss zugeben, dass ich Tonys Rat im Januar 1998 nicht befolgt habe. Damals gab David mir 14.000 Pfund Bonus und erhöhte mein Gehalt auf 30.000 Pfund. Ich konnte nicht an mich halten – meine Mundwinkel gingen unwillkürlich nach oben, und nachdem ich Davids Büro verlassen hatte, ging ich gleich in den Waschraum und riss vor lauter Freude die Arme hoch. Aber wie hätte ich auch sauer sein können, da die Vergütung für mein erstes ganzes Berufsjahr in der City schon genauso hoch ausfiel wie die meines Vaters, der immerhin auf über 30 Jahre Tätigkeit im Dienste der Öffentlichkeit zurückblicken konnte? Ich hatte ja keine Ahnung, dass ich diese 14.000 Pfund bald nur noch als mickriges Taschengeld ansehen und später einmal Boni einstreichen würde, die fast 50 Mal so hoch waren.

Das dritte schauspielerische Element am B-Tag ist, wie Sie das Chefbüro verlassen und an Ihren Arbeitsplatz zurückkehren. Bei diesem „Gang nach Canossa" zurück an Ihren Schreibtisch sind alle Augen auf Sie gerichtet und Sie dürfen keine Emotionen zeigen. Wenn Sie ärgerlich dreinblicken, denkt jeder, man habe Sie beschissen. Das könnte abfällige Kommentare zur Folge haben, die, falls sie Headhuntern und Leuten aus anderen Banken zu Ohren kommen, den Eindruck erwecken, Sie seien nicht der Überflieger, als der Sie gerne gelten möchten. Wenn Sie Freude zeigen, bringen Sie Ihre Kollegen nur gegen sich auf und widersprechen dem, was Sie eben Ihrem Boss vorgespielt hatten.

Das finale Schauspielstück müssen Sie dann im Kollegenkreis abliefern, wenn Sie mit ihnen am Abend des unvermeidlichen B-Tags noch einen trinken gehen. Es gibt in der City eine strenge Regel, derzufolge man nie über die Höhe von Boni sprechen darf, denn dadurch ruft man nur den Neid der Kollegen hervor. Ich habe gelernt, dass die korrekte Verhaltensweise am Abend des B-Tags an der Bar eine mit britischem Understatement vorgetragene Selbstsicherheit ist. Ich kaufte ein paar Flaschen Champagner und tat so, als wäre ich leicht enttäuscht. Ich wollte nicht, dass die älteren Kollegen denken, ich sei voll zufrieden, gleichzeitig wollte ich aber die Jüngeren wissen lassen, dass es keinen Grund zur Sorge gab. Diese widersprüchliche Anforderung, die man eigentlich nur mit dem schauspielerischen Talent eines Larry Olivier bewältigen konnte, wurde mir nach ein paar Jahren an der Börse bald zur zweiten Natur.

So viel also zum finalen Schauspielstück am B-Tag im Kollegenkreis – aber es gibt noch einen weiteren Akt zu spielen, nämlich die Reaktion zu Hause, „bei meiner Alten", wie Tony seine Ehefrau nennen würde. Wenn der Bonus tatsächlich so hoch ausfällt, dass er selbst einen afrikanischen Diktator verlegen machen würde, dann ist es besser, seine Höhe herunterzuspielen, oder das schöne Geld geht zur Hälfte für elegante Schuhe und eine neue Küche drauf. Wenn Sie den Betrag jedoch zu niedrig angeben, könnte es passieren, dass Ihre Partnerin den Respekt vor Ihnen verliert und sich nach einem anderen Mann umsieht, der einen höheren Bonus einstreichen durfte. Ich fand immer, die Kollegen zu täuschen war wesentlich einfacher, als meinen diversen Freundinnen etwas vorzumachen – manche von ihnen waren so raffiniert, dass selbst ein Larry Olivier zu kämpfen gehabt hätte.

Tonys wertvolle Tipps zum Thema Bonus-Tag waren schon in guten Zeiten, in den späten 90er-Jahren, extrem hilfreich, aber noch viel entscheidender war sein Rat, wie man die schlechten Zeiten (die Jahre 2000 bis 2003) am besten überstehen könnte. Natürlich ist es immer am besten, den Ruf zu genießen, ein wichtiger Einkommensgenerator mit einer soliden, solventen Klientel zu sein – aber es gibt da noch ein paar Tricks, die er mir zeigte, die zwar extrem sind, aber in Notfällen, wenn einem das Wasser bis zum Hals steht, zum Einsatz kommen können. Ich musste zwar nie in Tonys Trickkiste greifen, aber mein hedonistisches, unmoralisches Verhalten (und das vieler Kollegen) sowie die theoretisch sehr strengen Verhaltensregeln, die in den meisten Banken gelten, führten dazu, dass ich an den meisten Arbeitstagen mindestens einen Regelverstoß beging, der mich den Kragen hätte kosten können. In jeder Investmentbank ist es gang und gäbe, dass alle Telefongespräche der Broker mitgeschnitten werden und ihr E-Mail-Verkehr regelmäßig überwacht wird. Jeder Hinweis, der darauf schließen lässt, dass Kunden Insiderinformationen erhalten, dass Front Running (wenn ein Analyst kursbeeinflussende Informationen über eine Aktie besitzt und sie vor Bekanntgabe der Nachricht kauft oder verkauft) oder selektive Bekanntgabe (wenn nur bestimmte Kunden kursbeeinflussende Informationen erhalten) vorkommen – all das kann dazu führen, dass man seinen Job verliert. Wenn Sie all diese Regeln zusammennehmen und sie mit sämtlichen Regeln kombinieren, die dafür sorgen sollen, dass jeglicher Kontakt unter Kollegen, der sexistischer oder rassistischer Art sein könnte, das Ende der Börsenkarriere bedeuten kann, ist es geradezu ein Wunder, dass irgendjemand länger als zehn Minuten in diesem Beruf übersteht – insbesondere wenn man bedenkt, welch hohen Stellenwert das Macho-Denken und die Sauferei in diesem Metier genießen. Der Hauptgrund, warum solche schludrigen Flitzpiepen wie ich in diesem Metier überleben, ist, dass die internen Kontrollabteilungen der Banken oft beide Augen zudrücken, vor allem dann, wenn es sich um Verfehlungen profitabler Angestellter handelt. Ich wusste das zwar, aber ich merkte mir trotzdem Tonys „sieben Regeln zur Vermeidung von Kündigungen", für den Fall, dass es einmal wirklich eng werden könnte. Hier sind sie:

1. „Das Märchen vom Zusammenbruch": Dieser klassische Trick besteht darin, dass Sie vorgeben, Sie hätten eine Art Nervenzusammenbruch oder Blackout gehabt und seien daher für Ihr Fehlverhalten in diesem Moment nicht verantwortlich zu machen. Es kann eng werden, wenn Sie bis dahin nie irgendwelche Ausfallerscheinungen hatten, aber damit kriegen Sie schon mal Ihre Personalabteilung auf Ihre Seite, was eine Entlassung unwahrscheinlich macht. Tony meinte, der Blackadder-Trick, sich zum Zeichen geistiger Verwirrtheit Kugelschreiber in die Nasenlöcher zu stecken oder eine Unterhose über den Kopf zu ziehen, sei zu übertrieben.

2. „Der Anonyme-Alkoholiker-Trick": Wenn Sie Ärger wegen einer Alkohol- oder Drogengeschichte bekommen, melden Sie der Personalabteilung sofort, schon vor Ihrem Termin mit ihr, dass Sie eine Therapie beantragen. Damit stellen Sie sicher, dass Sie in den Augen der anderen vom süchtigen, unkontrollierten Missetäter zum bemitleidenswerten Opfer einer schweren „Krankheit" werden. Tony hat mir auch beigebracht, dass es zwar gelegentlich funktioniert, wenn man behauptet, zum Rastafarianismus konvertiert zu sein, nachdem man beim Grasrauchen auf der Toilette erwischt wurde, dass aber keine der großen Religionen der Welt das Rauchen von Dope gutheißt.

3. „Die Trauerfall-Ausrede": Dies ist der Versuch, sich Sympathien zu erwerben, indem man sein eigenes inakzeptables Verhalten damit entschuldigt, dass man gerade einen Trauerfall im engsten Familienkreis oder eine Scheidung oder vielleicht auch den Abstieg seines örtlichen Fußballvereins zu verarbeiten hat. Wenn Sie jedoch binnen kurzer Zeit zu viele Angehörige verlieren, kann es passieren, dass Sie in den Verdacht geraten, ein heimlicher Serienmörder zu sein.

4. „Die Denunziantenmasche": Wenn Sie fehlerhaften Verhaltens beschuldigt werden, haben Sie die Möglichkeit, selbst ein anderes Delikt anzuzeigen, dessen Zeuge Sie wurden. Ihr Arbeitgeber kann Sie nämlich erst dann entlassen, wenn der von Ihnen zur Anzeige gebrachte Vorfall gründlich aufgeklärt ist, was lange Zeit in Anspruch nehmen dürfte. Tony warnte mich, mit diesem Schachzug mache man sich „ungefähr so beliebt wie ein Schweinekotelette zur Bar Mizwa". Der Trick ist daher nur anzuraten, wenn man keinen Wert mehr auf ein freundschaftliches Verhältnis zu seinen Kollegen legt.

5. „Das Tunten-Manöver": Man behauptet einfach, man hätte gerade erst sein Coming-out gehabt. Ich glaubte zunächst, Peter Young, der gewitzte Fondsmanager von Morgan Grenfell, probiere diesen Trick, als er 1999 in Frauenkleidern vor Gericht erschien. Als ich dann jedoch herausfand, dass er auch seine Genitalien verstümmelt hatte, dachte ich, das sei nun wirklich zu viel des Guten. Tony erinnerte mich freundlich daran, ich dürfe nicht zu viele Leute über diese Masche informieren, man könne deswegen verprügelt werden und es sei „vielleicht ganz gut, deine Alte und deine Familie zu informieren, dass du keine Tunte geworden bist".

6. „Die Rassen- oder Sex-Methode": Die einfache Erwähnung, dass man an seinem Arbeitsplatz wegen seiner Hautfarbe oder seines Geschlechts beleidigt wurde, sollte genügen, damit der Arbeitgeber den Fall noch einmal

überdenkt. Tonys kluge Bemerkung, ich sei weiß und männlich, hat bei mir zu der Erkenntnis geführt, dass der Trick mir nicht wirklich weiterhelfen würde.

7. „Der Schwangerschafts-Vorwand": Wenn Sie kurz vor dem Termin im Personalbüro behaupten, schwanger zu sein, wird jeder Chef zweimal nachdenken, bevor er Sie feuert, denn das anschließend drohende Gerichtsverfahren kann ihn eine Stange Geld kosten. Ich ahnte, auch diese Ausrede würde mir wenig helfen.

Außer diesen Tricks erwähnte Tony noch, das Erpressen des Chefs sei „auch einen Versuch wert". Er erzählte mir sogar, er selbst habe einmal, als er eine Rüge bekommen sollte, beiläufig erwähnt, dass sein direkter Vorgesetzter ein paar schöne Stunden in der VIP-Lounge des „Crazy Horse" in Las Vegas mit ein paar charmanten Damen namens Cherry und Simone verbracht habe. Tony erinnerte seinen Vorgesetzten vorsichtig an jenen Abend, indem er auch die Familie des Mannes beschrieb und beiläufig fragte, wie es denn „dem kleinen Tobias und Camilla" gehe. Damit war, wie sich denken lässt, die ganze Angelegenheit schnell vergessen. Denn Banken hassen es, vor Gericht gezerrt zu werden, und meiden die damit verbundene negative Publicity wie der Teufel das Weihwasser. Daher sind Drohungen mit rechtlichen Schritten oder mit der Presse bei ihnen oft sehr wirksam. Glücklicherweise musste ich selbst nie zu solch niederen Mitteln greifen, aber das war mehr Glück als Vernunft.

Der letzte und wichtigste Rat, den Tony mir gab, war einer, der dafür sorgte, dass ich mehr als viele meiner Kollegen verdiente. Tony erklärte mir, wie ich Vorstellungsgespräche mit anderen Banken führen sollte und wie ich das Timing gut hinbekäme, sodass meine Bank den Eindruck haben musste, ich sei ein extrem gefragter Mann und daher gut zu bezahlen. Die meisten Bewerbungsgespräche fanden zwischen November und Februar statt, da die Banken neue Angestellte gleich nach der Bonuszahlung einstellen wollten, damit sich die Ausgabe für sie auch rentierte. Es war nicht schwer, Interviews zeitlich kurz vor einer Bonusrunde zu legen. Dann brauchte ich nur noch einem geschwätzigen Kollegen zu erzählen, ich sähe mich gerade nach einer anderen Stelle um, und schon machte das Wort die Runde. Wenn der Boss etwas mitbekam und deshalb verärgert war, konnte ich immer noch die uralte Ausrede anbringen, ich hätte ja „nur meine Fühler ausstrecken wollen", um „meinen Marktwert zu testen". So etwas hielt man immer für vernünftig.

City-Typen glauben alle an die Wirksamkeit des Marktes – sei es der Aktien-markt oder der Stellenmarkt. Daher ist der Versuch, sein Gehalt zu maxi-mieren, nicht nur durch Geiz motiviert, sondern auch durch tiefere psycho-logische Triebe. Wenn man Ihnen weniger Gehalt bezahlt als Ihrem Kolle-gen und wenn der Markt Ihren und seinen Marktwert korrekt feststellt, dann sind Sie folglich eben „weniger wert". Das wiederum lässt vermuten, dass Sie weniger intelligent und weniger interessant sind, in diesem ganz auf Wettbewerb ausgerichteten Milieu ein ziemlich unerträglicher Gedan-ke. Mir selbst erschloss sich der direkte Zusammenhang von Höhe des Ge-halts und Größe des Selbstbewusstseins nie so ganz und die ganze dahinter stehende Theorie vom Marktwert eines Menschen schien mir ein ziemlich fragwürdiger Unsinn zu sein – schon allein deswegen, weil Gier, eine Por-tion Glück und die Moral einer Hyäne in diesem Metier die Hauptdetermi-nanten finanziellen Erfolges waren. Zu meinem Glück – oder auch Unglück – besaß ich diese drei „Tugenden" in reichem Maße, jedenfalls mehr als In-telligenz und Energie, die meine Kollegen immer als am wichtigsten für die Karriere ansahen.

Der Haupttenor von Tonys Rat bezüglich der Interviewtechnik war einfach folgender: „Mach ihnen klar, dass du da, wo du jetzt bist, gerne bist, und dass du ihnen einen großen Gefallen tust, wenn du zu ihnen wechselst. Dreh das Gespräch so hin, dass du sie fragst, warum du ihrer Meinung nach zu ihnen wechseln solltest. Und, besonders wichtig: Wenn sie dich fragen, warum du den Job willst, mach ihnen klar, dass es für dich den einen Grund gibt, der die Welt bewegt, nämlich Geld. In diesem frühen Stadium deiner Karriere bedeutet das: Verlange das Doppelte oder lass es bleiben."

Die City ist einer der wenigen Orte, an dem jeder potenzielle künftige Ar-beitgeber auf jede Frage nach dem Interesse an seiner Firma die Antwort „mehr Geld verdienen" akzeptiert. Das liegt nicht nur daran, dass City-Ty-pen alle Leute gut finden, die ihre Interessen teilen und von entwaffnender Ehrlichkeit sind. Es liegt auch daran, dass jeder, der einen großen Bonus erhält, diesen im Allgemeinen deshalb erhält, weil er seiner Bank eine Men-ge Geld eingebracht hat. Das führt dazu, dass die Interessen der Bank und des einzelnen Arbeitnehmers in einem Faust-ähnlichen Pakt vereint und auf Gewinnmaximierung ausgerichtet sind. Wehe dem Idioten, der da über gemeinsame ideelle Interessen und ähnliche Phrasen im Vorstellungsgespräch schwadroniert, denn der wird, wenn es um seinen nächsten Bonus geht, bestimmt nicht das bekommen, was er bekommen könnte. So würde ich auch, wenn mein Gegenüber über langfristige Aussichten oder großes Potenzial spricht, unter dem Vorwand einer Entschuldigung aufstehen und gehen. Der altbekannte City-Spruch „eine langfristige Investition ist nichts anderes als eine kurzfristige Wette, die schiefgegangen ist", gilt für den Arbeitsmarkt genauso wie für eine Empfehlung zum Aktienkauf. Außerdem wusste ich während meiner gesamten Zeit in der City, dass es nur eine Frage der Zeit war, bevor ich entweder als Schwätzer auffliegen oder selbst den Hut nehmen würde, daher interessierte mich nicht sehr, was man mir für meine Zukunft in Aussicht stellte.

Das Gute an Tonys tief verwurzeltem Zynismus war, dass er so gut zu meinem eigenen passte und so ganz anders war als das, was das Management unserer Bank uns alles versprach. Das wurde mir besonders klar, als die Banque Inutile im Sommer 1998 ihre erste große Konferenz für fast alle ihre Mitarbeiter, Verkäufer und Trader in einer piekfeinen Hotelanlage in der Dordogne abhielt. Wie aufgeregte Schulkinder auf dem Weg ins Landschulheim flogen wir vom City-Airport ab und tranken den ganzen Tag lang. Ich hatte die Ehre, im Flugzeug neben David Flynn zu sitzen, der, obwohl er zur Firmenleitung gehörte, Tonys und meine Zweifel bezüglich des Sinnes dieser Reise teilte. Interessanterweise schlossen sich unsere Kollegen aus Paris, die wir Londoner Mitarbeiter sonst immer wie die Pest mieden, unserer Ansicht an. Wir hatten auch Gelegenheit, den ständigen Machtkampf zwischen der Londoner und der Pariser Geschäftsleitung der Banque Inutile mit anzusehen – es war für uns großes Kino. Eine Zeit lang hieß es sogar, dass der Leiter des Bereiches Investmentbanking, der „große Käse", wie ein paar humorvolle Kollegen ihn nannten, kommen und zu uns sprechen würde. Wie vorherzusehen war, wurde der interne Machtkampf zwischen London und Paris später von unseren französischen Brüdern für sich entschieden, aber erst nachdem der Konflikt dafür gesorgt hatte, dass die Ambitionen der Banque Inutile, eine der größeren Investmentbanken zu werden, ebenso den Bach hinunterging wie der billige Rotwein, der bis dahin bei uns in Strömen floss.

Die Konferenz war in zweierlei Hinsicht keine Überraschung – erstens, weil der Rahmen unglaublich extravagant war, zweitens, weil das Ganze nichts weiter war als totale Zeitverschwendung. In den zwei Nächten und drei Tagen, die wir dort verbrachten, konsumierten wir Essen im Wert von mindestens 150 Pfund pro Person, darunter Hummer, Kaviar, Gänseleberpastete und allen nur denkbaren anderen Luxus. Wir tranken dazu unglaublich viel Wein, von denen einige Tropfen älter waren als ich, und erhielten obendrein jeder eine Flasche Sauternes-Dessertwein geschenkt, der allein schon, wie der Kellermeister mir glaubhaft versicherte, mehr als 100 Pfund pro Flasche wert war. Wenn man diese Ausgaben, die langweilige Weinprobe und die Kosten für Flüge und Übernachtungen in dem 5-Sterne-Hotel zusammenrechnet, denke ich, kann man getrost sagen, dass der ganze Spaß das Unternehmen mindestens 300.000 Pfund gekostet hat. Wenn man jetzt noch dazurechnet, dass ein paar Hundert völlig überbezahlte Leute deswegen zwei Tage lang nicht ihre normale Büroarbeit erledigen konnten, beläuft sich die Rechnung schon auf über eine halbe Million Pfund. Bestimmt wären die Aktionäre der Banque Inutile hocherfreut gewesen zu erfahren, dass ein Teil ihres Gewinns dafür ausgegeben wurde, dass sich ein paar kindische Idioten Nacht für Nacht so sehr besoffen, dass sie den vollkommen sinnlosen Vorträgen tagsüber kaum noch folgen konnten. Unsere französischen Kollegen sahen mit Abscheu zu, wie sich der britische Teil der Belegschaft so volllaufen ließ, dass kaum noch einer richtig sprechen konnte, und gingen danach in den Nachtklub, um Französinnen aufzureißen. Zu behaupten, dieser Kongress habe etwas zur Verbesserung der englisch-französischen Beziehungen in unserer Bank beigetragen, wäre ungefähr so, als wollte man sagen, die Kuba-Krise habe nichts zur Verbesserung der amerikanisch-sowjetischen Beziehungen beigetragen.

Natürlich waren die unterhaltsamsten Teile des ganzen Theaters die beiden Referate des französischen Leiters der Investmentabteilung und des ihm direkt unterstehenden Londoner Leiters der Investmentabteilung. Irgendein Witzbold vom Parkett hatte für jeden von uns ein paar Ausdrücke aus der Managersprache ausgedruckt und verteilt, die von manchen als „Consultisch" bezeichnet wurden. Diese schöne Sprache wird von den meisten Leuten im Management der Investmentbanken gesprochen – die Worte klingen englisch, bedeuten aber gar nichts. Die Idee war die, dass jeder von uns etwa zehn andere, allgemein verwendete Wörter bzw. Phrasen „Consultisch" auf einem Stück Papier bekam. Da beide Referenten jeden einzelnen dieser Ausdrücke verwendeten, machten wir uns einen Spaß daraus, sie anzukreuzen, und wer als erster alle Ausdrücke abgehakt hatte, bekam von jedem übrigen Teilnehmer 20 Pfund. Seitdem ist dieses Spiel bei uns als „Bullshit-Bingo" bekannt.

Als der Vortrag des Londoner Chefs begann, sah ich auf meinen Zettel hinunter und war zuversichtlich, bald jedes der bedeutungslosen Wörter darauf zu hören. Unter den Ausdrücken, die ich nur noch anzustreichen brauchte, waren so schöne wie „anpassen" (für „Arbeitsplätze abbauen"), „Team Player", „Synergieeffekte zwischen den einzelnen Abteilungen nutzen", „Stützpfeiler",

„Kernkompetenzen" und „den Hebel ansetzen". Ich konzentrierte mich so sehr darauf, das Spiel zu gewinnen, dass ich von der Botschaft des ganzen schönen Vortrags nichts mitbekam. So weiß ich bis zum heutigen Tage nicht, was meine einstigen Chefs wirklich gesagt haben, aber ich bin mir ziemlich sicher, dass es mein Leben auch nicht mehr vorangebracht hätte, wenn ich besser aufgepasst hätte. Alles, was ich mitbekommen habe, war, dass verdächtigerweise ausgerechnet der Trader, der die Blätter für uns geschrieben hatte, das Spiel gewann und den vergleichsweise geringen Betrag von 200 Pfund verdiente. Anstatt sich am Kopf zu kratzen, was wir zuvor als Zeichen für „Bingo" ausgemacht hatten, sprang er vor Freude in die Luft, als er sah, dass er gewonnen hatte, und zwar gerade dann, als der Redner meinte, es solle keine Egos im Team geben. Ich fand den Zufall ein bisschen ungehörig, war aber schnell wieder versöhnt, als der siegreiche Bingo-Erfinder auf dem Rückweg am Flughafen jedem Bingo-Teilnehmer netterweise aus seiner Siegeskasse ein paar Drinks spendierte.

Das Dordogne-Debakel war die erste, aber bei Weitem nicht die letzte Management-Präsentation, die ich während meiner City-Karriere über mich ergehen lassen musste – eine davon sinnloser als die andere. Wir Börsenhändler sind von Hause aus ein Haufen eigensinniger Egoisten, die so sehr von ihren Qualitäten überzeugt sind, dass sie sich sowieso nichts sagen lassen. Man muss uns unseren Job machen lassen, wie wir wollen, denn wir erzählen jedem, der unsere Meinung hören will, ständig, dass wir es besser wüssten als jeder andere. Aus diesem Grund ist die Wahrscheinlichkeit, einen Eunuchen Sie wissen schon wo zu packen, größer als die eines Managers, die Arbeitsgewohnheiten eines Brokers zu ändern. Die City kennt für dieses Phänomen den Ausdruck, es sei, wie einen Sack Flöhe hüten zu wollen. Die Manager jedoch wollen sich wichtig und nützlich fühlen und hören daher nicht auf, ihre Mitarbeiter zu langweilen und sie mit einem Klischee nach dem anderen zu traktieren.

Obwohl ich viel Spaß mit Tony hatte, lernte ich bei einer meiner letzten Begegnungen mit ihm die dunklere Seite der City und die von Tony kennen, eine Sache, die bei mir einen bitteren Nachgeschmack hinterließ. Ich stand auf dem Parkett und heuchelte einem Verkäufer gegenüber Begeisterung bezüglich eines Energieversorgers vor. Da dieses Individuum den Charme eines Donald Rumsfeld nach einer Cracksession hatte und nicht abließ, meine Argumente madig zu machen, war ich erleichtert, als ich plötzlich Tony sah, der mich zu sich herüberwinkte. Ich ergriff die Gelegenheit, mich möglichst rasch von dem nervigen Verkäufer zu entfernen, und ging an Tonys Schreibtisch. Verstohlen überreichte Tony mir eine billig gemachte, weiße Pappkarte, nur etwas größer als eine Visitenkarte, auf deren Vorderseite groß geschrieben stand: „Einladung zu einem Abend unter Gentlemen". Darunter standen in kleinerer Schrift der Preis für das Vergnügen (25 Pfund), der Zeitpunkt (kommender Donnerstag) und der Ort (ein Keller nicht weit von der Oxford Street).

„Worum geht's denn?", fragte ich naiv, ahnte aber bereits, dass es sich um etwas Kitzliges handeln musste, weil ausgerechnet Tony es mir so verstohlen überreichte. „Dies, mein Sohn, wird richtig lustig werden. Wenn du so was noch nicht gesehen hast, hast du noch nicht richtig gelebt. Gib mir einfach deinen Eintritt und komm mit. Wir sind zu mehreren. Du kannst dem alten Tony schon vertrauen." All das sagte er mit einem breiten Grinsen im Gesicht, das dem Komiker Sid James gut zu Gesicht gestanden hätte. Ohne genauer nachzufragen gab ich ihm die Kohle und ging an meinen Platz zurück. Ich war gespannt, was das Schicksal für mich bereithalten würde. Seit meinen Globetrotterzeiten hatte ich immer schon neue und interessante Erfahrungen gesucht, und dies war wohl eine solche. Mit dieser Begründung jedenfalls ließ ich mich auf den „Ausflug" ein und ich stehe dazu.

Am fraglichen Donnerstagabend ging ich nach der Arbeit auf einen Feierabenddrink mit acht weiteren Kollegen der Banque Inutile in eine Bar. Unter ihnen war, was mich freute, auch David Flynn. Alle waren sie Männer und keiner von ihnen war sehr vornehm. Nervöse Vorfreude lag in der Luft und die anderen wehrten meine Fragen, was wir denn jetzt erwarten dürften, mit Kennergrinsen ab. Schon jetzt ahnte ich, dass dies mit Sicherheit keine Lesung von Shakespeares Sonetten im Gemeindesaal der Pfarrei werden würde. Nach drei weiteren Bierchen zwängten wir uns in ein paar telefonisch vorbestellte schwarze Londoner Taxis und brausten in Richtung Oxford Street.

Wir hielten auf der Rückseite eines sehr bekannten Kaufhauses und stiegen aus. Die einzige Tür, die erkennbar war, war ein unbeschilderter Notausgang. David Flynn klopfte und ein groß gewachsener Mann in billigem Smoking öffnete und ließ uns ein. Wir zeigten ihm unsere Eintrittskarten und er führte uns ein paar Stufen tiefer in einen einigermaßen großen Raum, der völlig leer war, bis auf etwa 50 graue Plastikstühle, halbkreisförmig um ein quadratisches Stück Linoleum am Boden herum angeordnet. Dort saßen bereits etwa 30 Männer und plauderten miteinander. Fast alle von ihnen trugen Anzüge, die meisten waren dem Aussehen nach eindeutig Cityboys. Die erste Reihe war noch fast leer, und da nahm ich Platz, gleich neben

Tony. Mir fiel auf, dass David sich auf einen der Sitze ganz hinten verkrümelte. Jetzt kam ein anderer Mann im Smoking in den Raum. Er hatte ein paar Flaschen Lagerbier und ein paar Gläser mit lauwarmem Chardonnay dabei. Bald waren alle Stühle mit laut durcheinander schreienden Cityboys besetzt, keine einzige Frau war unter uns.

Es dauerte etwa eine Viertelstunde, dann ging die Tür auf und zwei Frauen im Bikini traten ein. Die eine war eine ziemlich hübsche Schwarze mit athletischem Körper und einer Art Perücke auf dem Kopf. Die andere war weiß und hatte die ausgemergelte Figur und das spitze, eingesunkene Gesicht einer Rauschgiftsüchtigen. Sie hatten einen Ghettoblaster und eine seltsam aussehende schwarze Sporttasche dabei. Es gab spontanen Applaus, die Gespräche verstummten. Die Schwarze schloss den Kassettenrekorder an und es erklang miese House-Musik. So langsam dämmerte mir, was ich gleich zu sehen bekommen würde.

Die Show begann damit, dass die beiden Ladies einander auszogen und einander küssten und ableckten. Dann nahm die Schwarze eine Gurke aus ihrer Tasche, zog ein Kondom darüber und begann, die Heroinsüchtige damit zu traktieren. All dies geschah auf dem Stück Linoleum unter kaltem Neonlicht. Ich war etwas geschockt und fand die kalte Atmosphäre dieses rein biologischen Akts sehr abstoßend. In Sexshops in Patbong in Bangkok hatte ich Pingpongbälle durch den Raum fliegen sehen, aber so etwas hier an einem Donnerstagabend, dicht neben Londons berühmter Einkaufsstraße und mitten unter lauter Herren im Anzug zu sehen, wirkte auf mich befremdlich und irgendwie widerlich. Meine tief religiöse Erziehung und mein Gefühl für politische Korrektheit sorgten dafür, dass ich mich richtig unwohl fühlte. 50 Männer im Anzug, die zwei nackte Frauen anstarren, die es miteinander treiben – das war selbst für meine, nicht eben engen moralischen Grenzen zu viel. Während ich dies jetzt niederschreibe, frage ich mich ernsthaft, warum ich nicht spätestens jetzt aufgestanden und gegangen bin. Ich kann es nur der Verlegenheit zuschreiben, in die es mich, Tony und David gebracht hätte. Noch einmal: Das ist meine Begründung und ich stehe dazu.

Es wurde immer schlimmer. Die Schwarze ging auf die Männer in der ersten Reihe zu und gab ihnen die Gurke in die Hand, beugte sich vornüber, während sie ihr der Reihe nach die Gurke reinschoben. Nun ging ihre Kollegin auf Tony zu. Sie zog ihm die Hose aus, dann die Unterhose, zog ihm ein Kondom über sein bereits erigiertes Glied, setzte sich auf seinen Schoß und bewegte sich rhythmisch auf und nieder. Währenddessen grinste Tony mich hämisch an und blinzelte mir vielsagend zu. Ich hoffte und betete, dass ich nicht der Nächste wäre, der einer solchen Behandlung unterzogen wurde, und dankte meinem Schöpfer, als sie im Uhrzeigersinn weiterrückte und von mir wegging. Jetzt wusste ich auch, warum David, der noch einen Rest von Anstand besaß, nicht in der ersten Reihe sitzen wollte – genauso, wie mir klar wurde, warum Tony sich und mich hier platziert hatte. Die ganze Vorstellung dauerte etwa eine Stunde, und sobald sie vorbei war, tat ich so, als müsste ich auf die Toilette und verließ das Gebäude. Mir war unwohl, ja sogar etwas übel. Ich fühlte das Bedürfnis, ein dampfend heißes Bad zu nehmen und mich von dem, was ich da hatte mit ansehen müssen, reinzuwaschen. Was ich gesehen hatte, war die schlimmste Seite des Lebens in der City – dass Männer in feinen Anzügen ihr Geld dafür ausgaben, arme Frauen so weit zu erniedrigen, dass sie ihre animalischen Instinkte befriedigten. Ich meine heute, diese Szene zeigt exemplarisch, was die „piekfeine" City mit unserer Welt so raffiniert anstellt – sie verwendet eigenes oder fremdes oder nur in Aussicht gestelltes Geld dazu, die Erde zu „vergewaltigen" und die natürlichen Bodenschätze auszuplündern – seien es Kaffeeplantagen in Brasilien, Ölvorkommen im Irak oder andere verkäufliche Waren jeglicher Art.

Ich habe nie mit David oder Tony über diese schmierige Show, die ich damals in der Oxford Street sah, gesprochen. Sie waren beide nette Ärsche, aber sie waren eben Ärsche, und im damaligen Stadium meiner Börsenkarriere wollte ich mir noch ein paar moralische Grundsätze bewahren. Man lud mich auch nie mehr zu so einem Herrenabend ein, da ich ja vorzeitig hinausgegangen war, ohne wiederzukommen. Vielleicht hatte mein damaliges Handeln ja bewirkt, dass sich meine beiden Kollegen der Fragwürdigkeit solcher Amüsements bewusst wurden, aber ich bezweifle das sehr. Wahrscheinlicher war, dass sie einfach dachten, mit mir mache so was nicht so viel Spaß, wie sie gehofft hatten. Jedenfalls litten meine guten Beziehungen zu diesen beiden, für mich wichtigen Leuten ein bisschen darunter und Ende 1998 meldeten sich meine anfänglichen, inzwischen verdrängten latenten Zweifel, ob diese bescheuerte Börsenkarriere wirklich das Richtige für mich war, erneut. Als der Winter nahte und ich jeden Morgen in aller Herrgottsfrühe im Dunkeln bei Regenwetter zur U-Bahn-Station hetzen musste, um das Büro gegen Abend wieder in genau demselben deprimierenden Zustand zu verlassen, spielte ich ernsthaft mit dem Gedanken, die City zu verlassen. Ich dachte oft an meinen Freund Alex, der jetzt in Indien in der Sonne lag – arm, aber glücklich – und fragte mich, ob ich die richtige Lebensentscheidung getroffen hatte.

DIE NEMESIS[3]

3

Hugo Bentley ist ein selbstverliebter, arroganter Sack, der seine Hirnfürze für Genialitäten hält und sich an ihrem Duft berauscht. Dumme Leute, die versehentlich mit ihm in einen Aufzug steigen, bekommen das zu ihrem Leidwesen rasch mit. Ich hatte das Pech, ihm zum ersten Mal in Schottland auf einem Boot zu begegnen, aber seinen Ruf, ein egoistisches Arschloch zu sein, eilte ihm schon voraus. Es gibt den bekannten Spruch, dass das Ego eines Mannes meist umgekehrt proportional zu seiner Intelligenz ist, und bei Hugo traf dies ganz besonders zu. Obwohl ich nie das Pech hatte, es herauszufinden, kann ich mit ziemlicher Sicherheit sagen, dass das nicht das Einzige war, das mit seinem enormen Ego negativ korrelierte. Wenn jemals ein Mann wenig in der Hose hatte, war es Hugo Bentley.

Hugo hatte kurzes, dunkles Haar, er war groß, mit dünnen Armen und Beinen. Er trug stets ein blasiertes Lächeln im Gesicht, das die ungewöhnliche Wirkung hatte, dass es jeden in einem Umkreis von zweieinhalb Metern irritierte, und er hatte ein fliehendes Kinn, wie man es nur bei Leuten mit jahrhundertelanger Inzuchtgeschichte findet. Seine steife Körperhaltung deutete auf einen militärischen Hintergrund hin, während sein unbesiegbares Ego jenes oberflächliche Selbstvertrauen wiedergab, das die besten Privatschulen ihren Schülern einimpfen. Mit der Zeit verstand ich, dass er die Bescheidenheit eines Simon Cowell (dem britischen Pendant zu Dieter

[3]Nemesis ist die griechische Göttin des gerechten Zorns, sie bestraft die menschliche Selbstüberschätzung (Hybris) (Anm. d. Übers.).

Bohlen) nach einem viertägigen Koks-Rausch hatte, gepaart mit der Rücksichtslosigkeit eines Pol Pot in seinen schlimmsten Zeiten in Kambodscha. Das war nicht nur meine Meinung, sondern auch die des gesamten Teams, das er für die Mighty Yank Bank führte (genau wie die Meinung eines jeden, der es länger als vier Sekunden in seiner Firma aushielt). Es war ein offenes Geheimnis in der Square Mile, dem Londoner Finanzdistrikt, dass sein Team ihn leidenschaftlich hasste, aber wusste, dass es ihn wegen seiner guten Kontakte zu Unternehmen und seiner Schleimerqualitäten, den Kunden Honig um den Bart zu schmieren, für den Erfolg brauchte. Der Mann wurde so verachtet, dass jemand aus seinem eigenen Team mir und anderen Analysten der Energieversorgersparte einmal verriet, auf dem Börsenparkett der Mighty Yank Bank erzähle man sich den Witz, Hugos einzige Freunde seien Ronald McDonald und Colonel Sanders, der Begründer von Kentucky Fried Chicken. Schon nach flüchtiger Betrachtung seines fettigen Gesichts und seiner charakterlichen Mängel bezweifelte niemand von uns, dass dies zutraf.

Leider war Hugo Bentley nicht nur ein übler Schwanzlutscher. Er war ein übler Schwanzlutscher, der angeblich der beste Wertpapieranalyst der Energieversorgersparte der City war. Wie das sein kann? Zweimal im Jahr gehen Fragebögen an alle größeren Fondsmanagements weltweit, für die wir Analysten tätig sind. Diese Leute bewerten uns Analysten je nach Sympathie auf einer Skala von eins bis vier, und diese Bewertungen werden dann je nach Größe der Institution gewichtet und abgeglichen. Zweimal im Jahr werden die Ergebnisse dieser Umfragen von zwei Unternehmen, Extel und Institutional Investor, veröffentlicht und wir Analysten warten mit angehaltenem Atem darauf zu erfahren, wie beliebt wir bei unseren Kunden sind. Früher war es so, dass diejenigen, die Punkte bekamen, einige wenige Fondsmanager in den größeren Häusern bedienten. Mit der Zeit jedoch wuchsen die Unternehmen, die Pensionen, Einlagen, Unit Trusts und so weiter (das heißt, unsere Klienten) und schlossen sich zusammen, und so wuchs auch die Anzahl der Leute, die sie einstellten, um ihre Gelder anzulegen. In den 1980er-Jahren war der größte Kontakt zwischen der Verkäuferseite (das heißt, uns in den Investmentbanken) und der Käuferseite (den Fondsmanagements, unseren Kunden) der, dass die Verkäufer mit den Fondsmanagern sprachen. Verkäufer sind kleine Lichter, die einigen oder allen Unternehmen am Markt Aktien anbieten, während die Fondsmanager Generalisten sind, die Fonds verwalten, die Aktien aus aller Herren Länder kaufen.

Als nun jedoch die ständig expandierenden Fondsmanagements anfingen, immer mehr Analysten einzustellen, um die Unternehmen, in die sie eventuell investieren wollten, besser einschätzen zu können, mussten die Investmentbanken nachziehen, wenn sie nicht riskieren wollten, im Umgang mit ihren Aktien weniger erfahren zu sein als ihre Kunden, die sie ja beraten sollten. Das Absurde an dieser Situation war, dass die Teams der einzelnen Sparten in den Banken immer größer wurden und, da die Anzahl der börsennotierten Unternehmen nicht in gleichem Maße anstieg, eine immer höhere Spezialisierung die Folge war. So hatte ein Team, das sich in den späten 8oern um die europäischen Pharma-Werte kümmerte, sagen wir mal drei Mitarbeiter und zehn Jahre später bereits zehn Mitarbeiter, die dieselbe Anzahl von Papieren zu betreuen hatten. Es entwickelte sich ein Teufelskreis – die Banken wetteiferten darum, wer die größten Teams hatte, obwohl es gar nicht genug Aufträge gab, um ihre Größe zu rechtfertigen. Der Eindruck, dass lukrative Operationen (das heißt, Fusionen, Aufkäufe und Börsengänge von Unternehmen) den Banken mit besonders hoch bewerteten Teams offeriert würden, bedeutete, dass das Geld für die Expansion der Verkäuferseite zum Fenster hinausgeworfen wurde, obwohl es nicht genügend Aufträge gab. Dieser Prozess löste nicht nur eine massive Goldgräberstimmung in der City aus, sondern er bedeutete auch, dass es einen Auftragsschwund zu verzeichnen gab. Dies wiederum erklärt, warum die Aufwand-Ertrag-Relation der Investmentbanken zuweilen über 100 Prozent lag, und es beweist, dass hinter dem alten Spruch, Investmentbanking sei ein großes Geschäft, mehr als ein Körnchen Wahrheit steckt … zumindest, wenn man Investmentbanker ist.

Eine weitere Folgeerscheinung der immer größer werdenden Teams war, dass unsere Kunden das Pech hatten, Tag für Tag von Hunderten von Anrufen, E-Mails und Bloomberg-Botschaften von fleißigen Analysten bombardiert zu werden, die den verzweifelten Ehrgeiz hatten, in diesen Zeiten großer Konkurrenz trotzdem durch ein eigenes Profil zu glänzen. Genau diese armen Klienten waren es, welche jedes Jahr im März und im Oktober die Umfragen von Extel und Institutional Investor beantworteten. Die Ergebnisse dieser Umfragen wurden jedes Jahr im Juni und im Februar veröffentlicht, wobei Extel noch zusätzlich eine Preisverleihung abhielt, die bei uns „der City-Oscar" genannt wurde. Natürlich gab es ein paar Ähnlichkeiten zur echten Oscar-Verleihung, aber die Teilnehmer der Letzteren waren wohl doch etwas glamouröser und charismatischer als wir Analysten – obwohl ich annehme, dass die Egos der Beteiligten beider Veranstaltungen in etwa gleich groß waren.

In den Umfragen wurde der Markt in circa 30 paneuropäische Sparten unterteilt, das heißt in Ölgesellschaften, Banken, Energieversorger und so weiter.

Theoretisch sieht es so aus, dass die Fondsmanager und ihre eigenen Analysten für die Analysten stimmen, die ihrer Meinung nach den besten Service bieten, über das umfassendste und fundierteste Wissen in ihrer Sparte verfügen und die gewinnträchtigsten Anlageempfehlungen aussprechen. In Wirklichkeit sind die Dinge natürlich nicht so schön einfach. Wie Tony mir zu Beginn meiner Laufbahn erklärt hatte, ist der beste Kunde der, der dich für seinen Freund hält, weil er sich einfach schuldig fühlt, wenn er in der Umfrage nicht für dich stimmt. Das war der Schlüssel zu meinem Erfolg – und auch zu dem von Hugo Bentley. Hugo war im Allgemeinen ungefähr so vernünftig wie Naomi Campbell, wenn sie ihr prämenstruelles Syndrom hat, wenn es um sein eigenes Team oder die Konkurrenz ging. Aber er verstand es nun mal, seine Kunden mit seinem Charme auf eine Weise zu umgarnen, die mir persönlich höchst durchsichtig erschien, sich aber offensichtlich hervorragend für ihn auszahlte.

Von Anfang an hatte ich entschieden, Kunden für mich zu gewinnen, indem ich sie möglichst gut unterhielt. Ich hege keinerlei Zweifel, dass die Restaurantinhaber in der Londoner City immer im März und im Oktober einen, ihnen vielleicht schwer erklärlichen Boom zu verzeichnen haben, denn in diesen beiden Monaten reizen Leute wie Hugo und ich unsere Spesenkonten richtig aus, damit unsere Klienten sich anschließend erkenntlich zeigen, indem sie uns wählen. Das blieb natürlich bei einigen intelligenteren Kunden nicht unbemerkt, aber selbst wenn sie wussten, woher der Wind wehte, konnte man das Ganze auf eine ironische, witzige Art machen, mittels derer man letzten Endes auch Stimmen gewinnt. Unser Witz war allerdings nicht ganz folgenlos, wenn man weiß, dass jeder Schluck Champagner und jeder Mundvoll Hummer in die 0,2 Prozent Vermittlungsgebühr einfließt, die die Banken generell vom Käufer verlangen, wenn wir in ihrem Auftrag Aktien kaufen und verkaufen. Mit anderen Worten: Meine Gier nach Anerkennung bedeutete letzten Endes nichts anderes, als dass Frau Müller eventuell auf ihre jährliche Urlaubsreise in den Badeort Bognor Regis verzichten musste, weil ihre Dividende dieses Jahr niedriger als erhofft ausfiel. Wenn man dies bedenkt, könnte einem durchschnittlichen Analysten der Thermidor-Hummer gleich weniger gut schmecken ... aber derlei Bedenken halten in unserer Zunft in der Regel nicht lange an.

Jeder in der City tut so, als bedeuteten ihm die Umfrageergebnisse nichts – natürlich besonders diejenigen, die nicht unter den besten Zehn sind. Die Umfragen werden gerne als nicht repräsentativ, leicht zu manipulieren und – in Ermangelung eines besseren Wortes – als dumm abgetan. In Wahrheit jedoch spielen diese Ergebnisse eine außerordentlich wichtige Rolle, wenn es darum geht, wie viel wir bezahlt bekommen, was in der City sozusagen überlebenswichtig ist. Diese Umfragen sind die öffentlich am besten zugängliche Bewertung der Effektivität eines Wertpapieranalysten durch seine Kunden und daher der erste Anlaufpunkt, wenn ein Headhunter den Auftrag erhält, eine bestimmte Stelle neu zu besetzen. Die Tatsache, dass ich eine Stimme ergaunert habe, indem ich irgendeinen Kerl am Tag, bevor das Abstimmungsformular auf seinem Schreibtisch lag, vom „Fidelio" ins „L'Escargot" geschleppt habe, zählt später nicht mehr, denn man geht davon aus, dass meine Kollegen das auch getan haben könnten und er sich trotzdem für mich entschieden hat. Das ist natürlich nur eine Annahme, aber in der Praxis gibt es durchaus noch einige Analysten wie mich, die bereit sind, sich die Stimmen ihrer Kunden durch gute Unterhaltung zu kaufen. Natürlich gibt es auch Konkurrenten, die so abstoßend sind, dass manche Kunden lieber mit irgendeinem dahergelaufenen Idioten einen vier Tage alten Döner Kebab auf der Straße essen würden, als mit ihnen in einem 1.000 Pfund teuren Gourmettempel zu dinieren – selbst wenn die gesamte schwedische Frauen-Beachvolleyball-Jugendmannschaft am Nebentisch säße.

Diese Umfragen sind auch der beste Maßstab für unseren persönlichen Erfolg, denn andere Maßstäbe wie die Provisionen, die unsere Bank in dieser Sparte erhält, sind entweder für Außenstehende unzugänglich oder stellen nicht unbedingt eine verlässliche Aussage über die Fähigkeiten eines Teams dar. So können beispielsweise ein Wechsel der Zuständigkeitsbereiche oder Marktbewegungen einen viel größeren Einfluss auf die in einer bestimmten Sparte erzielten Provisionszahlungen haben als die Tüchtigkeit des jeweiligen Spartenteams. So habe ich im Jahr 2000 kurioserweise von einer anderen Bank gehört, die, obwohl sie den größten Teil des Jahres kein Energieversorgerteam besaß, trotzdem in dieser Sparte Rekordprovisionen erzielt haben soll. Das lag einfach daran, dass sich alle Anleger nach dem dramatischen Ende des Technologie-Booms auf billige, ertragreiche Versorgeraktien stürzten, da diese defensiver seien, das heißt, auch unter schlechten allgemeinen Marktbedingungen besser abschneiden würden. Seltsamerweise mögen Analysten es nicht besonders, wenn derlei Fakten veröffentlicht werden, weil diese Fakten die Frage aufwerfen, ob und wozu man überhaupt Analysten braucht.

Ich beschloss also schon in einem sehr frühen Stadium meiner Laufbahn, dass ich, um ans große Geld zu kommen, bei den Umfragen ein hohes Ranking erzielen musste. Obwohl die Vermittlungsprovisionen (und die Arbeit für die

Bank, zumindest bis zu den Regeländerungen von 2002/03) theoretisch meine Bezahlung bestimmten, würde meine Bank mir von sich aus immer nur so „wenig" bezahlen, wie sie unbedingt musste. Da die Banken wussten, dass die anderen Banken versuchten, Wertpapieranalysten mit hohen Punktzahlen abzuwerben, mussten sie die Leute in den bestbewerteten Teams zufriedenstellen. Dies wiederum führte zu der absurden, aber vollkommen logischen Schlussfolgerung, dass es für mein Konto besser war, ein möglichst hohes Ranking zu bekommen, als meiner Bank – und damit ihren Anteilseignern – möglichst hohe Provisionen einzubringen. Wenn mich ein Kunde fragte, ob ich für meine Bemühungen lieber durch Provisionen oder durch Stimmen belohnt werden wollte, habe ich mich immer für Letzteres ausgesprochen, denn ich wusste, dass es sich stärker auf meinen Bonus auswirken würde, als wenn ich nur für meine Bank Geld scheffelte. Dies ist einer der Gründe dafür, dass die Interessen der Aktionäre einer Bank und die ihrer Analysten nicht immer dieselben sind, wie es eigentlich der Fall sein sollte.

Hugo Bentley konnte folglich, obwohl er keines der Merkmale eines Erlösers besaß, sein Haupt stolz oben halten, denn er wusste, dass alle anderen Analysten auf der Verkäuferseite ihn um seinen Erfolg beneideten. Sein an sich schon monumentales Ego wurde durch die öffentlich anerkannte Tatsache verstärkt, dass er die Nummer 1 der Versorger-Analysten war. Dieser Status verlieh dem guten Hugo den Nimbus, unbesiegbar zu sein, ähnlich wie dem ersten Jugendlichen in meiner Schule, der seine Jungfräulichkeit einbüßte. So wie der damals frisch entjungferte Charles Scott im Jahr 1985 jeden Streit mit dem Totschlagargument: „Was willst du? Du bist immer noch Jungfrau, ich nicht mehr!" für sich entschied, so rieb Hugo damals, im Jahr 1998, jedem subtil unter die Nase, dass er schließlich die Nummer 1 sei und sein Gegenüber nicht. Auch wenn er die eine oder andere verbale Auseinandersetzung verlor, konnte das nie von der Tatsache ablenken, dass er sowieso schon gewonnen hatte – zumindest so lange, bis die nächste Umfrage veröffentlicht wurde. Das machte diesen, an sich schon schwer zu ertragenden, irritierenden Menschen noch unangenehmer ... vor allem für einen Rivalen wie mich, der genügend Komplexe hatte, um jedem Soldaten in der chinesischen Armee davon einen abzugeben.

Ich stand vor dem „Balmoral"-Hotel in Edinburgh und wollte gerade die Stufen zum Empfang erklimmen, als ich Hugo das erste Mal sah. Es war an einem Montagnachmittag Ende 1998 und ich war zusammen mit den anderen Wasserwerk-Analysten vom Unternehmen Edinburgh Water zu einem Ausflug eingeladen. Es war meine erste richtige Vergnügungsfahrt. Auf dem

Stundenplan standen erfreulich wenig richtige Arbeit und jede Menge Spaß wie Golfspielen und ein Dinner im Restaurant des „Balmoral", das einen Michelin-Stern bekommen hatte. Offensichtlich war das Management von Edinburgh Water nicht weniger darauf aus, uns Analysten zu bestechen, als wir versuchten, unsere Kunden bei Laune zu halten. Selbst in diesem frühen Stadium meiner Karriere war mir klar, dass das ganze Business sich darum drehte, dass die einen Geschäftsleute den anderen Honig um den Bart schmierten und dieses Privileg im Allgemeinen mit dem Geld der Aktionäre bezahlten.

Die Geschäftsleitung von Edinburgh Water hoffte, wenn sie mich ein bisschen Golf spielen oder mich die Annehmlichkeiten einer Wellness-Oase spüren ließ, würde ich im Gegenzug meinen Kunden empfehlen, Aktien von Edinburgh Water zu kaufen, und so mithelfen, den Aktienkurs in die Höhe zu treiben. Ich würde ja zu gerne an das Märchen glauben, dass alle Firmen so etwas tun, weil sie den großzügigen Wunsch haben, das Geld ihrer Aktionäre damit zu mehren. Man könnte vor Rührung das Taschentuch zücken, wenn man hört, dass das Management von Edinburgh Water versucht hat, den vielen Kleinanlegern, die Teil der Thatcher-Revolution wurden und ihr sauer verdientes Geld im Dezember 1989 in Aktien schottischer Wasserwerke steckten, aus purer Dankbarkeit einen Bonus zu verschaffen. Zyniker jedoch werden dagegenhalten, dass dieser Effekt nur ein zufälliges Nebenprodukt des wahren Motivs der Geschäftsleitung war, nämlich der Mehrung ihres eigenen Reichtums, denn schließlich waren sie selbst Anteilseigner und Besitzer von Aktienbezugsrechten ihrer eigenen Firma. So gibt es ein paar besonders misstrauische Zeitgenossen, die behaupten, dass Firmenausflüge, die zum Ziel haben, den Aktienkurs anzukurbeln, oft in einem bemerkenswert engen zeitlichen Zusammenhang mit dem Datum der Übertragung von Aktienbezugsrechten stehen … wenngleich ich persönlich solche Verleumdungen natürlich nicht in die Welt setzen würde.

Was die Herren aus der Führungsetage nicht kapieren, ist, dass wir Analysten in der Regel ziemliche Skeptiker sind und Präsentationen der Geschäftsleitung etwa so misstrauisch begegnen wie der berühmte aggressive Interviewer Jeremy Paxman den von ihm befragten Politikern. Paxman soll einmal gesagt haben, wenn er Politiker befrage, sei sein heimlicher Hintergedanke immer: „Warum lügt der Kerl mich schon wieder an?" Noch schlimmer ist, dass wir Analysten dazu neigen, Luxus-Firmenreisen als Verschwendung und schlechtes Kostenmanagement anzusehen, was in einem, durch viele Vorschriften geregelten Markt wie der britischen Wasserversorgung als besonders schlecht gilt. Mit anderen Worten: Viel von dem Geld der Aktionäre geht dafür drauf, irgendwelche Analysten bei Laune zu halten, in der Hoffnung, dass sie den Aktienkurs des Unternehmens ankurbeln und seine Geschäftsleitung noch reicher machen – dabei hat so etwas oft den gegenteiligen Effekt. Es ist schon eine seltsame Welt.

Ich stand also vor dem „Balmoral", kämpfte mit meinen vielen Golfschlägern und war nach der fünfstündigen Zugfahrt von London nach Edinburgh ziemlich geschafft, da hörte ich das typische tiefe Grollen eines Ferraris. Ich drehte mich um und sah einen hellgelben Ferrari vorfahren. Das Fahrerfenster surrte nach unten, eine knochige Hand fuhr heraus und winkte den Portier im Schottenrock herbei. Der Portier wartete ein paar Sekunden, um seinen Ärger über den selbstzufriedenen Fahrer zu zeigen, der es nicht einmal für nötig befunden hatte, sich über den Beifahrersitz zu beugen, um die Unterhaltung zu erleichtern. Damit hatte Hugo es tatsächlich geschafft, jemanden innerhalb nur einer Sekunde, aus fünf Meter Entfernung und ohne ein einziges Wort zu sprechen zu verärgern. Ich dachte damals: „Das ist schwer rekordverdächtig." Später, als ich mit einigen meiner netteren Rivalen über Hugo sprach, fragte einer von ihnen mich: „Warum ärgern sich die Leute sofort über Hugo Bentley?" Die Antwort lautete ganz einfach: „Weil es Zeit spart."

Mit einer Mischung aus Entsetzen und Faszination wurde ich Zeuge, wie Hugo in aggressivem Ton verlangte, der Portier solle seinen kostbaren Wagen „gefälligst irgendwo sicher abstellen". Offensichtlich war er von der zweitägigen Jagd auf schottische Moorhühner auf dem Gut von Lord Clydesdale „völlig geschlaucht". Hugos unhöfliche Art und seine hochnäsige englische Stimme nervten den schottischen Portier außerordentlich. Sein Gesicht lief puterrot an und nur der Gedanke, er könnte sonst seinen Job verlieren, hielt ihn wohl davon ab, das kleine Messer aus seinem langen grünen Schottenstrumpf zu ziehen und es Hugo in seinen dürren Hals zu rammen. Belustigt betrat ich das Hotelfoyer – ich konnte mir schon denken, dass dieser eitle Geck niemand anderes als der legendäre Hugo Bentley war.

In meinem Hotelzimmer angekommen dachte ich über die City-typische Neigung nach, seinen Reichtum in Form von edlen Sportwagen, Smokings und Rolex-Uhren zur Schau zu stellen. Ich selbst war von frommen, links eingestellten Eltern erzogen worden, für die Konsum und Materialismus nicht nur falsch, sondern eine regelrechte Sünde waren. Mein Leben lang hatten sie mir erzählt, über Geld zu reden sei taktlos und weltliche Reichtümer machten nicht glücklich, sondern hinderten einen im Gegenteil daran, sein langfristiges Ziel zu erreichen, in den Himmel zu kommen. „Nichts auf dieser Welt währt ewig", war ein oft zitierter Bibelvers, wie auch der Satz: „Eher geht ein Kamel durch ein Nadelöhr, als dass ein reicher Mann in den Himmel kommt" (Matthäus 19, 24). Jedes Mal, wenn ich zum Abendessen zu meinen Eltern kam, gemahnte meine Mutter mich an den Spruch aus 1. Timotheus 6, 10, der da lautet: „Die Liebe zum Geld ist die Wurzel allen Übels." Und mein Vater erinnerte mich an den Soziologen Max Weber, der gesagt hatte, nur wie ein dünner Mantel, den man jederzeit abwerfen kann, solle der Besitz eines Mannes sein – „... aber aus dem Mantel ließ das Verhängnis ein stahlhartes Gehäuse werden." Und ich? Ich übernahm die religiösen Ansichten meiner Mutter nicht unbedingt, aber auch ich war der festen Überzeugung, dass Geld nicht unbedingt glücklich macht – eher im Gegenteil. Die vielen reichen Männer, die ich im Laufe meiner City-Zeit kennenlernte, die mehrfach geschieden, krank, armselig und/oder alkoholkrank waren, schienen das zu bestätigen.

Jedenfalls waren solche Hippie-ähnlichen Einstellungen zum Reichtum, was wohl keinen überraschen wird, in der City eher die Ausnahme und Hugos offensichtliche Neigung, mit seinem Geld zu protzen, eher die Norm. Oscar Wilde definierte Zyniker als Menschen, „die von allem den Preis, aber nicht den Wert einer Sache kennen" – eine Beschreibung, die auch auf Cityboys zutrifft. Das liegt auch daran, dass wir Cityboys, quasi per definitionem, geldgeile Zyniker sind, deren Job es ist, allem einen Preis (bzw. Kurswert) zu geben, ohne uns dabei um Nebensächlichkeiten wie Gefühle, Moral oder künstlerischen Wert zu scheren. Solange materielle Dinge der offensichtlichste Maßstab für finanziellen Erfolg sind, den wiederum viele Cityboys als Indikator für ihre Fähigkeiten ansehen, können sich alle Ferrari-Händler und Rolex-Verkäufer ihre fetten Lippen lecken, zumindest solange es der Square Mile noch so gut geht. Der erbärmliche Drang, dass wir unseren Kollegen immer um eine Nasenlänge voraus sein wollen, garantiert, dass Satan weiterhin ungestraft Eiscreme verkaufen kann und dass die Zurückhaltung beim Konsum und bei der Umweltverschmutzung, die diese Welt so dringend zum Überleben braucht, in weite Ferne rückt – solange wir Cityboys in der Wirtschaft am Ruder bleiben.

Mit diesen Gedanken in meinem Kopf packte ich meine Tasche aus und zog meine Golfkleidung an, die ich am frühen Morgen, noch schlaftrunken, hastig zusammengerafft hatte. Mein supertolles Outfit bestand aus einem rosa Lacoste-T-Shirt, einem von Motten zerfressenen, zu engen Aran-Pullover, einer albernen Wollmütze, die meine Großmutter mir in einem Anflug von Demenz vor zehn Jahren gestrickt hatte, und einem fürchterlichen Paar Cordhosen, die mir ungefähr drei Nummern zu groß waren. Wer da behauptet hätte, ich sähe elegant aus, hätte genauso gut sagen können, Mike Tyson habe sich bei seinen Boxkämpfen immer voll im Griff. Nervös prüfte ich mein Spiegelbild im Innenspiegel des Kleiderschranks. Ich verfluchte meine unüberlegte Kleiderwahl, aber da es nun mal nicht mehr zu ändern war, beschloss ich wie so oft, dass ich eben so gehen müsse. Nach einem kurzen Zögern, ob es wirklich so klug war, mich meinen Rivalen wie ein Terry Wogan[4] auf LSD zu präsentieren, ließ mich die Freude auf einen der schönsten Golfplätze Schottlands meine Bedenken vergessen. Schließlich würden auch die anderen in komischen Golfsachen erscheinen und niemand, außer vielleicht Samuel L. Jackson, sieht auf dem Golfplatz wirklich elegant aus. Ich sprang die Treppen zur Lobby hinunter, immer zwei Stufen auf einmal, um den Minivan nicht zu verpassen, der mich und alle anderen, die für Golf gestimmt hatten, zum Royal-Musselburgh-Golfplatz bringen sollte. Aber in der Lobby war niemand, und nachdem ich ein paar Minuten vergeblich gewartet hatte, fragte ich an der Rezeption, ob sie wüssten, wo die Edinburgh-Water-Leute seien. Die attraktive Dame an der Rezeption sah zu mir auf, taxierte meine Kleidung und schickte mich mit leicht amüsiertem Gesichtsausdruck in Richtung Bar, links von der Rezeption.

Als ich die laute Bar betrat, merkte ich sofort, was für einen schrecklichen Fehler ich begangen hatte. An einer Seite der Bar stand eine Gruppe überwiegend junger Männer, von denen ich einige als meine Kollegen erkannte. Jeder von ihnen trug entweder einen dunklen Anzug oder elegante Freizeitkleidung! Ich hielt inne, als wäre ich gerade in eine Glasscheibe gelaufen. Meine Schuhe quietschten auf dem frisch gebohnerten Boden. Wie ein aufgescheuchter Hase starrte ich meine Kollegen an und kam in Sekundenschnelle zu dem simplen Schluss, auf der Stelle kehrtzumachen und diesem entwürdigenden Schauspiel zu entgehen. Ich war gerade dabei, mich umzudrehen und meinen Fluchtplan in die Tat umzusetzen, da sah einer der Männer in meine Richtung. Das Schicksal wollte es, dass ausgerechnet der Manager für Kundenbeziehungen von Edinburgh Water mich in diesem Aufzug sah. Er war einer der wenigen Teilnehmer, die mich sofort erkannten, denn wir hatten einander gerade erst auf der Jahresergebnis-Präsentation seines Unternehmens kennengelernt. Ich vermied den Blickkontakt zu

4) Englischer Radio- und Fernsehmoderator (Anm. d. Übers.).

ihm und hob die Hände vors Gesicht, als wollte ich ihn bitten, mich nicht anzugreifen. Aber es war zu spät, um zu fliehen. Ich hatte Edinburgh Water gerade erst von „halten" auf „verkaufen" abgestuft und jetzt war die Gelegenheit, es mir heimzuzahlen. Der sichtlich amüsierte Kundenberater wollte die Chance nicht verpassen, mich allen als den Hampelmann zu präsentieren, als der ich dank meiner Kleiderwahl jetzt dastand.

„Hi, Steve – komm doch zu uns!", rief er mit einladender Geste. Er konnte seine Freude über meine Verlegenheit nicht unterdrücken. Wie ein kleines Schulkind, das zaghaft in Richtung Schultafel geht, weil der Lehrer es gebeten hat, ein Wort anzuschreiben, das es gar nicht kennt, schlurfte ich langsam und widerstrebend auf die Gruppe zu, während mein Gesicht rot wie eine Tomate wurde. Als ich bei meinen ordentlich gekleideten Kollegen ankam, starrten mich alle an und manche lachten sogar laut. Die Situation war eine schwere Prüfung für mein Selbstvertrauen, aber ich hatte dergleichen schon öfter erlebt und dachte: „Wenn es nicht allzu schlimm wird, kommst du da noch einigermaßen heil wieder raus." In diesem Moment unterbrach Hugo die unnatürliche Stille, die plötzlich eingetreten war, und meinte: „Um Himmels willen, warum hat mir denn keiner gesagt, dass heute Maskenball ist? Als was ist denn der verkleidet? Als vagabundierender Womble?" So gut wie jeder in der Gruppe brach in schallendes Gelächter aus. Lediglich die einzige Analystin versuchte, ein Kichern zu unterdrücken, aber irgendwie machte ihr Mitleid die Sache nur noch schlimmer.

„Komm schon, Steve", dachte ich, „du kannst doch mit so einer Situation ganz gut umgehen. Du kannst doch diesen Arschlöchern zeigen, dass sie dich nicht einschüchtern können." Ich musste mir irgendetwas Komisches einfallen lassen, und zwar schnell. Zum Nachdenken blieb da keine Zeit. „Und als was kommst du? Als … als …", stotterte ich. Ich wollte schon sagen, „als piekfeiner Wichser", aber ich merkte gerade noch, dass solch eine Beleidigung zu aggressiv wäre angesichts dessen, was bisher passiert war. Wenn ich so eine humorlose, heftige Beleidigung vom Stapel gelassen hätte, hätte die ganze Gruppe wohl betreten dazu geschwiegen. Bei dieser Art pseudo-freundlicher Events wurde aggressives Auftreten nicht nur toleriert, sondern war ganz normal – allerdings nur innerhalb gewisser Grenzen. Feindseliger Spott und bitterböse Kommentare waren unerlässlich, aber nur wenn man sie subtil und mit einem Lächeln vortrug.

Dummerweise war die einzige Alternative zu einer handfesten Beleidigung die, meinen Satz nicht zu vollenden und jeden umsonst auf die Antwort warten zu lassen, was genauso schrecklich war. Hugo war so nett nachzufragen:

„Was bin ich? Sag es uns doch bitte!" Er wusste genau, er hatte mich am Wickel, und er genoss jede Sekunde meiner Erniedrigung in vollen Zügen. Schließlich stammelte ich: „... ein ... ein ... sehr netter junger Mann." Mit meiner Antwort erntete ich nur wenige, höfliche Lacher, aber die Erleichterung meiner Kollegen – die die ganze Geschichte außerordentlich peinlich fanden – war mit Händen zu greifen.

Nur wenige werden wohl bestreiten, dass meine erste Erfahrung in Sachen geschäftliche Gastfreundschaft hätte besser laufen können. Die Tatsache, dass ich den Zeitplan nicht richtig gelesen hatte und den „Willkommensdrink" verpasste, war ein weiterer Fehler. Aber das war nicht alles. Es sollte noch schlimmer für mich kommen. Als der Kundenberater von Edinburgh Waters seinen Zettel herauszog und vorlas, wer sich für welche Aktivität angemeldet hatte (zur Wahl standen Wellness, Golfplatz oder Einkaufen in der Fußgängerzone), befürchtete ich schon, dass Hugo auch für den Golfplatz gestimmt hatte. Und ich hatte recht. Bevor unser beider Namen fielen, ahnte ich bereits, wer mein Gegner sein würde.

„Je mehr ich übe, desto mehr Glück habe ich", meinte Hugo selbstgefällig, nachdem er einen fast perfekten Fünfer am 18. Loch geschlagen und den Ball auf Anhieb nur zehn Meter vom Loch entfernt platziert hatte. Ich hatte kein Recht, „du verdammter Glückspilz" zwischen den Zähnen zu murmeln, aber mein Ehrgeiz zwang mich dazu. Während ich versuchte, ruhig zu stehen, um den Ball auf diesem schwierigen Dreier-Par vom Tee abzuschlagen, dachte ich, wenn er so weitermachte, würde er sich glücklich schätzen können, wenn er noch alle Zähne im Mund hatte, bis wir wieder am Klubhaus waren. Der Kerl war so etwas von eingebildet, dass nur noch mein Driver imstande war, ihm sein selbstgefälliges Grinsen aus dem Gesicht zu zaubern. Fast das ganze Spiel hindurch überlegte ich schon fieberhaft, welchen Schläger ich am besten für seine Zähne nehmen sollte. Erst dachte ich, ein Dreierholz sei das Richtige, aber dann entschied ich, dass nichts Geringeres als mein Driver ein der Aufgabe würdiges Instrument wäre.

Bisher war mein Golfspiel bestenfalls unausgewogen gewesen, aber wir spielten ein Lochspiel und waren, mehr durch Zufall als Begabung, bis zum letzten Loch gleichauf. Derjenige von uns, der dieses Loch gewann, würde damit zugleich das gesamte Spiel gewinnen. Obwohl er in seiner schicken Kleidung und mit den neuesten Callaway-Golfschlägern daherkam, die vermutlich mehr gekostet hatten als mein ganzes Auto, war Hugo nicht so toll, wie er selbst meinte – etwas, was, wie ich annahm, wohl nicht nur für sein Golfspiel, sondern auch für andere Lebensbereiche galt. Er behauptete, es wie ich mit 15 Schlägen zu schaffen, aber das war bestenfalls optimistisch. Während die meisten Golfspieler Banditen sind, die ihr Handicap in schönem Understatement lieber zu niedrig angeben, um anschließend ihre Siegeschancen zu verbessern, machte Hugo mit seinem riesenhaften Ego das genaue Gegenteil. Wenn es auf dieser verrückten und bescheuerten Welt noch einen Funken Gerechtigkeit gab, hätte ich ihn eigentlich schlagen müssen, aber ich war nervös und gereizt. Die schreckliche Szene an der „Balmoral"-Bar ging mir immer noch durch den Kopf. Das Schlimmste war: Da stand ich nun auf einem der schönsten Golfplätze der Welt und sah immer noch aus wie ein armes Kind, dessen Eltern es auf dem Flohmarkt eingekleidet hatten. Hugo hatte außerdem die Spannung erhöht, indem er einen 100-Pfund-Schein neben das letzte Loch gelegt hatte – ein gut gewählter Betrag, der ihm alten Hasen nichts ausmachte, für mich, der ich erst ein paar Jahre von der Uni weg war, aber viel Geld war.

Wie immer beim Golfspiel hatte die Partie bereits begonnen, lange bevor wir unsere Golfschuhe angezogen hatten. Hugo wusste, dass er psychologisch klar im Vorteil war, weil er mich zuvor bereits öffentlich gedemütigt hatte, aber er hatte Blut geleckt und wollte mehr wie ein Hai, der ein Robbenbaby einkreist. Sobald er gehört hatte, dass er gegen mich spielen sollte, sagte er laut, sodass ich und alle anderen es hören konnten: „Ui, das wird bestimmt spaßig!" Eins zu null für Hugo. Im Minivan, der uns zum Golfplatz brachte, sah er meine Golfschläger abschätzig an und fragte zum Gelächter der Umgebung: „Wo hast du die denn her? Von Woolworth?" Zwei zu null für Hugo. Schließlich, als wir acht im Bus eine langweilige Unterhaltung über die Verdienste von Essex Water anfingen, fragte er mich auf den Kopf zu, wie der ehemalige Vorstandsvorsitzende des Unternehmens hieß, so als habe er den Namen gerade nicht mehr im Kopf. Der derzeitige Vorstandsvorsitzende war etwas über zwei Jahre im Amt, daher hatte ich Jungspund natürlich keine Ahnung, wen Hugo meinte. Das war kein Zufall – Hugo wusste genau, dass ich noch nicht so lange bei der Wasserversorgersparte der Banque Inutile war und daher den Namen dieses Burschen kaum kennen würde. Ich stammelte irgendetwas, um mich aus der Affäre zu ziehen und zu erklären, warum ich die Antwort nicht wisse, da unterbrach Hugo mich schon und rief: „Ach ja, jetzt fällt's mir wieder ein, es war William Caldeshott, wie konnte ich das nur vergessen – einer der berühmtesten Wasser-Chefs der frühen 90er-Jahre …" Drei zu eins für Hugo.

Das Schlimme war, dass Hugo nicht nur einen Newcomer in der Finanzwelt niedermachte, um eine Partie Golf zu gewinnen. Er wollte mir nicht nur zeigen, wer hier das Sagen hatte und dass ich mich glücklich schätzen konnte, dieselbe Luft zu atmen wie er. Er wollte mir nicht nur klar machen, dass jeder Gedanke daran, Seine Majestät zu beleidigen, in Zukunft zum Scheitern verurteilt wäre. Nein – was er tat, war noch schlimmer: Er machte mich vor meinen Arbeitskollegen lächerlich. Auch wenn ich noch ein Anfänger war, wusste ich doch jetzt schon, dass die Jungs um mich herum meine potenziellen künftigen Arbeitgeber oder Kollegen auf dem Arbeitsmarkt der City waren. Ich wusste auch, dass die Reihen der Analysten klein waren und dass es Jahre dauern konnte, einen einmal angekratzten Ruf wieder aufzubauen. Hugo erreichte nicht nur, dass ich mich wie ein Idiot fühlte, er trug auch tatkräftig dazu bei, meine künftigen Gewinnaussichten in diesem Gewerbe zu verringern. Wir in der City können einander so einiges verzeihen, aber wir verzeihen niemandem, der uns unsere Gewinnchancen kaputtmacht.

Ich zog mein Sechser-Eisen aus dem Sack, legte behutsam das Tee auf den Boden und warf etwas lockeres Gras in die Luft, um die Windrichtung und die Windstärke zu ermitteln. Ich wollte diesen Deppen nicht einfach so davonkommen lassen. Ich musste stark sein. Ich musste alles um mich herum vergessen, den Schläger schwingen, als hätte ich es schon 1.000 Mal vorher gemacht, und durch den Ball hindurch schlagen. Nach einem Probeversuch ging ich auf das Tee zu, schwang den Schläger nach hinten, zog ab und ... schlug ins Leere. Ich hatte den Ball schlecht erwischt, er flog in Richtung Bäume, außerhalb des Rasens. Meine Enttäuschung über diesen Lapsus war so groß, dass ich „Scheiße!" rief, und das so laut, dass ein paar alte Leutchen auf einer ganz anderen Bahn sich schockiert umdrehten. Nun ist meine Kenntnis der Golfregeln nicht mehr die beste, aber ich glaube mich noch zu erinnern, dass laut Paragraf 4, Absatz 7 der Golfregeln lautes Fluchen, das bei umstehenden Rentnern einen Herzinfarkt auslöst, streng missbilligt wird (abgesehen von bestimmten Klubs in der Gegend um Liverpool, wo dieses Verhalten aktiv gefördert wird).

Ich sah, wie der Ball zu einem besonders hohen Baum flog, und mein Herz rutschte mir in die Hose, als mir klar wurde, dass Hugo unser Match gewinnen würde. Aber da geschah ein Wunder. Der Ball prallte am Baum ab und landete perfekt auf dem Rasen. Wie durch Zauberhand landete er ungefähr sechs Fuß vom Loch entfernt, nur wenig hinter Hugos Ball. Offensichtlich hatte der Mann da oben meine Gebete erhört. Meine Verzweiflung wandelte sich auf der Stelle in helle Begeisterung. Dieselben Rentner, die mich noch vor wenigen Sekunden zu ihrem Entsetzen fluchen gehört hatten, wurden nun Zeugen meiner Freudensprünge. Ich schwöre, hätte ich hier und jetzt den Löffel abgeben müssen, hätten sie einen extra großen Sarg für mich gebraucht, so breit war mein Grinsen. Hugos mürrischer Gesichtsausdruck verstärkte meine Freude nur und ich drohte ihm mit dem Finger wie seinerzeit Dennis Taylor, als er Steve Davis in der Snooker-Weltmeisterschaft 1985 schlug. Zugegeben, das war keine sehr großherzige und auch keine bescheidene Geste, aber beim jetzigen Stand der Dinge war meine Rivalität so weit fortgeschritten, dass ich meine Seele auf der Stelle dem Teufel verschrieben hätte, wenn er mir zum Sieg über dieses Arschloch verholfen hätte. Offen gesagt war ich so weit, dass ich ihm nicht nur meine eigene Seele, sondern auch noch die all meiner Lieben verschrieben hätte, nur um diesen blöden Kerl zu vernichten. Mephisto wäre vermutlich über diesen plötzlichen Zulauf an Seelen in seiner Hölle so begeistert gewesen, dass er für heute Schluss gemacht und sich den Rest des Tages frei genommen hätte, um es seiner Alten vor Freude mal wieder so richtig zu besorgen.

Jetzt, da ich den letzten Absatz noch einmal lese, wird mir klar, dass der geneigte Leser vielleicht den Eindruck gewonnen hat, ich sei etwas ehrgeizig. Da wären Sie im Irrtum, liebe Leser – ich bin nicht etwas ehrgeizig, sondern habe mit die größten Ellenbogen in der Square Mile, was so ähnlich ist, wie der größte Spinner von Bagdad oder der fetteste Mensch in Florida zu sein. Ich war schon ehrgeizig, als ich die Börsenwelt betrat, aber in der Zwischenzeit war ich es noch viel mehr, war ich doch nur umgeben von rücksichtslosen Angebern, die ihren beruflichen Erfolg an dem ihrer Konkurrenten messen. Diese Krankheit war ansteckend und ich hatte die passende psychische Konstitution, mich davon hinreißen zu lassen. Selbst in diesem frühen Stadium meiner Karriere stimmte ich schon vollkommen mit dem Schriftsteller Gore Vidal überein, der einmal gesagt hat, es sei ihm nicht genug zu gewinnen – er müsse andere verlieren sehen. Auch Richard Nixon sprach mir aus der Seele, als er sagte: „Zeigen Sie mir einen guten Verlierer und ich zeige Ihnen einen Verlierer!" Da ich zwei ältere Brüder habe, hatte ich von vornherein keine andere Wahl, als um jedes bisschen zu kämpfen. Es ist nichts, worauf ich besonders stolz bin, aber es ist nun mal so, und die City hat mich diesbezüglich noch härter werden lassen – wie es vielen geschieht, die ihre heiligen Hallen betreten. Mir ist schmerzlich bewusst, dass jeder, der sich in seiner eigenen Haut wohlfühlt, es gar nicht nötig hat, jeden armen Wurm, der es hören kann, ständig daran zu erinnern, wie viel schlauer oder reicher er selbst ist. Ich kann mir gar nicht vorstellen, wie es wäre, wenn der total entspannte Dalai Lama in seinem Tempel in Dharamsala säße und jeden daran erinnern würde, was für ein toller Hecht er ist. Er überlässt diesen Blödsinn lieber verunsicherten Typen wie Simon Cowell oder Kanye West[5]. Leider ist auch mir ziemlich klar, dass der große Geist, der schrieb: „Hinter jedem Angeber steckt ein innerer Zweifel", ganz genau wusste, worüber er sprach. Meine „Krankheit" ist in der Square Mile weit verbreitet. Wer sie schon hat, ist willkommen im Klub, wer sie noch nicht hat, wird sich bald damit anstecken. Wenn man mich fragt, welches gemeinsame Merkmal uns Aktienhändler prägt, nehmen die Leute gerne an, dass ich so offensichtliche Dinge sage wie eine psychopathische Selbstsucht, die selbst einen Hannibal Lecter erschrecken könnte, oder eine Rücksichtslosigkeit in Bezug auf die Ausbeutung der Welt, vor der selbst ein Dschingis Khan Halt machen würde. Beides ist selbstverständlich völlig richtig, aber der gemeinsame Charakterzug, der fast alle Broker eint, ist ein Konkurrenzdenken, das selbst das des Profi-Radfahrers Lance Armstrong („Der Schmerz geht vorbei, aber Aufhören ist endgültig") schockieren würde. Wir Broker befinden uns ständig im Wettstreit miteinander – ob es um eine Partie Squash geht, um unsere intellektuellen Fähigkeiten, unser Bankkonto oder unsere sexuelle Ausstattung – wobei Letzteres natürlich unterschwellig alles andere überlagert. Ich würde so weit gehen zu behaupten, dass Wetten und Geldanlegen, und nichts anderes macht die City im Wesentlichen, die perfekte Mischung von intellektuellem Ehrgeiz und finanzieller Belohnung sind, und deshalb sammeln sich hier so viele der Selbsttäuschung ergebene Cityboys. Wenn wir Geld in ein Unternehmen investieren, behaupten wir, seine Gewinnaussichten besser zu kennen als jeder andere, und wir würden mit der Zeit schon recht behalten und alle anderen Idioten, die den Vermögenswert falsch eingeschätzt haben, würden danebenliegen. Wir sind so heiß darauf, andere auszustechen, dass wir dafür sogar einen flotten Dreier mit Kate Moss und Giselle Bündchen ausschlagen würden, wenn wir nur die Chance bekämen, unsere Ansicht öffentlich zu erklären und sie anschließend durch den gestiegenen Kurs bestätigt zu bekommen.

Wenn meine Theorie stimmt, dass dieses Konkurrenzdenken in der City weit verbreitet ist und dass es das Produkt von Minderwertigkeitskomplexen ist, dann kann ich mit Fug und Recht behaupten, dass Minderwertigkeitskomplexe der Motor der Londoner Börse sind (genau wie unersättliche Gier natürlich). Das erklärt auch, warum die große Mehrzahl der Angestellten an

---

5) Britischer Hip-Hop-Star (Anm. d. Übers.).

der Börse junge Möchtegern-Alphamännchen sind, die die notwendigen Mengen Testosteron und Selbstzweifel in sich tragen, um sich auf ständige Hahnenkämpfe mit ihren Rivalen einzulassen. Zum Glück für unsere Arbeitgeber entspricht dieses alberne, pubertäre Konkurrenzgebaren sowieso der Mentalität von uns Berufsanfängern, haben wir doch die ganzen letzten Jahrzehnte schon in den Schulen und Universitäten versucht, einander auszustechen, wohlwollend begleitet von unseren Lehrern und Dozenten. Nur dieser unbedingte Siegeswille, der gesteuert wird von tiefen inneren Unsicherheitsgefühlen, kann erklären, warum die Cityboys mit Freuden bereit sind, jeden Morgen um 5.30 Uhr aufzustehen und jede Woche 70 Stunden und mehr zu arbeiten, wo das Leben doch so kurz und so wertvoll ist. Zufriedene, selbstsichere Leute hätten wohl nicht die Energie, diese Art Schwachsinn durchzustehen.

Interessanterweise wird dieses unterschwellige Rivalitätsdenken von den Managern der Investmentbanken noch aktiv unterstützt. Ich habe sogar gehört (wer weiß, vielleicht ist es auch frei erfunden), dass die netten Leute von Goldman Sachs, wenn sie nach geeigneten Hochschulabsolventen suchen, angeblich solche Leute vorziehen, die schon in der Schule schikaniert wurden. Angeblich haben Psychologen der Personalabteilung erzählt, dass diejenigen, die am ehesten bereit sind, bis 4.00 Uhr morgens zu arbeiten und die Wochenenden dafür zu verwenden, in mühevoller Kleinarbeit das Kleingedruckte unter einem ätzend langweiligen Vertrag auszuarbeiten, die sind, die verzweifelt danach trachten, sich selbst zu beweisen, da sie in der Schule nur gehänselt wurden. Sie wissen, dass jeder gedemütigte Mensch nur davon träumt, genug Geld zu verdienen, um die Frau zu bekommen, die er schon immer haben wollte, sich seinen Ferrari leisten zu können und es seinen früheren Peinigern zu zeigen. Sie wissen, dass der arme durchschnittliche Loser zu gern in einem offenen Sportkabrio mit einer schönen Blondine an seiner Seite am Grundstück seines ehemaligen Gegners vorbeirollen und hinausschreien möchte: „Seht ihr mich, ihr Idioten? Ich bin jetzt jemand! Ich bin ein Gewinner! Ich bin reich!" Das Dumme ist nur: Während Letzteres wahrscheinlich sogar zutrifft, handelt es sich natürlich im Grunde immer noch um dieselben Deppen wie früher und tief in ihrem Innersten ahnen sie, dass sie das wohl auch für immer bleiben werden, so reich sie auch werden.

Die City fördert das Konkurrenzdenken in ihren Reihen auch, indem sie zu jedem Aspekt der Arbeit Befragungen durchführt und Hitlisten aufstellt. Es gibt nicht nur die bereits erwähnten Untersuchungen von Extel und Institutional Investor, die öffentlich machen, wie beliebt jeder von uns Analysten bei der Kundschaft und bei den von uns geprüften Unternehmen ist. Analysen und Ratings bewerten auch die Anlagen, Derivate, die Arbeit in den Unternehmen, die Performance der institutionellen Fonds, der Hedgefonds und so weiter. Dagegen ist nichts zu sagen, aber was sie in Wirklichkeit tun, ist, dafür zu sorgen, dass verunsicherte Charaktere (wie ich einer wurde), die verzweifelt danach trachten, sich zu beweisen, klare, öffentlich sichtbare Ziele haben, auf die sie zusteuern können. So gesehen sind die Befragungen Teil der psychologischen Falle, die geschaffen wurde, um dafür zu sorgen, dass wir die besten Jahre unseres Lebens auf der Jagd nach Erfolg vergeuden. Man sollte den listigen Schweinen, die sich dieses schreckliche System ausgedacht haben, die Eier abschneiden und ins Maul stopfen, denn sie haben nichts Geringeres begangen als ein Verbrechen gegen die Menschlichkeit.

Zurück zum Golfplatz. Hugo gewann seine Fassung wieder und setzte erneut seinen gelangweilten Blick auf. Er meinte: „Das, glaube ich, war jetzt ein echter O. J. Simpson … Glück gehabt, dass du mit einem blauen Auge davongekommen bist!" Schon während des gesamten Spiels hatte er solche Kommentare gemacht. Oberflächlich betrachtet waren sie nichts als der harmlose Versuch, unterhaltsam zu sein, aber in Wirklichkeit waren sie Teil seiner gehässigen Taktik, alle erlaubten Mittel einzusetzen. So war ein Ball, den ich geschlagen hatte und der kaum mehr als zehn Fuß über den Fairway geflogen und dann am Boden entlang gerollt, dabei aber immerhin 120 Yard weit gekommen war, für ihn eine „Sally Gunnell" (nicht schön, aber erreicht ihr Ziel). Ein ungeschickter, aber kurzer Putt von mir war ein „Dennis Wise" (ein ziemlich schräger Fünffüßer). Als mein Ball in eine Sandmulde kullerte, nannte er ihn einen „Adolf Hitler" (ein Schuss in den Bunker) und nachdem sein Ball neben meinem zu liegen kam, war es eine „Eva Braun" (zwei Schüsse in den Bunker). Obwohl manche dieser Kalauer nicht mal schlecht waren, verzog ich keine Miene, denn ich wusste genau, dass ich ihm damit nur in die Falle tappen würde.

Auf dem Rasen musste ich zuerst putten, da mein Ball weiter vom Loch entfernt war. Nervös zog ich den Putter aus meiner Golftasche. Als ich herantrat, konnte ich fühlen, wie das Adrenalin durch meinen Körper rauschte. Ich wollte dieses Großmaul schlagen, und wenn es das Letzte wäre, was ich tat. Ich fühlte mich wie im James-Bond-Film „Goldfinger" beim Golfspiel in Stoke Poges. Aber wer von beiden war ich – der stets sanfte Agent 007, Sieger des ruhmreichen Kampfes, oder sein Erzfeind, der das Spiel verlor? Der nächste Schlag war der alles entscheidende. Das Spiel hatte längst mythische Dimensionen angenommen, die weit über das Schlagen von kleinen Plastikbällen in etwas größere Löcher hinausgingen. Es ging sozusagen um Sein oder Nichtsein – entweder ich war ein Siegertyp, der seinem ärgsten Feind das Grinsen aus dem Gesicht nahm, oder ich war nichts als ein armseliger Loser, der es in der City – was sage ich, im ganzen Leben – wohl zu nichts bringen würde. Es mag übertrieben klingen, aber in diesem Moment bedeutete der Schlag mir alles. Davon, ob der kleine Ball jetzt im Loch landete, hing für mich ab, ob mein Leben reich, erfüllt und erfolgreich sein würde – oder nichts als verschwendete Zeit, weil ich es zu nichts brachte. Ich kniete nieder und prüfte die Beschaffenheit des Geländes. Das Loch lag ungefähr drei Zoll über meinem Ball, auf einem leichten Links-Rechts-Hang. Ich musste also auf den linken Rand des Loches zielen und ein bisschen stärker schlagen als bei ebenem Gelände. Nach einem einzigen nervösen Probeschlag legte ich den Schläger an, das gekrümmte Ende leicht erhoben. Ich atmete tief ein und schwang den Schläger zurück. Just als der Kopf des Schlägers den Höhepunkt des Rückwärtsschwungs erreichte, hörte ich ein kaum wahrnehmbares Hüsteln. Es war Hugos letzter Schachzug – absolut perfektes Timing. Es war zu spät, um erneut anzusetzen, denn ich hatte bereits mit dem Abwärtsschwung begonnen. Mein Schläger traf den Ball. Ich wartete, wie er in Richtung Loch rollte; mir war, als bliebe die Zeit stehen. Es sah aus, als würde es klappen, als würde Hugos Hüsteln nicht funktionieren. So gut es zunächst aussah – der Ball wollte nicht in das verdammte Loch gehen. Er schaffte es nicht ganz und stoppte ungefähr 2,5 Zentimeter neben dem Loch. Ich wusste nicht, was ich tun sollte. Ich verspürte den Drang zu schreien, zu weinen, den Divot-Entferner in Hugos Auge zu schlagen. Es gab so vieles, was ich gern getan hätte, aber ich blieb äußerlich ruhig und gelassen, platzierte eine Markierung, wo mein Ball liegen geblieben war, trat ein paar Schritte zurück und betete, dass Hugo Mist baute. Selbst auf Hugos besserwisserische Bemerkung: „Der ist nicht drin, mein Lieber", antwortete ich nicht.

Er, natürlich, schlug seinen Ball gerade ins Loch und sagte mit einer Lässigkeit, als habe er nicht eine Sekunde an seinen Fähigkeiten gezweifelt: „Es war nicht leicht, altes Haus. Ich musste mich schon anstrengen, um an mein Geld zu kommen. Vielleicht hast du ja nächstes Mal mehr Glück …" Ich schüttelte ihm die Hand, so begeistert, als wäre er ein leprakranktes Ebola-Opfer, und ging mit hängenden Schultern wie ein schlagtrunkener Boxer auf das Klubhaus zu. Ich hatte den Schwanz so sehr eingezogen, dass es mir schwer fiel zu gehen. Meine Wunden taten so weh, dass ich sie nicht einmal mehr lecken wollte – ich wollte mich nur noch einrollen und sterben. Ich erinnere mich nicht einmal mehr an Hugos weise Sprüche auf dem Rückweg – auch nicht mehr daran, wie ich ihm seine unverdiente Siegesprämie in die Hand drückte. Alles, was ich wusste, war: Ich hatte verloren.

Einer der klassischen Texte, den man mir und vielen anderen angehenden Brokern zu lesen empfohlen hatte, war „Die Kunst der Kriegsführung" des chinesischen Feldherrn Sun Tzu aus dem 6. Jahrhundert vor Christus. Ich hatte den Rat ignoriert, weil ich dachte, das sei alles nur alter Macho-Scheiß mit wenig Brauchbarem für einen jungen Mann, der im 20. Jahrhundert lebt. Nun, das mag ja sein, aber einer der wichtigsten Sätze dieses Buches hätte mir an jenem Schicksalstag wirklich sehr geholfen. Er lautete: „Kämpfe nur dann, wenn du gewinnen kannst." Diese Lektion hatte ich nicht beherzigt und nun musste ich den Preis dafür zahlen. Ich wünschte auch, ich hätte in jener schicksalhaften Nacht vor Beginn dieser blöden Karriere auf Dirty Harrys Rat gehört, der da heißt: „Ein Mann sollte seine Grenzen kennen." Ich war gerade dabei, meine kennenzulernen, aber auf eine Art und Weise, die nicht schmerzhafter hätte sein können. Alles erschien mir plötzlich sinnlos. Danach, im Hotel, versäumte Hugo nicht, jedem zu erzählen, dass er eine Flasche Schampus aufmachen wolle und dass er dem Grünschnabel gezeigt habe, wer der Boss ist. Als ich die Treppe hinauf zu meinem Zimmer trottete, hörte ich seine angeberhafte Stimme mit geheuchelter Sympathie flöten: „Na ja, er hat sein Bestes gegeben, der Gute." Ich schloss meine Zimmertür auf, ließ mich aufs Bett fallen und schaltete den Fernseher ein, um das endlose „was wäre gewesen, wenn" abzuschalten, das mir im Kopf herumspukte. Anschließend nahm ich ein heißes Bad, zog meinen sechs Pfund teuren Anzug an und ging hinunter an die Bar – den Ausgangspunkt meiner Schande –, um mit den anderen vor dem Dinner einen Drink einzunehmen.

Der Abend lief nach einem Schema ab, mit dem ich inzwischen mehr als hinreichend vertraut bin, da ich mittlerweile schon Hunderte dieser „prickelnden" Events besucht habe. Die Analysten, die um den großen Tisch herumsitzen, behandeln einander zunächst immer mit einer wohlwollend-herablassenden, aufgesetzten Freundlichkeit. Aber je später der Abend wird und je mehr Drinks jeder intus hat, desto offener treten tief versteckte Rivalitäten und lange schwelende Konflikte zutage. Plötzlich werden über den Tisch hinweg nur leicht kaschierte Beleidigungen ausgestoßen und die Streithähne erinnern einander daran, dass der jeweils andere schon soundso oft mit seinen Empfehlungen völlig danebengelegen habe. Manchmal müssen ältere Kollegen aus der Geschäftsleitung wie Schiedsrichter in einem Boxkampf dazwischengehen und die Kabbeleien der aufgehetzten Jüngeren schlichten.

Ich weiß zwar nur von einem Abend, an dem es während eines Ausflugs tatsächlich zu Handgreiflichkeiten zwischen zwei Analysten kam, aber die unterschwelligen Aggressionen, die an zünftigeren Orten wie einem East-End-Pub oder woanders bestimmt in Tätlichkeiten münden würden, sind latent immer vorhanden. Sie kommen bloß deshalb nicht zum Ausbruch, weil wir netten Mittelklasse-Boys aus Oxford und Cambridge gerade noch so viel Anstand haben, einander wegen etwas Abstraktem wie einem Aktienkurs nicht den Schädel einzuschlagen. Das ist auch gut so, denn Weicheier im Anzug, die zu blöd wären, sich selbst aus einer Papiertüte zu befreien, aber in einem Michelin-gekrönten Restaurant mit Champagnergläsern aufeinander losgehen, sind kein schöner Anblick.

Selbstverständlich sind solche Events auch wundervolle Gelegenheiten, Leute in Verlegenheit zu bringen, die etwas Ungünstiges über die gastgebende Firma gesagt haben. Wehe dem, der kürzlich seine Kaufempfehlung für die Aktien des betreffenden Unternehmens heruntergestuft hat – so etwas wird todsicher von einem Konkurrenten aufs Tapet gebracht, der dafür sorgen will, dass seine Bank keinen Auftrag mehr vom Gastgeber bekommt. Auch ich fiel in diese Kategorie und der liebe Hugo ließ es sich nicht nehmen, mich laut über den ganzen Tisch hinweg zu bitten, meine Bedenken dem Finanzdirektor von Edinburgh Water zu erklären. Nun, ich hätte den Zweikampf gegen Hugo liebend gerne aufgenommen, denn ich fühlte mich ihm intellektuell durchaus gewachsen, aber einen Mann herauszufordern, der seine eigene Firma bestimmt 1.000 Mal besser kannte als jeder andere, war so, als würde ich gegen Diego Maradona Fußball spielen. Ich lehnte höflich ab und sagte gepresst: „Ich glaube nicht, Hugo, dass ich das hier und heute erläutern möchte", wobei ich seinen Namen extra giftig aussprach. Geschickt lenkte ich das Gespräch auf das Programm des morgigen Tages. So kam ich gerade noch mal mit einem blauen Auge davon, aber ich konnte mir denken, dass das Thema für den Herrn Finanzdirektor noch nicht abgehakt war.

Das Problem mit den Vorständen war, dass sie Verkaufsempfehlungen immer sehr persönlich nahmen. Sie taten so, als sei meine Ansicht, ihre Aktie sei zu hoch bewertet, gleichbedeutend mit einer ganzseitigen Anzeige in der *Financial Times*, in der in riesengroßen, fetten Lettern steht: „Das Management von XY ist unfähig, auch nur einen Stehempfang zu organisieren." Zugegeben, manchmal hätte ich so etwas gerne gemacht, weil ich so manches Direktorium wirklich ziemlich unfähig fand, aber natürlich habe ich es nie getan. In Wahrheit ist die Qualität der Unternehmensleitung nur ein sehr kleiner Teil der Kalkulation, aus der hervorgeht, ob man eine Gesellschaft für wert befindet, Geld bei ihr anzulegen oder nicht (erst recht bei Versorgungsbetrieben, deren strategische Spielräume von Haus aus sehr begrenzt sind). Die Aussichten der Sparte, in der das Unternehmen tätig ist, Zinsschwankungen, der Ölpreis und so weiter sowie die Frage, wo ich die Aktie in Bezug auf meine eigene langfristige fundamentale Bewertung einordne – all diese Faktoren waren immer viel wichtiger für meine Bewertung der Aktie als die Arbeit des Vorstands.

Aber der Stolz des Direktoriums (oder vielleicht auch nur die Sorge seiner Mitglieder um die eigenen Firmenanteile) sorgte stets dafür, dass sie wie Mafiosi waren – die können einem einmal verzeihen, aber sie vergessen nichts. Es gibt Firmen, die unsereinem nicht nur nichts verzeihen, sondern sich regelrecht an uns rächen, wenn sie können. Theoretisch sollten die Mitglieder der Geschäftsleitung jedem Analysten helfen, egal, welche Meinung er vertritt. Fans der Firma freundlicher zu behandeln und sie besser mit Informationen zu versorgen wäre ein klarer Bruch der Regel, die besagt, dass man Marktteilnehmern ohne Ansehen der Person gleichermaßen Informationen zur Verfügung stellen soll. Ein Management, das dies nicht tut, würde sich der „einseitigen Vorteilsgewährung" schuldig machen, und wenn es sich dabei auch noch um kurssensitive Informationen handelt, die nur einigen mitgeteilt werden, ist das eindeutig unfair, denn es gewährt bestimmten Analysten einen Wissens- und Informationsvorsprung vor anderen. Das Ergebnis wäre, dass ein besser informierter Fan des Unternehmens etwas weiß, das ihm beim Handel mit der Aktie gegenüber seinem weniger gut informierten Kollegen Gewinne verschafft und dem kritischen Investor den Gewinn raubt. Das käme meiner Ansicht nach einem Raubüberfall gleich, bei dem der böse Finanzvorstand sein Opfer festhält, während der nicht weniger korrupte Analyst ihm die Taschen ausräumt. Natürlich geschieht so etwas jeden Tag. Es ist nicht nur sehr menschlich, seinen „Freunden" Vorteile zu verschaffen, sondern die Unternehmensleitungen haben auch ein Interesse daran, dass ihnen wohlgesonnene Analysten auf dem Markt gut dastehen, dass ihre Meinung mehr zählt als die der Kollegen, die dem Unternehmen nicht so positiv gegenüberstehen. Dies erreicht man unter anderem, indem man dafür sorgt, dass die „Guten" schneller und bessere Informationen erhalten als die Übrigen. So konnte ich des Öfteren feststellen, dass sich ein Unternehmen mir gegenüber deutlich anders verhielt, wenn ich meine Empfehlung geändert hatte. Managements, die mir früher wohlgesonnen waren, wurden auf einmal kühl und wenig aussagefreudig, weil ich ihre Aktie nicht mehr empfahl, und umgekehrt. Das ist nur ein Grund mehr für viele Analysten der Verkaufsseite, zu positive Urteile über die von ihnen betreuten Firmen abzugeben – ein weiteres Beispiel dafür, wie die angebliche Objektivität am Wertpapiermarkt mit Füßen getreten wird.

Ein weiterer Grund, das Management nicht durch negative Beurteilungen zu erzürnen, ist, dass manche Geschäftsführer sich wie verwöhnte, bockige Kinder benehmen, denen man ihre Bonbons weggenommen hat. Manche machen unsereins bei den Investoren (unseren Kunden) schlecht und diskreditieren unsere Analysen, indem sie sie durchkämmen und versuchen, auch den kleinsten Fehler darin zu finden, den sie dann öffentlich brandmarken können. Andere bringen einen während ihrer Hauptversammlungen durch verdeckte zynische Bemerkungen in Verlegenheit, weil man sich erlaubt, ihnen eine Frage zu stellen. Ein großer französischer Versorgungsbetrieb lud unseren französischen Analysten nicht zu einem Treffen mit Anlegern ein, zu dem alle seine Kollegen eingeladen waren, nur weil er die Empfehlung „verkaufen" ausgesprochen hatte. Der Vorstandsvorsitzende eines großen britischen Energieversorgers drohte eines Tages unserem Leiter für Investmentbanking, er würde unsere Bank verklagen, wenn wir ihm nicht in einer zweistündigen Sitzung die Chance gäben, uns kraft seiner Persönlichkeit von seinen eigenen Qualitäten und denen seiner Firma zu überzeugen. Er behauptete, die Verkaufsempfehlung, von der wir seiner Gesellschaft ein paar Tage vor Veröffentlichung per E-Mail Kenntnis gegeben hatten, beruhe auf faktischen Irrtümern unsererseits, aber das war nur ein Vorwand, um persönlich zu uns zu sprechen. Was kam dabei heraus? Wir hatten ein amüsantes Treffen, verstanden seine verquere Argumentation nicht und veröffentlichten unsere Empfehlung dennoch. Innerhalb eines Jahres gab der Kurs der Aktie um über 20 Prozent nach. Böse Zungen behaupten, wenn man das Wort „Schwanzlutscher" in bestimmten Wörterbüchern nachschaue, sehe man ein Foto dieses Herrn darin abgebildet. Dieser Typ war ein extremes Beispiel von aggressivem Führungsstil, aber wie auch immer – Leute wie er tragen mit Sicherheit einiges dazu bei, dass manche Analysten, die sich leicht einschüchtern lassen, lieber den bequemen Weg gehen und ein positives Urteil abgeben.

Vor der Korrektur des Aktienmarktes, die im März 2000 begann, gaben ungefähr 80 Prozent aller US-amerikanischen Analysten positive Bewertungen der Betriebe ab, die sie zu prüfen und zu bewerten hatten. Das zeigt nicht nur, wie sinnlos diese Leute waren, es belegt auch, dass die Anreize, die es für sie gab, dazu führten, dass es ein Übergewicht von Kaufempfehlungen gab. Erstens gibt die Geschäftsleitung Informationen schnell und proaktiv weiter, wenn sie weiß, dass man sie eher unterstützt, als kritisch sieht. Zweitens ist die Wahrscheinlichkeit größer, dass man einer wohlgesonnenen Bank mehr Aufträge wie etwa Zusammenschlüsse und Aufkäufe von Unternehmen, Klärung von Rechtsfragen anbietet, wenn man Kaufempfehlungen ausspricht, was sich wiederum gut auf den Bonus des Analysten auswirkt. Drittens ergeben positive Empfehlungen im Allgemeinen höhere Provisionen als Verkaufsempfehlungen, denn die Fonds wachsen mit dem Reichtum ihrer Anleger mit. Das macht potenzielle Investitionen natürlich interessanter als der Ratschlag, Aktien, die man bereits besitzt, zu verkaufen. Schließlich bekommen „freundlich gesonnene" Banken viel öfter den Zuschlag, wenn es um die Ausrichtung von Essen für Investoren und Firmen-Roadshows zusammen mit der Geschäftsleitung geht, was ein hervorragendes Mittel der Kundengewinnung und Kundenbindung ist. Trotz der Tatsache, dass Empfehlungen in der Regel nur als relativ anzusehen sind (zum Beispiel eine Kaufempfehlung bedeutet, dass sich die Aktie nach Meinung des Analysten besser entwickeln wird als andere Papiere am Markt), kam es im Jahr 2002 und auch zu anderen Zeiten zu der absurden Situation, dass die große Mehrheit aller Aktien sich angeblich besser entwickeln sollte als der Durchschnitt – etwas, was selbstverständlich (nicht nur) mathematisch gar nicht möglich ist.

Vielleicht werden Sie mir entgegenhalten, dass die Bewertung eines Aktienkurses ein sehr transparenter, mathematisch sauberer Prozess ist, der einen bestimmten Rechenwert ergibt. Dazu muss ich leider sagen, dass Analysten oft an die Zahl denken, die sie erreichen wollen, und dann sozusagen das Pferd von hinten aufzäumen, um das gewünschte Ergebnis zu erreichen. Die übliche Strategie ist, wenn man einen einigermaßen positiven Eindruck von einem Unternehmen hat, zu akzeptieren, dass es nur logisch ist, dessen Geschäftsleitung aus den oben genannten Gründen zu unterstützen und ein Kursziel ungefähr 10 bis 20 Prozent über dem aktuellen Wert festzusetzen. Das ist hoch genug, um das Interesse der Fondsmanager zu wecken, aber nicht so hoch, dass man sich zu weit aus dem Fenster lehnt und eine Bauchlandung hinlegt, falls der Kurs wider Erwarten sinkt. Alles, was ein Analyst jetzt noch tun muss, ist, den Diskontsatz oder die langfristigen Wachstumsaussichten im Discounted-Cashflow-Modell[6] um etwa ein halbes Pro-

6) Die Discounted-Cashflow-Methode dient der Unternehmensbewertung. Die geschätzten künftigen Zahlungsüberschüsse des Unternehmens werden auf den gegenwärtigen Wert abgezinst. Eine Gesellschaft gilt als unterbewertet, wenn der Barwert des Eigenkapitals über der Marktkapitalisierung liegt. Im umgekehrten Fall spricht man von Überbewertung (Anm. d. Übers.).

zent zu manipulieren, und schon kommt man auf den Wert, an den man von vornherein dachte. Das ganze Verfahren ist also ungefähr so sinnvoll wie Brustwarzen am Körper eines Mannes.

All das hilft zu verstehen, warum alle der Geschäftsleitung von Edinburgh Water an jenem Abend im „Balmoral" so in den Hintern krochen. Aber es gab einen Mann, den die versammelten Wasser-Analysten an jenem Abend noch mehr hofierten. Im Gegensatz dazu, wie jeder jeden anfeindete, gab es ihm gegenüber kein einziges böses Wort. Er war ein Großaktionär von Edinburgh Water und der einzige Klient, der es für wert befunden hatte, zu kommen. Obwohl sein Mangel an Charme ihn überall sonst so beliebt gemacht hätte wie einen Zungenkuss beim Familientreffen, umschwärmten ihn die Analysten wie die Motten das Licht. Obgleich ich der Einzige von uns war, der einen billigen Anzug trug, war ich einer der wenigen, die nicht niederknieten, um diesen Tausendsassa anzubeten. Es genügte mir vollauf zu sehen, wie meine Konkurrenten ihn umgarnten – ich konnte nur in mich hinein kichern. Noch schlimmer war, dass dieses unfreundliche, hässliche Individuum vielleicht zum ersten Mal in seinem traurigen Leben meinte, jedermann liebe es. Er kapierte nicht, dass wir Analysten ihm den Hintern geküsst hätten, selbst wenn er der uneheliche Sohn von Charles Manson[7] und Rose West[8] gewesen wäre, so geil waren wir auf Provisionen und Stimmen. Es ist immer wieder erstaunlich, wie sehr sich auch die Schlauesten von uns manchmal zum Affen machen können.

Ein weiteres Detail, das an jenem schicksalhaften Abend für mich interessant zu beobachten war, war eine Unterhaltung zwischen Hugo und einem Manager der mittleren Führungsebene, die ich belauschte. Der Manager organisierte die Qualitätsprüfung von Scheiße oder etwas ähnlich Sinnvolles. Dieser sichtlich eingeschüchterte Mann machte den Fehler, Hugo zu fragen: „Was genau ist eigentlich Ihre Aufgabe?" Hugo lehnte sich behaglich in seinem Sessel zurück und begann einen 5-Minuten-Vortrag. Er schien sich am Klang seiner eigenen, ziemlich lauten Stimme geradezu zu berauschen. Ich hörte ihm zu und verstand kaum, was er da sagte – dabei wusste ich doch selbst als Berufsanfänger schon, was wir tun. Anstatt ganz einfach zu erklären, dass wir dazu da sind, Unternehmen zu analysieren und Anlegern zu erklären, ob wir glauben, dass der Kurs der Aktie rauf oder runter geht, stürzte sich Hugo in einen langen, verworrenen Vortrag, in dem er keinen

---

7) Satanischer Sektengründer (Anm. d. Übers.).
8) Englische Serienmörderin (Anm. d. Übers.).

Nonsens-Fachausdruck ausließ. Seine kleine Rede klang ungefähr so: „Unternehmenswert, bla bla bla, Eigenkapitalrendite, etc., etc. Rendite vor Zinsen, Steuern, Abschreibungen, Amortisation ... dazu Wertschöpfung ... Cashflow, Rendite der Kapitalanlage und so weiter." Sein armes Opfer verstand nur noch Bahnhof und dachte wahrscheinlich, er rede über den Unterschied zwischen vegetarischen Frühlingsrollen und Entenfleisch-Frühlingsrollen – aber auf Kantonesisch und rückwärts. Ich sah, wie der Manager nervös mit den Augen flackerte und verzweifelt versuchte, dem Ganzen einen Sinn zu entnehmen. Sicher, es klang wie seine Sprache, aber er verstand nichts. Seine nervös flackernden Augen verrieten seine große Angst, seine Ignoranz könnte auffliegen, und so zog er es vor, nur dazusitzen und ab und zu klug zu nicken. Die Sache brachte mich dazu, darüber nachzudenken, warum wir Börsianer so ein unverständliches Fachchinesisch sprechen, nur um andere, die nicht so viel verdienen wie wir (also fast jeden), damit zu verwirren. Wir vermitteln gerne den Eindruck, etwas sehr Wichtiges und Kompliziertes zu tun, und lassen dadurch potenzielle Kritiker im Dunkeln. Wir bieten dem „einfachen Mann" viel weniger Angriffsfläche, wenn er sich durch unsere komplexe Welt eingeschüchtert fühlt und nicht einmal mehr versteht, was wir eigentlich tun. Ja, was tun wir eigentlich? Wir schieben Papiere hin und her. Das ist es doch, was wir tun. Das ist im Grunde auch schon alles, was wir tun.

Wie auch immer – zum jetzigen Zeitpunkt machten mich die zwei Wodka-Tonic, die vier Gläser Champagner, die drei Gläser Weißwein, die vier Gläser Rotwein, der Dessertwein und der Single-Malt-Whisky (das Glas zu 20 Pfund), die ich konsumiert hatte, ein bisschen benommen. Der traumatische Tag und mein angegriffenes Nervenkostüm hatten dazu geführt, dass ich ziemlich schnell ziemlich viel durcheinander getrunken hatte, und plötzlich fühlte ich, dass sich der ganze Raum in ziemlich beunruhigender Weise drehte. Ich muss wohl weiß wie ein Käsekuchen geworden sein, denn Hugo rief mit geheuchelter Sorge: „Na, alter Bursche, was ist denn mit dir los? Ist dir schlecht?" Ich murmelte etwas wie „fnngdngn". Ich versuchte aufzustehen und hielt mich am Tisch fest, um nicht nach hinten umzukippen. Ich stolperte am Finanzvorstand vorbei und wünschte ihm eine gute Nacht. Zumindest dachte ich, ich hätte das gesagt. Für ihn klang es wohl mehr wie „gtchnnnncht". Mit verzweifeltem Bemühen, nichts umzuwerfen und halbwegs nüchtern zu erscheinen (dabei ging ich aber wie ein Zombie auf Ketamin), stolperte ich auf die drei schimmernden Türen vor mir zu. Schlau wählte ich die mittlere von den dreien, kämpfte ein paar Sekunden mit dem

Türgriff und bekam sie schließlich auf. Ich sah, dass ich in der Besenkammer gelandet war, und drehte mich um. Gott sei Dank kam ein Kellner mit ernster Miene herbei und geleitete mich zum Ausgang. Sobald ich aus dem Restaurant draußen war, stieß ich einen tiefen Seufzer der Erleichterung aus. Schließlich, nach ungefähr sieben vergeblichen Anläufen, fand ich mein Zimmer, und ohne das Licht auszuknipsen oder mich auszuziehen, fiel ich aufs Bett und schlief wie ein Stein. Mein letzter Gedanke, bevor ich das Bewusstsein verlor, war: „Das war ja wieder sehr karrieredienlich, du Vollidiot!" In meinem Selbstzerstörungstrieb machte ich mir alle Chancen zunichte, es in diesem schrecklichen Business zu etwas zu bringen.

Als ich am nächsten Morgen erwachte, fühlte ich mich, als hätte irgendein Schweinehund irgendwann nachts meine Schädeldecke entfernt, mein Gehirn herausgenommen und es ein oder zwei Stunden lang fest geknetet, bevor er es ungeschickt wieder hineinstopfte – und dabei wahrscheinlich etwas davon fallenließ. Gleichzeitig hatte wohl ein anderer meinen Magen aufgeschlitzt und Batterieflüssigkeit hineingetan. Der Dritte in dieser unheiligen Allianz hatte meine Augen und meinen Hals mit Sandpapier abgeschliffen (gut, Letzteres war vielleicht die Zigarre am Nachmittag gewesen) und verschiedene Körperteile von mir mit einem Fleischklopfer traktiert. Er hatte es zwar nur leicht getan, denn man sah keine Blutergüsse, aber dafür hatte er keinen Quadratzentimeter Haut ausgelassen. Ich weiß nicht, was diese Teufel gegen mich haben, aber fast immer, wenn ich in Ruhe ein paar Drinks gekippt habe, finden sie mich, warten, bis ich bewusstlos bin, und verrichten dann ihr übles Werk. Entweder ist es das oder es fehlt mir ganz einfach an Selbstkontrolle und ich kriege mein Trinkverhalten nicht in den Griff – was mir doch reichlich unwahrscheinlich vorkommt.

Ich blinzelte mit den Augen. Dann blinzelte ich noch einmal. Wo, zum Teufel, war ich? Was war letzte Nacht los? Das Telefon klingelte schrill. Deshalb war ich wohl auch aufgewacht. „Ich muss wohl rangehen", dachte ich. Auf dem Bauch zog ich mich mit den Armen über das große Bett, als machte ich gerade einen Kurs in der Army, wie man unter einem Stacheldraht hindurchkriecht. Schließlich erreichte ich das schrillende Telefon doch noch. Nach dem guten Meter, den ich bis dahin zurückgelegt hatte, fühlte ich mich so ausgelaugt, als hätte ich einen mehrwöchigen Kurs bei der Army hinter mir. Ich kämpfte mit dem Hörer und schaffte es schließlich, ihn ans Ohr zu drücken. Es war der Mann für Kundenkontakte von Edinburgh Water. Er sagte: „Guten Morgen, Steve. Ich hoffe, es geht Ihnen gut? Ich wollte nur Bescheid sagen, dass der Bus zu den Kanalisationsbetrieben von Seafield in fünf Minuten losfährt. Wir hoffen, Sie schaffen es, mit dabei zu sein." Selbst in meinem schrecklichen Zustand konnte ich fühlen, wie sehr er sich über meine missliche Lage amüsierte. „Ich bin gleich unten", murmelte ich. Es klang mehr wie „chbnglchntn", denn mein betäubtes Gehirn, meine Gummilippen und mein rauer Hals hatten sich miteinander verbündet, mir eine klare Aussprache so schwer wie nur möglich zu machen. Wäre ich vernünftig gewesen, hätte ich mich lieber krank gemeldet, aber wenn es eines gibt, was ich im Moment partout nicht finden konnte, war es mein klarer Verstand, der gerade Verstecken mit mir spielte – zusammen mit meiner Würde und meiner Selbstachtung.

Es bedurfte der Anstrengung eines Herkules, meine Sachen zusammenzusuchen und mich daran zu erinnern, wo ich überhaupt war. Ich hatte keine Zeit mehr zu duschen, ich konnte gerade noch ein paar Spritzer Wasser auf mein Gesicht bringen. Bedauerlicherweise zwang mich diese Amtshandlung dazu, mein Gesicht im Badezimmerspiegel zu betrachten, und was ich da sah, war geeignet, mich bis an mein Lebensende zu erschrecken. Das Gesicht da im Spiegel ähnelte einem verfaulten Zombie, der seit ein paar Monaten eine Party nach der anderen besucht hatte. Falls es Zombies wirklich gibt, sie das hier lesen und mein Gesicht an jenem Morgen gesehen hätten, würden sie sich bestimmt einen Zombie-Rechtsanwalt nehmen und mich wegen übler Nachrede verklagen. Ich sah nicht nur wie ein lebender Toter aus – ich sah vielmehr wie ein toter Toter aus, und so fühlte ich mich auch. Meine Haut war leichenblass und gesprenkelt, meine Augen blutunterlaufen und eingesunken mit großen schwarzen Augenringen darunter, meine Lippen gesprungen, weil ausgetrocknet und ganz blass vom Rotwein. Ich glich eher einem Gespenst als einem menschlichen Wesen aus Fleisch und Blut. Instinktiv griff ich in meine Jackentasche und suchte nach meiner Sonnenbrille. Schließlich war es möglich, dass auch Frauen und Kinder in der Lobby waren, und in Situationen wie dieser muss man auch an die traumatischen Auswirkungen denken, die der Anblick eines Gesichts wie des meinen auf unschuldige Kinder haben könnte. Falls ihre Nerven nicht aus Stahl waren, hätten sie ja jahrelang Alpträume kriegen können.

Leider war mein katatonischer Körper irgendwann im Laufe der Nacht ins Rollen gekommen und hatte beide Bügel meiner guten Ray-Ban-Sonnenbrille abgebrochen. Ich starrte die abgebrochenen Bügel in meiner Hand an und war am Verzweifeln. Der Gedanke, mich an einem Tag wie diesem wenigstens noch hinter meiner Sonnenbrille verstecken zu können, war der einzige, der mir Mut gemacht hatte. Jetzt würde ich all meinen Gegnern, der vermutlich ziemlich grellen, tief stehenden Wintersonne und ein paar Millionen Fässern Scheiße aus Edinburghs Kanalisation schutzlos wie ein Neugeborenes in die Augen sehen müssen.

Ich ging die lange, gekrümmte Treppe zur Hotellobby hinunter, mit pulsierendem Schädel und einem Magen, der sich am liebsten gleich entleert hätte. „Oh, schaut mal, wer da kommt!", rief Hugo glucksend und so laut, dass alle Analysten in der Lobby mich anstarrten. Ich lief rot an, schaffte es, ein bisschen zu lächeln und ging in Richtung Rezeption, um auszuchecken. Die Dame an der Rezeption konnte, als sie mich ansah, ein Kichern kaum noch unterdrücken. Ich hatte im Laufe der Zeit schon einige Male einen Kater gehabt, aber der heute stellte alles bisher Dagewesene in den Schatten. Während der halbstündigen Busfahrt gab ich mir alle erdenkliche Mühe, nicht zu kotzen. Bei jeder Kurve lief der Kopf meines Vordermannes Gefahr, unter dem reichhaltigen, sahnigen Essen von gestern Abend zu verschwinden. Ich lehnte mich in meinem Sitz zurück und betete mit geschlossenen Augen, dass dieser Albtraum möglichst rasch enden möge. Aber von wegen – er fing gerade erst an.

Seafield war der erste Kanalisationsbetrieb, den zu besichtigen ich die Ehre hatte. Natürlich hatte ich in den vergangenen zehn Jahren die Freude zu erfahren, wie die menschlichen Exkremente von Philadelphia bis Paris behandelt werden, und ich kann Ihnen sagen, es wurde von Mal zu Mal interessanter für mich. Es wird einem nie langweilig, wenn man leidenschaftlichen Experten für Abwasseraufbereitung über Vermikultur (kleine Würmer, die die Exkremente zerlegen) oder über Ultraviolett-Abfallbehandlung reden hört. An jenem Morgen – und an unzähligen anderen Kläranlagen-Besuchstagen in der Folgezeit – schwor ich mir, David Flynn bei nächster Gelegenheit kräftig die Hand zu schütteln und ihm dafür zu danken, dass er mir keine so eintönige Sparte wie Medien oder Technik gegeben hatte, sondern diese. Davids spontane Entscheidung aus dem Jahr 1996, ich solle Analyst für die britischen Wasserbetriebe werden, hatte den enorm erfreulichen Effekt, dass ich zwischen meinem 20. und 40. Lebensjahr an zahllosen Tagen die Inhalte der Eingeweide von Millionen Menschen aus ganz Europa betrachten durfte. Wenn ich nur daran denke, dass er mich ja auch hätte zwingen können, meine Zeit mit der Analyse der technischen Erneuerungen zu verschwenden, die die Welt bewegten, dann kann ich meinen Sternen nur jeden Tag aufs Neue danken.

Während wir an jenem Morgen mit Helmen, Leuchtwesten und Schutzbrillen durch die Abwasseranlagen von Seafield stiefelten, konzentrierte sich mein lädiertes Gehirn leider ausschließlich auf die entsetzlichen Gerüche. Die Kommentare, die uns der freundliche Betriebsleiter in einem nahezu unverständlichen schottischen Kauderwelsch gab, vermischten sich mit dem Industrielärm zu einem bedeutungslosen Brummton. Egal, wie sie das verschleiern wollten – ich hatte den Eindruck, als stünden wir mittendrin in einem einzigen riesengroßen Klo, was meinem beschissenen Zustand nur angemessen war.

Fast noch schlimmer war die Tatsache, dass meine Herren Analysten-Kollegen jeden Arbeiter, der sich zeigte, umringten wie der Biologe David Bellamy ein exotisches Spinnentier, das er ausgegraben hatte. Da gab es doch tatsächlich noch richtige Arbeiter, die mit ihren Händen richtige Jobs verrichteten! Da die meisten von uns mit ihren Händen nichts anderes taten, als Golfschläger zu schwingen oder eine Maus zu bedienen, fanden meine Kollegen diese Helden der Arbeit faszinierend. In wohlwollend herablassendem Ton stellten sie ihnen Fragen, als wären sie Menschen von einem anderen Stern, die man zum ersten Mal sehen durfte. Selbst in meinem jämmerlichen Zustand merkte ich, wie sehr ihre Fragerei den armen Kerlen auf den Geist ging – waren meine Kollegen doch für sie nichts anderes als dumme, verweichlichte Snobs, die mit ihrem Blabla in einem Monat mehr verdienten als einer von ihnen im ganzen Jahr. Offensichtlich hielt nur die Anwesenheit ihres Betriebsleiters sie davon ab, ein paar arrogantere Kollegen von mir Kopf voraus in die dampfende Kacke zu befördern.

Auch der Betriebsleiter war für meine Kollegen ein faszinierendes Objekt, und zwar aus unterschiedlichen Gründen. Einen armen Hund auf halber Höhe der Hierarchie von Edinburgh Water kennenzulernen, das war für meine sympathischen Mitstreiter die Gelegenheit, jemanden zu stellen und ihn in eine Falle zu locken. Hugo und seinesgleichen überboten einander gegenseitig mit blöden Fragen in der Hoffnung, damit die Firmenpolitik der Geschäftsleitung von Edinburgh Water zu durchkreuzen und ein Detail in Erfahrung zu bringen, das sie nach ihrer Rückkehr nach London ihren Kunden hinterbringen könnten. „Fahren Sie hier im Moment bei voller Auslastung?", fragte Hugo Donald, unseren netten Führer durch die Kacke, mit Unschuldsmiene. „Ja, richtig", antwortete Donald, nicht ahnend, dass er gerade in Hugos raffiniert aufgestellte Falle getappt war. „Aber gestern Abend, beim Dinner, hat man uns erzählt, Seafield könnte nötigenfalls bis zu 20 Prozent mehr Auslastung verkraften." Donald sah den Finanzvorstand von Seafield an, der finster dreinblickte. Als sein Boss ihn so anstarrte, geriet er schnell aus dem Konzept und stotterte eine Antwort. Schließlich unterbrach ihn der Finanzvorstand und sagte, das Missverständnis resultiere „ganz einfach" aus Unterschieden, wie man volle Auslastung definiere. Alles, was Hugo mit seiner blöden Fragerei erreicht hatte, war, den Betriebsleiter in Verlegenheit zu bringen und womöglich seine Aussichten auf Beförderung zu verringern. Ach ja, und natürlich ganz nebenbei sein eigenes bedürftiges Ego zu streicheln.

Während all das in vollem Gange war, ging es mir ganz entsetzlich. Die Kammer, aus der wir gerade hinausgingen, hatte ganz besonders gestunken, und ich wusste, es war nur noch eine Frage der Zeit, wann sich der Inhalt meines armen, krampfenden Magens mit den Produkten der frischen Exkremente von Tausenden Edinburgher Bürgern vereinigen würde. Mit einer Entschiedenheit, die mich heute noch staunen lässt, setzte ich mich wie zufällig von der Gruppe ab und ging klammheimlich zu einem großen Fasslager, das ein besonders übel aussehendes Becken mit Unrat überragte, und steckte die Finger in den Hals. Mein Erbrochenes ergoss sich über den Unrat und ich fiel fast zu Boden, so heftig war der Brechreiz. Nun fühlte ich mich wieder etwas besser und ging zur Gruppe zurück. Nur Hugos leicht erhobene Augenbraue signalisierte mir, dass meine vorübergehende Abwesenheit nicht ganz unbemerkt geblieben war.

An den Rest des Tages kann ich mich nur noch verschwommen erinnern. Irgendwann zwischendurch bekamen wir ein typisch schottisches Mittagessen serviert, bestehend aus Haggis[9], Kartoffeln und Kohlrüben, in einem wunderschönen Schloss irgendwo draußen im Nichts, und später gab es noch einige langweilige Vorträge im „Balmoral" über die Unternehmensführung von Edinburgh Water und irgendwelche Business-Pläne. Während dieses letzten Teils der Reise schaffte ich es dann doch noch, keinen üblen Eindruck mehr zu hinterlassen, aber eine Steigerung wäre nach dem, was ich bereits angerichtet hatte, ja auch schwerlich möglich gewesen. Wenn ich mich noch mehr zum Idioten gemacht hätte, wäre ich, nach diesem ohnehin vielversprechenden Betriebsausflug, tatsächlich noch in die Annalen der Unternehmensgeschichte eingegangen. Es war geplant, zum Abschluss unserer Reise noch einen gepflegten Tee im Hotel einzunehmen, aber ich machte mich davon und nahm einen früheren Zug als meine Kollegen, um nicht während der fünfstündigen Rückreise zum Dauerthema und Gespött aller zu werden.

---

9) Herz, Lunge und Leber vom Schaf, im Schafsmagen gekocht (Anm. d. Übers.).

Auf der Heimreise im Zug hatte ich nur den einen Gedanken: „Ich muss diesen blöden Arsch schlagen. Er soll sich wünschen, dass sein erbärmliches Leben besser nie begonnen hätte." Von heute an wollte ich, das schwor ich mir, dafür sorgen, dass Hugo und seinesgleichen da draußen auf der Square Mile sahen, dass ich mich durch ihre Arroganz nicht einschüchtern ließ. Ich wollte alles dafür tun, diese Schnösel zu schlagen. Sie sollten den Tag, an dem sie mich so sehr erniedrigt hatten, bitter bereuen.

Mir war sehr schnell klar, dass man einen smarten, ekelhaft schmeichlerischen Kerl wie Hugo nur schlagen konnte, indem man sein Team in den Umfragen auf den zweiten Platz verwies. Mein kleines, angeschlagenes Gehirn sah mich schon bei der Extel-Preisverleihung in der Londoner Guild Hall sitzen und die folgenden süßen Worte vernehmen: „Und das Team Nummer 1 in der Versorgersparte heißt ... Banque Inutile." Aber ich konnte noch so optimistisch sein – ich wusste, dass ich dieses Ziel in der zweitklassigen Bank, in der ich tätig war, niemals erreichen würde. Trotz meiner Loyalität zu David und Tony musste ich zu einer Investmentbank wechseln, die die Möglichkeiten und den guten Ruf hatte, Hugos brutal effizientes Team schlagen zu können. Ich erinnerte mich an Davids weise Worte und wusste daher, dass das Wichtigste, was ich finden musste, ein Staranalyst war, der mich bei meiner Suche unterstützte. Wenn ich mich also ernsthaft auf diese Odyssee begeben wollte, brauchte ich einen guten Geist, der bereit war, mir den Weg zu zeigen und meine Erfahrung in dieser kranken Branche abzurunden. Ich wollte jemand Besonderen haben – einen wirklich außergewöhnlichen Menschen.

DAS GENIE

4

Michael Brent ein Genie zu nennen, hieße, seine Intelligenz zu beleidigen. Sobald ich das Glück hatte, ihn kennenzulernen, wusste ich, er war der Staranalyst, an dessen Rockschöße ich mich mit all meiner Kraft heften musste, wollte ich meine gottgegebene Mission erreichen. Um meine intellektuelle Beschränktheit wissend war mir klar, dass ich jemanden wie Michael Brent in meinem Team brauchte, um dem überheblichen Hugo Bentley zu zeigen, wo der Hammer hing. Michael war das Gehirn und ich war dazu da, seine Ideen umzusetzen.

Es war im Februar 1999. Ich hatte gerade meinen zweiten Bonus erhalten, da rief mich ein Headhunter an. Drei Wochen zuvor hatte David Flynn mich in einen kleinen Raum mitgenommen, mir einen Briefumschlag überreicht und mir eröffnet, mein Bonus für das Vorjahr betrage 50.000 Pfund und mein Gehalt werde auf 45.000 Pfund erhöht – plus einer Zulage von 6.000 Pfund für einen Geschäftswagen –, was in Anbetracht der Tatsache, dass ich gar kein Auto hatte, sehr großzügig war. Im Gegensatz zum Vorjahr wusste ich inzwischen, dass ich so tun musste, als sei ich beleidigt. Dabei konnte ich es gar nicht glauben, dass diese Halunken mir so viel Geld dafür geben wollten, dass ich feine Pinkel ausführte und betrunken machte und mir irgendwelchen Unsinn über eine ziemlich unbedeutende Sparte aus den Fingern saugte. Ich verließ den Raum, indem ich die Tür laut zuwarf und die beleidigte Leberwurst spielte, so als hätte David mich gerade gefragt, ob ich ihm mal meine Freundin ausleihe. Ich ging und stellte mir vor, wie David jetzt innerlich grinste, denn er erkannte bestimmt an meinem Verhalten, dass sein Schüler die Spielregeln gelernt hatte. Später rief ich meinen Vater an, um ihm zu erzählen, was diese Clowns mir zahlen wollten. Er weinte fast vor Freude – seine linksliberalen Bedenken gegen meine Börsenkarriere verloren gegen den Stolz des Arbeiters auf die Erfolge seines Sohnes. Ich hatte begonnen, ans große Geld zu kommen – jetzt wollte ich ein Ticket erster Klasse haben.

Das Telefon klingelte. „Hallo, hier ist James Cassock – Personalberater. Können wir uns ungestört unterhalten?" Fast alle Headhunter der City beginnen ihre Telefonate so. Sie wissen, dass jeder einzelne Anruf in einer Investmentbank aufgezeichnet wird und dass alle diese Mitschnitte mindestens fünf Jahre lang gespeichert werden. Das wird hauptsächlich gemacht, um Insiderhandel vorzubeugen, aber auch für den Fall, dass Kunden bestreiten, eine telefonische Order gegeben zu haben und einen Nachweis verlangen. Die sogenannten Personalberater wussten natürlich auch, dass wir im Allgemeinen unsere Gespräche mit ihnen vor unseren Kollegen geheim halten wollten. Sofern man es nicht gerade kurz vor der Bonus-Auszahlungszeit darauf anlegte, ein gefragter Mann zu sein, waren Diskussionen über einen Arbeitsplatzwechsel nicht gern gesehen, denn sie galten als illoyal dem Team gegenüber, und das sogar in der Investmentbranche. James Cassock wusste, dass meine Kollegen um mich herum bald Verdacht schöpfen würden, wenn ich anfing, leise über Garantieboni und so weiter zu sprechen – daher seine Frage. Ich war schon einige Male von Leuten seiner Zunft angerufen worden, aber es hatte sich noch nie etwas Ernstes daraus ergeben. „Ich fürchte, nein", erwiderte ich offen. Mir war klar, wie es jetzt weitergehen würde. „Verstehe. Ich schlage vor, Sie geben mir Ihre Handy-Nummer, und ich rufe Sie heute Abend wieder an." Ich tat es und vergaß das Gespräch wieder.

Selbst bei den wenigen Worten, die wir wechselten, konnte ich meine Verachtung für Typen wie diesen Cassock nicht ganz verhehlen. Ich bin seit jeher der Meinung, dass Politessen, Parkwächter, Immobilienmakler und sogar Fans von Manchester United noch relativ nette Menschen sind, verglichen mit diesen Headhuntern. Headhunter sind Parasiten, die im Magen des Kapitalismus leben. Ich weiß, dass sie ja auch nur ihren Job machen, aber wie sie ihn machen, das regt mich auf. Wie die Agenten, die die Transferverträge der Fußballspieler aushandeln, haben die Headhunter ein Eigeninteresse daran, so viele Transfers wie möglich zustande zu bringen. Sie tischen einem alle möglichen Lügen auf, um einen zu veranlassen, den Arbeitgeber zu wechseln. Hätte ich jedes Mal, wenn ein Headhunter mir weismachen wollte, meine Bank stehe kurz vor dem Aus und alle meine Kollegen würden ihn schon anrufen, um die Bank zu wechseln, 10.000 Pfund bekommen, dann wäre ich beinahe so reich geworden, wie ich es jetzt bin. Vielleicht finden Sie es übertrieben, dass Immobilienmakler zwei Prozent des Kaufpreises der von ihnen verkauften Immobilie erhalten, wenn sie einen Käufer dafür finden – Headhunter bekommen oft 30 bis 40 Prozent des ersten Jahresgehalts eines von ihnen vermittelten Bewerbers. Wenn es sich dabei um einen Börsenmakler handelt, der siebenstellig verdient, ist das eine Menge Geld für das bisschen Aufwand. Außerdem habe ich festgestellt, dass diese Vögel einen oft anrufen, um Details zu erfragen unter dem Vorwand, einem karrieremäßig weiterzuhelfen, und dabei gar nichts dergleichen vorhaben. Wenn ich dann ohne jede Vermittlung von mir aus die Bank wechsele, kann der Headhunter, wenn er meine Daten hat, versuchen, Geld von mir zu erpressen, indem er behauptet, ich hätte ihn vor dem Wechsel telefonisch beauftragt.

Irgendwann abends klingelte mein Handy und ich hörte James Cassocks salbungsvolle Stimme. Er flötete: „Steve, ich habe eine fantastische Chance für Sie an der Hand", (sie benutzen immer das Wort „Chance"), „bei einer großen europäischen Investmentbank" (in diesem frühen Stadium der Gespräche nennen sie noch keine konkreten Namen).

Ich hörte Herrn Cassock zu und dachte nur: „Schade, dass du Davids weise Worte noch nicht gehört hast, die da lauten: ,Verarsche keinen, der andere verarscht.'" Ich ließ mir die „Chance" erklären und machte ihm klar, dass ich interessiert sei. Ein Treffen mit dem betreffenden Analysten wurde vereinbart. Warum auch nicht – ich hatte nichts zu verlieren, und selbst wenn nichts dabei herauskam, konnte es mir helfen, meinen „Marktwert" besser einschätzen zu lernen. Die neuesten Umfragewerte der Institutional-Investors-Umfrage waren gerade erschienen und das Versorger-Team der Banque Inutile war mit Tendenz nach oben notiert, obwohl wir noch nicht unter den ersten Fünf waren. Zu meinem großen Ärger war das Versorger-Team der Yank Bank schon wieder Nummer 1 geworden und der Saftsack Hugo hatte persönlich die beste Bewertung der ganzen Sparte bekommen. Erfreulich für mich jedoch war, dass ich innerhalb meines relativ niedrig eingruppierten Teams deutlich mehr Stimmen erhalten hatte als meine fleißigen, aber wenig charismatischen Kollegen. Offensichtlich hatten sich all die leberzerstörenden Lunches, die Rugby-Spiele und Popkonzerte gelohnt, zu denen ich meine Kunden während der Wahlperiode im November geschleppt hatte. Ich konnte mir denken, dass mein Ranking der einzige Grund war, warum Cassock mich angerufen hatte – ohne das wäre ich bestimmt nicht als interessant genug eingeschätzt worden. Vor diesem Treffen hatte ich nur einmal ein Vorstellungsgespräch in der City gehabt, und das war nicht eben erfolgreich gewesen. Eigentlich ging ich jetzt nur aus reiner Neugier durch die ehrenwerten Tore der Zentrale von Cazenove in der Ropemaker Street. Vor ihrem Zusammenschluss mit JPMorgen im Jahr 2005 war Cazenove die englischste aller Institutionen gewesen. Es war eine der letzten großen englischen Investmentbanken, denn so gut wie alle anderen waren 1986, nach Maggie Thatchers „Big Bang", der die Londoner Square Mile für ausländische Investmentbanken öffnete, von ausländischen Häusern aufgekauft worden. Jetzt, 1998, war die Bank Cazenove immer noch eine Kraft, mit der man rechnen musste, zumal sie Maklerin (das heißt offizielle Repräsentantin der City) für mehr als ein Drittel der 100 FTSE-Unternehmen war.

Ich betrat einen muffigen, alten Raum in einem Gebäude, dessen niedrige Decken und schräge Böden verrieten, dass es schon ein paar Hundert Jahre auf dem Buckel hatte. In diesem verstaubten Raum saß ein noch verstaubterer alter Mann in einem altmodischen Nadelstreifenanzug mit einem Verhalten, an dem der Wandel der Zeiten ebenfalls spurlos vorübergegangen zu sein schien. Ich hätte mich nicht gewundert, wenn er plötzlich einen Zylinder aufgesetzt und über Smith New Court oder Strauss Turnbull gesprochen hätte – beides englische Börsenmaklerfirmen, die schon lange aufgehört hatten zu existieren. Das Vorstellungsgespräch hätte besser laufen können – ehrlich gesagt, es fing ziemlich schlecht an, wurde in der Mitte schwierig und ging ziemlich mies aus.

Ich setzte mich und fragte mein seltsames Gegenüber, ob ich mein Jackett ausziehen dürfe. „Nur Kartoffeln tragen Jackett, Gentlemen tragen Mäntel", belehrte mich der Herr kurz.[10] Das war so ziemlich der Ton unserer nächsten halben Stunde. Später, im Verlauf dieser schrecklichen Unterredung, erklärte mir dieses Unikum seine Lebensanschauung, wie: „Traue nie einem Mann mit Bart; der Mann verdeckt ein schwaches Kinn. Und traue, um Gottes willen, nie einem Mann, der Schuhe ohne Schnürsenkel trägt."

Als ich diese profunden Weisheiten hörte, versteckte ich schnell meine Slipper unterm Tisch und fuhr mit der Hand über mein Kinn, das bis vor knapp zwei Jahren noch ein monströser, flauschig weicher Vollbart geziert hatte. Seltsamerweise endete das Interview hier, und damit endeten auch meine Aussichten, in dieser geheimnisvollen, traditionsreichen Bank zu arbeiten.

---

10) „Jacket" meint im Englischen auch Kartoffelschale (Anm. d. Übers.).

Als ich Michael das erste Mal sah, schoss mir der Ausdruck „ein richtiges Radiogesicht" durch den Kopf. Er war klein, und obwohl von schlaksiger Figur, hatte er einen leichten Buckel und einen Bauchansatz. Mit seiner fahlen Haut, den dünner werdenden, in alle Richtung stehenden Haaren und der Kassenbrille sah er aus wie ein Maulwurf mit Brille, der noch nicht ganz aus dem Nest gekrochen war. Später hörte ich die witzige Beschreibung eines überraschend gebildeten Verkäufers, er habe „ein Gesicht, das zu 1.000 Sticheleien reizt", während die ziemlich hämische Sekretärin des Öl-Teams ihn einfach „Kartoffelkopf" nannte. Aber trotz seines Gesichts, das wohl nur seine Mutter liebenswert fand, legte er ein bescheidenes, aber eindeutig solides Selbstvertrauen an den Tag, das, wie ich rasch merken sollte, durch sein großes, pulsierendes Gehirn mehr als gerechtfertigt war. Michael war der Analyst für britische Energie-Aktien der Scheißebank, einer ehrgeizigen deutschen Bank, die in der Hierarchie ein bisschen vor der Banque Inutile lag, aber dennoch keineswegs erste Liga war. Die meisten der sogenannten Bulge-Bracket-Banken (also der größten und gewinnträchtigsten Banken) waren amerikanischer Herkunft, obwohl es auch ein paar europäische Banken wie die Deutsche Bank und UBS gab, die ihnen dicht auf den Fersen waren. Obgleich Michael nicht der Leiter seines Teams war (diese Freude genoss ein ansonsten unbedeutender deutscher Bursche namens Hans), hatte ich den Eindruck, dass er es war, der in seinem Team das Sagen hatte.

„Was hältst du von den Kostensenkungsplänen von United Utilities?", fragte er mich nach den ersten einleitenden Sätzen Small Talk. United Utilities war ein Wasser- und Elektrizitätswerk aus dem Nordwesten Englands, das mit zu meiner Sparte gehörte. Ich erwiderte: „Ich glaube, sie erreichen ihr Ziel schon. Wenn man in derselben Gegend ein Wasserwerk und ein Stromnetz besitzt, kann man einige Synergieeffekte nutzen." „Wirklich? Komisch, dass sie sowohl im Strom- als auch im Wasserbereich, was die Effizienz angeht, gleichermaßen schlecht bewertet werden. Es ist doch merkwürdig, dass die Stückkosten und das Verhältnis Angestellte zu Kunden schlechter sind als bei allen anderen Betrieben vergleichbarer Größe." So ein Mist! Ich war unlängst erst im Urlaub gewesen und hatte wohl irgendwelche Regeländerungen verpasst. Ich staunte nicht schlecht, dass jemand aus einer anderen Sparte als meiner besser über „meine" Firmen Bescheid wusste als ich selbst. Das hört niemand gern; erst recht niemand mit meiner Erfahrung. Aber trotz dieses wackligen Beginns lief der Rest des Gesprächs ganz ordentlich. Ich beeindruckte Michael mit der Liste der Kunden, zu denen ich meiner eigenen Einschätzung nach gute Kontakte hatte (alles junge

Männer, die gerne einen trinken gingen), und gegen Ende unseres 45-Minuten-Gesprächs mussten wir sogar beide herzhaft lachen. Mein alter Steve-Jones-Charme zahlte sich aus und half mir mal wieder in letzter Minute aus der Klemme.

Als ich sah, wie brillant Michaels Gehirn funktionierte, wusste ich, er war der Mann, den ich in meinem Team brauchte. Er hatte eine Art und Weise, jede meiner Aussagen zu zerlegen, die zugrunde liegenden Annahmen herauszufiltern und zu widerlegen, die mir gefiel. Es war eine Freude zu sehen, wie blitzschnell sein rasiermesserscharfer Verstand arbeitete, auch wenn es meine eigenen Argumente waren, die er zerpflückte. Ich wusste auch, dass sein Team nicht nur an neunter Stelle liegen konnte, wo sie doch den Sohn von Albert Einstein und Stephen Hawking als Hauptanalysten in ihren Reihen hatten. Mir war schnell klar, dass nicht nur seine Ideen, richtig vermarktet, ihn zu einem der besten und bestbewerteten Energie-Analysten des britischen Raums machen würden, sondern dass er mir auch in meiner eigenen Sparte wertvolle Hilfe leisten konnte. Er hatte wohl ebenfalls das Gefühl, dass wir uns gut ergänzen könnten – wobei ich für die Kundenpflege (Saufen und Schnorren) zuständig war und er für den intellektuellen Hintergrund. Als ich ein paar Jahre später den Film „Schindlers Liste" sah, hörte ich einen Satz, der mich sehr an Michaels und meine Zusammenarbeit erinnerte. Als sein schwer arbeitender jüdischer Kollege ihn fragte, was er denn in die Geschäftsbeziehung einbringe, antwortete Oskar Schindler im Film, seine Aufgabe sei es, dafür zu sorgen, dass das Geschäft einen gewissen Schwung bekomme. Das sei seine Stärke – nicht die Arbeit an sich, sondern deren Außenwirkung.

Ich mochte dieses Konzept und entwarf ein sehr annehmbares Szenario: Michael würde die ganze harte Arbeit machen, mit Berechnungen, Bilanzen und solchem Käse, und meine Aufgabe war es, das Ganze gut zu verpacken und den Idioten da draußen schmackhaft zu machen. Wie hat Scotty in „Raumschiff Enterprise" immer so schön gesagt: „Es wird ganz schön schwierig, Captain, aber es könnte funktionieren."

Jedenfalls verlief unsere erste Unterredung wohl ganz gut, denn am darauffolgenden Mittwoch wurde ich von 12.00 bis 16.00 Uhr zu acht weiteren Terminen gebeten. Zuerst war ich baff und verärgert, dass diese Witzbolde mir drei Stunden meiner kostbaren Zeit raubten. Dann, nachdem ich meinen Rechner herausgezogen und festgestellt hatte, dass es sogar volle vier Stunden waren (Mathe war noch nie meine Stärke), war ich sogar noch ärgerlicher. Mir war bekannt, dass Investmentbanken oft mehrere Interviews führten, weil das Paket, das sie ihren Bewerbern anboten (das heißt, die Kombination aus Grundgehalt und garantiertem Bonus), manchmal für jeden vernünftig denkenden Menschen ziemlich beleidigend war. Aber acht Gespräche! Mein Problem war nicht, ein langes, feucht-fröhliches Lunch mit einem Kunden zu erfinden, um so lange aus dem Büro wegbleiben zu können. Ich fand nur den Gedanken nicht so prickelnd, vier Stunden lang dieselben langweiligen Fragen dieser leblosen Automatengestalten über mich ergehen lassen zu müssen. Ehrlich gesagt, hätte ich die Wahl gehabt zwischen so einem Mammuttermin und der Aussicht, mir einen stumpfen Teelöffel ins Auge rammen zu lassen, ich hätte nicht gewusst, was weniger schlimm wäre.

Es hatte keinen Zweck, mir etwas vorzumachen, ich musste der Tatsache ins Auge sehen, dass mein mir bevorstehender Termin etwas Ähnliches war wie ein deutscher Witz – nämlich alles andere als lustig. Aber ich wusste, dass die Quälerei die Mühe wert war, denn zu meinen Gesprächspartnern sollten auch wichtige Leute aus der Leitung der Scheißebank gehören, etwa der Leiter der Forschungsabteilung und der der Verkaufsabteilung, und das zeigte mir, dass sie es ernst mit mir meinten. Wenn sie mich auch einigen ihrer Geschäftsführer vorstellen wollten, konnte das nichts anderes bedeuten, als dass sie mich wirklich haben wollten, und das wiederum konnte nur bedeuten, dass sie auch ordentlich viel bezahlen würden. Ich leckte mir sozusagen schon mal die Lippen und bereitete mich auf die große Schlacht vor.

Mein Selbstvertrauen im Hinblick auf diese Prüfung beruhte auf der Tatsache, dass ich genau wusste: Wenn ich eines gut kann, ist es, Leuten gerade in die Augen sehen und sie davon überzeugen, dass ich der Richtige für den Job bin. So hatte ich schon meinen Studienplatz in Cambridge bekommen und anschließend den Job bei David Flynn vor zweieinhalb Jahren. Die Hälfte aller Mädchen aus dem Londoner Westen konnte ich mit meinen Überredungskünsten einwickeln ... zumindest mit meiner nervigen Hartnäckigkeit. Bei Vorstellungsgesprächen war es ähnlich wie beim Verführen: Es ging nur darum, die Bedürfnisse seines Gegenübers zu erspüren und ihm das zu geben, was er wollte. Außerdem war es meine Stärke, mich auf Prüfungen vorzubereiten. Ich hatte weder den Schulabschluss noch sonst eine Prüfung schlecht getimed oder schlecht vorbereitet. Meine Schule, die Latymer-Schule in Hammersmith, hatte dafür gesorgt, dass wir gut mit Prüfungen umgehen lernten, und ich hatte gut aufgepasst und bald gemerkt, dass man sich mit ein paar einfachen Tricks eine Menge Lernarbeit ersparen konnte. Die meisten Gymnasien wussten, wie wichtig Prüfungstechniken waren, und das half mehr als alles andere zu erklären, warum ungefähr 50 Prozent der Studenten der Universitäten von Oxford und Cambridge aus solchen Schulen kamen.

Natürlich gab es in Cambridge auch eine Menge Streber, aber es gab auch Glückspilze wie mich, die kapierten, wie man ohne großen Aufwand überall durchkommt. Kluge Prüfungsvorbereitung, überzeugende Gesprächsführung und ein paar Verführungstricks – diese unheilige Dreifaltigkeit hatte mich bis hierher gebracht, und auf die wollte ich mich auch jetzt, bei der Scheißebank, verlassen.

Schon das erste Gespräch setzte den Standard für alle folgenden. Ein riesiger, schwerfälliger Krüppel, der aussah, als wäre er ein Knacki auf Freigang und hätte seine Wochenration Schlafmittel auf einmal reingepfiffen, schlurfte behäbig ins Zimmer, setzte sich und stellte mir in langsamem Tonfall einige wenig überraschende Fragen: „Welche wichtigen Kundenkontakte können Sie mir nennen?“, „Was sind die für Sie besten und schlechtesten Aktien in Ihrer Sparte – und warum?“, „Welche Bewertungsmethoden favorisieren Sie in Ihrer Sparte und warum?“, „Wie berechnen Sie die gewichteten durchschnittlichen Kapitalkosten?“ und so weiter.

Während ich auf diese ziemlich gewöhnlichen Fragen antwortete, auf die jeder einigermaßen vernünftige Bewerber vorbereitet sein musste, dachte ich darüber nach, dass ich mich vielleicht besser beeilen sollte, damit der Typ noch rechtzeitig zum Vorsprechen für die „Addams Family“ oder einen Horrorfilm kam, wo sie ein Frankenstein-Double brauchen konnten.

Die übrigen Bewerbungsgespräche folgten einem ähnlichen Schema. Ich lernte weitere unterschiedliche Mitglieder der „Addams Family“ kennen. Nach Lurch kam Morticia, deren Nervenkostüm darauf schließen ließ, dass sie seit den 80er-Jahren (des 19. Jahrhunderts!) keine Action mehr erlebt hatte. Erst als Onkel Fester hereinkam, dachte ich, ich könnte etwas Spaß gebrauchen und das Interview einfach umdrehen, wie mit Tony vor einem Jahr besprochen. Ich hatte schon seinen Rat befolgt und jedem, den ich traf, erzählt, dass ich bald für die Scheißebank arbeiten würde, um dort so viel Geld wie möglich zu scheffeln; jetzt wurde es Zeit, sie zu fragen, warum ich in ihrem „kleinen Laden“ anheuern sollte, wo es doch so viele größere Banken gab, die sich „um mich reißen“ würden.

Es war eine riskante Strategie und Onkel Festers Reaktion auf meine Frechheit – sein Kinn klappte herunter, als hätte ich soeben seine schöne Tochter an einen Frauenhändlerring verkauft – ließ mich vermuten, dass ich nun doch etwas zu weit gegangen war. Aber als er dann sein heruntergefallenes

Kinn wieder vom Boden aufhob und anfing, mir die Vorzüge der Scheiße-bank zu nennen, wusste ich, dass meine List geglückt war. Er dachte offen-sichtlich, meine Arroganz käme daher, dass ich inzwischen wirklich ein gesuchter Spezialist und bedeutender sei, als meine läppischen zweieinhalb Jahre in der City vermuten ließen. Mir gefiel dieser Trick und als alle Mit-glieder der „Addams Family" abtraten und den „Munsters" Platz machten, versuchte ich ihn gleich noch mal. Trotz eines kleinen Gegenangriffs von Herman Munster persönlich, der sich nach dem Muster „Angriff ist die bes-te Verteidigung" über die Banque Inutile lustig machte, schien der Plan ganz gut zu funktionieren.

Nach vier unendlich langen Stunden Verhör fühlte ich mich so kaputt und gerädert, als hätte ich die zwölf Aufgaben des Herkules hinter mir, nicht die „acht Proben des Steve". Wichtig war nur, dass ich es jetzt endlich überstan-den hatte, und obgleich ich mich nicht ganz so freute wie Herkules, als er Cerberus fing, war ich doch irgendwie erleichtert. Jetzt konnte ich nur noch abwarten, was dabei herauskam. Es fällt mir schwer, es zuzugeben, aber ich war an den darauf folgenden Tagen ziemlich nervös, denn ich wusste: Nur wenn ich in einem Team mit Michael war, konnte ich in Zukunft noch er-folgreicher werden und Hugo vernichtend schlagen.

Drei Tage später rief mich James Cassock auf meinem Handy an. Er meinte: „Ich habe gute Nachrichten für Sie, Steve. Die mögen Sie offensichtlich. Sie wollen Sie haben, mein Freund." Ich nahm Anstoß an den Worten „mein Freund", nicht nur, weil es nicht stimmte (ich war nicht sein Kumpel, ich war nur der Anlass dafür, dass er etwa 50.000 Pfund Vermittlungsgebühr kassierte), sondern wegen der unangenehmen Assoziationen, die ich mit diesen zwei Worten verband. Auf meinen Reisen kreuz und quer durch die Welt hatte ich diese Worte immer dann gehört, wenn mich ein Teppichhänd-ler in Marrakesch oder ein Juwelenverkäufer in Rajastan über den Tisch zie-hen wollte. Wenn es zwei Wörter gibt, die genau das Gegenteil dessen bedeu-ten, was im Wörterbuch steht, dann ist es der Ausdruck „mein Freund".

Egal – wichtig war nur, dass sie mich haben wollten, und nun ging es nur noch darum, mit dem Leiter der Forschungsabteilung der Scheißebank mei-ne Bezahlung auszuhandeln. James hatte mich bereits ein paar Tage zuvor gefragt, was ich mir an Gehalt und Garantiebonus vorstelle, und ich hatte bewusst keine Zahlen genannt, sondern nur gesagt, dass ich „das Marktüb-liche" haben wolle – zumal ich da, wo ich war, ganz zufrieden sei. Das ist im Allgemeinen in einer solchen Lage das Vernünftigste, denn wenn man zu früh konkrete Zahlen nennt, läuft man Gefahr, sich unter Wert zu verkaufen (weil man ihre Verzweiflung nicht kennt) oder etwas Dummes zu sagen und aus dem Rennen zu sein. Alles, was ich James genannt hatte, waren mein jetziges Gehalt und die Höhe meines letzten Bonus; also 60.000 Pfund Grundgehalt und 65.000 Pfund Bonus. Aufmerksame Leser werden bemerkt haben, dass ich bei beidem nicht ganz ehrlich war, aber was konnten ein paar Notlügen schon schaden? Ich wusste, dass sie mir zusätzlich zu meinem derzeitigen Gehalt eine Prämie offerieren mussten, daher gab ich eben ein bisschen mehr an. Was sind ein paar Riesen mehr oder weniger unter „Freunden"? Die Wahrscheinlichkeit, dass sie darauf bestanden, meine Gehaltsabrechnung zu sehen, war gering, und wenn es so weit kommen sollte, würde ich die ganze Sache eben platzen lassen.

Im Nachhinein betrachtet war das dumme Risiko, das ich auf mich nahm, nur um schon im ersten Jahr 20.000 Pfund extra zu bekommen, nicht gerade sehr clever. Nicht, dass ich dadurch in ernsthafte Schwierigkeiten geriet oder riskierte, meinen Job bei der Scheißebank zu verlieren, aber hätte die Bank darauf bestanden, meine Gehaltsabrechnung zu sehen, hätte ich riskieren müssen, nicht mehr in Michaels Team zu kommen, wo ich doch unbedingt hinwollte, weil ich darin mein Schicksal sah. Ich tat es aus denselben blödsinnigen Gründen, aus denen ich während meiner gesamten Laufbahn dem Heuchler-Syndrom erlag. Ich dachte, ich müsste möglichst schnell möglichst viel Geld verdienen, bevor irgendwelche Mächte mir auf die Schliche kamen und meiner City-Karriere ein jähes Ende bereiteten. Die Überzeugung, dass das eines Tages passieren würde, führte ja dazu, dass ich immer eher auf kurzfristig erreichbares Bares aus war als auf längerfristige Aussichten. Diese Strategie funktionierte, und deshalb dachte ich immer: „Repariere nicht, was nicht kaputt ist."

Die Gehaltsverhandlungen waren einfach. Der Leiter der Forschungsabteilung der Scheißebank rief mich an und bot mir 75.000 Pfund Grundgehalt sowie einen einjährigen Garantiebonus von 85.000 Pfund an. Ich murmelte etwas von wegen, das sei nicht ganz, was ich erwartet hätte, und ich wolle es mir noch einmal überlegen und würde ihn zurückrufen. Das ist üblich so und wahrscheinlich hätte ich es auch getan, wenn sie mir den ganzen Tee von China angeboten hätten. Ich ließ die Angelegenheit bis zum nächsten Tag ruhen, rief zurück und sagte, ich wäre bereit zu wechseln, wenn ich 80.000 Pfund Grundgehalt plus 100.000 Pfund Garantiebonus bekäme. Zugegeben, das war hoch gepokert, aber ich fühlte mich draufgängerisch und dachte, was soll's. Zu meiner großen Überraschung waren sie damit einverstanden! Sie müssen ziemlich verzweifelt gewesen sein, denn so viel Kohle war ich nun wirklich nicht wert. Später fand ich heraus, dass der Leiter der Forschungsabteilung von seinen ehrgeizigen Vorgesetzten in Frankfurt Order bekommen hatte, zu versuchen zu erreichen, dass die Scheißebank unter die besten Top 5 käme, koste es, was es wolle. Das war der wahre Grund, warum sie meine Forderung akzeptierten und warum ich nach weniger als drei Jahren in der City bereits viermal so viel wie mein Vater verdiente (wenn man da überhaupt noch von „verdienen" reden kann). Und das, obwohl mein Vater seit über 30 Jahren ein gewissenhafter und erfolgreicher Beamter war. Es ist eine verrückte Welt, in der wir leben.

Was noch verrückter und bescheuerter ist: Das Geld, das ich an jenem feuchten Wintertag im Frühjahr 1999 zugesichert bekam, war wenig, verglichen mit den Tausenden, die meine Kollegen während des Technologie-Booms in den letzten Tagen des 20. Jahrhunderts bekamen. Nie zuvor war die Kluft so groß gewesen wie jetzt zwischen den riesigen Prämien, die die Cityboys in den Jahren 1999 und 2000 für ihr bisschen Arbeit bekamen, und denen, die ihre Großväter und Urgroßväter für die Bewahrung der Freiheit in jenem gewalttätigen Jahrhundert bekommen hatten. Heute saß eine ganze Generation verzogener, verweichlichter Idioten herum und beklagte sich, wenn sie „nur" zwei garantierte Boni in Höhe von insgesamt einer halben Million Pfund bekamen, während ihre Vorväter in den matschigen Schützengräben von Flandern Hundefleisch essen und dem Kugelhagel ausweichen mussten, und das für zweieinhalb Pfennig die Woche. Ich bin mir nicht so sicher, ob die Engländer aus beiden Weltkriegen ihre großen Opfer für der Mühe wert befunden hätten, wenn sie damals schon geahnt hätten, dass ihre Opfer dafür sorgten, dass ihre 25-jährigen Nachfahren in deutschen Sportwagen durch Londons Straßen fegen und mit Henrietta und Camilla Champagner schlürfen konnten.

Im Nachhinein muss ich sagen, dass ich meinen ersten Arbeitsplatzwechsel schlecht getimed hatte, obwohl man, wie es so schön heißt, hinterher immer klüger ist (zumindest weiß ich heute, dass ich niemals eine falsche Aktienempfehlung abgegeben habe). Die letzten Monate des Jahres 1999 und das erste Halbjahr 2000 waren wir Zeugen der verrücktesten Aktiendeals, die diese von Gott verlassene City jemals erlebt hat. Die Kombination aus astronomisch hohen Börsenkursen, einer Überfülle an Neuemissionen am Börsenmarkt und einer zügellosen Horde von Möchtegern-Investment-Newcomern, die verzweifelt versuchten, bei dieser berauschenden Orgie mitzumischen – all das hatte zur Folge, dass wir Cityboys zu Beginn des neuen Jahrhunderts so gesucht waren wie ein Dildo im Nonnenkloster. Mein

Gehaltspaket war, wenngleich es verglichen mit dem von „Zivilisten" enorm groß war, wahrscheinlich schon negativ beeinträchtigt durch den Tumult von Ende 1998, als Russland mit seinen Krediten in Rückstand geriet, die südamerikanischen Währungen sich im freien Fall befanden und der angeblich unzerstörbare Long-Term Capital Management Fonds explodierte. Im Frühjahr 1999 erinnerten sich die Leute noch gut an die Kommentare von Alan Greenspan, dem Vorsitzenden der US-Notenbank, über den „irrationalen Überschwang" der Börsenmärkte vom Dezember 1996. Innerhalb von Monaten jedoch vergaßen die Vorstände der Banken seine weisen Worte wieder. Niemand hört gerne Kassandra-Rufe, wenn die Party gerade so schön im Gange ist, und das war sie 1999 bis 2000 wirklich.

Es gibt zahlreiche Geschichten über Analysten um die Mitte 20, die für die Sparten Technologie, Medien oder Telekommunikation zuständig waren und während dieser Blase 2- oder 3-Jahres-Pakete im Wert von über zwei Millionen Pfund angeboten bekamen. Diese Glücksspilze hatten manchmal sogar garantierte Boni bis zum Jahr 2003, egal was sie taten. Theoretisch hätten sie nach ihrer dreimonatigen Probezeit die Finger in den Schoß legen und den lieben Gott einen guten Mann sein lassen können und hätten trotzdem diese Riesenpakete erhalten – ein Vielfaches dessen, was unser britischer Premierminister verdient. Sie mussten lediglich dafür sorgen, dass sie nicht wegen groben Fehlverhaltens entlassen wurden – das war das einzige Schlupfloch, das den Banken erlaubte, solche Verträge vorzeitig zu lösen. Da man aber nur dann wegen groben Fehlverhaltens entlassen wird, wenn man auf dem Schreibtisch seines Vorgesetzten eine Line schnupft oder einem Kollegen in die Weichteile tritt, überstanden selbst die schlimmsten Typen in der Regel diese Zeit unbeschadet.

Es gab sogar ein paar Glücksspilze, die zwei oder drei Jahre lang garantierte Boni erhielten und danach keinen einzigen Tag mehr arbeiten mussten und trotzdem ihr volles Gehalt kassierten. So passierte es einer holländischen Bank, die im Jahr 2000 etwas verspätet versuchte, an die Goldgräberzeit der Investmentbanken anzuknüpfen. Leider, so erzählt man sich, hat diese Bank nicht mehr rechtzeitig die notwendigen Handelslizenzen erhalten, um pünktlich mit dem Handel zu beginnen. Noch bedauerlicher war für die Aktionäre dieses Unternehmens, dass es neue Mitarbeiter nur anwerben konnte, weil es ihnen riesige Garantiezahlungen versprach. Als der Wind sich drehte und die neu gegründete Firma ihre zu hastig betriebenen Pläne, in die sexy Welt des Investmentbankings einzusteigen, rückgängig zu machen versuchte, gab es eine Handvoll Börsenmakler, die nie eine einzige Aktie gehandelt hatten, denen diese Bank jedoch Unsummen schuldete. Ein ähnliches Szenario lag vor, als Banken fusionierten, wie etwa BT Alex Brown und die Deutsche Bank im Jahr 1999. Ein erst kürzlich eingestellter Analyst oder Trader, der soeben erst ein oder zwei garantierte Boni von einer der beiden fusionierenden Banken bekommen hatte, erhielt nun aufgrund der Fusion ohne zusätzlichen Aufwand noch mal einen Bonus. Manchmal konnte die in Auflösung befindliche Bank mit ihrem scheidenden Mitarbeiter noch einen Rabatt aushandeln, aber wenn der fragliche Broker darauf bestand, das ihm vertraglich Zustehende voll auszuschöpfen, konnte ihn niemand daran hindern, auch wenn er gar nicht mehr für die aufgelöste Bank tätig war. Diese zwei verrückten, absurden Jahre, bevor die Blase platzte, waren der beste Beweis dafür, wie toll man mit Investmentbanking verdienen kann.

Natürlich glaubte bald keiner mehr, dass die aberwitzigen garantierten Boni noch irgendetwas mit Leistungsanreizen zu tun hatten (ein in der City lange gehegter und gepflegter Glaube) und deshalb gerechtfertigt seien, weil das Risiko höher ist als das der übrigen Dienstleister. Das ist wichtig, denn eine der vielen absurden Rechtfertigungen für unsere hohen Gehälter war immer die, dass unsere Einkünfte wesentlich riskanter und daher unsicherer seien als die vieler anderer Beschäftigter außerhalb der City. Jeder, der eine Zeit lang in der City gearbeitet hat, weiß genau, dass ungefähr die Hälfte unserer Boni garantierte Beträge sind, die wir infolge eines drohenden oder tatsächlichen Arbeitgeberwechsels erhalten. Selbst wenn dies nicht der Fall sein sollte, nehme ich doch lieber das Risiko auf mich, „nur" 100.000 Pfund Grundgehalt sowie einen Bonus von null bis hin zu einer Million Pfund einzustreichen, anstatt mein Leben oder meine Gesundheit als Feuerwehrmann oder Polizist zu riskieren und „sichere" 40.000 Pfund im Jahr zu verdienen. Man muss kein Genie sein, um das auszurechnen … Vielleicht ist das der Grund dafür, dass fast alle Genies jetzt lieber in irgendeiner Investmentbank sitzen und Algorithmen auf riesigen Computern ausrechnen, anstatt Raketen zu konstruieren oder sonst was Kreatives zu tun.

Sobald ich meinen neuen Arbeitsvertrag erhalten und unterschrieben hatte, musste ich nur noch die unschöne Aufgabe erledigen, mich von der Banque Inutile zu verabschieden. Das heißt, ich musste meinem bisherigen Guru David in die Augen sehen und ihn betrügen. Obwohl ich mittlerweile ein härterer Bursche geworden war, fiel mir das ganz und gar nicht leicht. Eine Bank zu verlassen, in der man jahrelang tätig war, ist nie sehr angenehm, aber dem Mann Adieu zu sagen (oder wie auch immer das korrekte französische Wort dafür heißt), der mich in dieser verrückten Finanzwelt unter seine Fittiche genommen hatte, war für mich besonders unerfreulich. Wie mein eigener Vater, der mich gelehrt hatte, wie man in dieser harten Welt überlebt, hatte David mich in der City eingeführt. Am Tag, nachdem ich den Vertrag unterschrieben hatte, ging ich, das Kündigungsschreiben in der Tasche meines Jacketts, zögernd und mit äußerst gemischten Gefühlen auf sein Büro zu.

James Cassock hatte mich bereits vorgewarnt, dass es kein Spaziergang werden würde, mich von der Banque Inutile loszumachen und dass meine Chefs jeden nur erdenklichen Trick probieren würden, um mich zum Bleiben zu bewegen. Irgendwie erinnern mich die Manöver, die in so einem Fall üblicherweise angewandt werden, an die berühmten „fünf Stadien der Trauerbewältigung", die Patienten angeblich durchlaufen, wenn sie erfahren, dass sie eine tödliche Krankheit haben. Aber anstelle dieser fünf Stadien (Leugnen, Wut, Verhandlungsbereitschaft, Depression und schließlich Akzeptieren) würden meine Chefs, wie man mir sagte, folgende Maßnahmen ergreifen:

1. Emotionale Erpressung: „Aber du weißt doch, Steve, wir haben dich doch erst zu dem gemacht, der du bist ..."
2. Finanzielle Verhandlungen: „Egal, was sie dir bieten, das können wir auch ..."
3. Drohungen: „Du wirst schon sehen, was du davon hast. Wir können dafür sorgen, dass du deinen guten Namen verlierst."
4. Heruntermachen des neuen Jobs: „Es ist doch nur eine Frage der Zeit, wann deine neue Bank zusammenbricht. Die Spatzen pfeifen's schon von den Dächern."
5. Akzeptanz: „Na schön, wenn du unbedingt wechseln willst ... Reisende soll man nicht aufhalten."

Natürlich kommt es manchmal ganz anders, als man denkt ... „Hallo, Steve. Ich höre, du willst bei uns aufhören?", bellte David, bevor ich noch meinen Mund auf- und die Tür hinter mir zumachen konnte. Hatte er schon etwas läuten hören? Hatte er es sich schon gedacht, weil ich in den letzten paar Tagen vermieden hatte, ihm offen in die Augen zu sehen? „Na, jetzt schau mich nicht so geschockt an. Das war doch schon länger abzusehen. Du hast eine gute Art, mit Kunden umzugehen, und du hast verdammt schnell gelernt, wie das System hier läuft. Außerdem hast du dir bestimmt überlegt, dass deine Aussichten hier begrenzt sind. Natürlich wollen wir alles versuchen, um dich hier zu halten, aber dein Blick sagt mir, dass das vergebliche

Liebesmüh' wäre. Ich bin zwar traurig darüber, dass du gehst, aber ich nehm's dir nicht übel – so ist es nun mal in der City." Was für ein großartiger Mann! Er machte mir den Abschied leichter. Natürlich waren einige andere, insbesondere der Leiter des Investmentbankings und der Verkaufsleiter, nicht halb so kooperativ wie er, aber diese beiden Deppen waren mir ziemlich gleichgültig. Nur der Gedanke daran, wie groß Davids Enttäuschung sein könnte, hatte mich nachts nicht schlafen lassen, aber er zog es großzügigerweise vor, mir den Abschied leichter zu machen und gab mir damit sozusagen seinen Segen für das nächste Stadium meiner Reise.

Als die Banque Inutile eingesehen hatte, dass ich es ernst meinte, bat man mich, meine Sachen zu packen, nach Hause zu fahren und dort auf ihren Anruf zu warten. Jetzt beschäftigte mich nur noch eine Frage: Würden diese Komiker darauf bestehen, dass ich den einen Monat noch bei ihnen arbeitete, oder würden sie sagen, ich solle gar nicht mehr wiederkommen, mir aber auch nicht erlauben, schon für meine neue Bank tätig zu sein – und das alles bei voller Bezahlung? Die Freistellung ist die beste Erfindung, von der ich je gehört habe. Die Theorie dazu besagt, dass es sinnlos ist, wenn ein Börsenmakler wie ich seine Restzeit abarbeitet, wo meine Kunden und ich doch schon wissen, dass ich bald für eine neue Bank tätig sein werde. Wenn ich jetzt noch im alten Büro bliebe, könnte ich ja die Ressourcen meiner Bank dazu verwenden, Werbung für mich und meinen künftigen Arbeitgeber zu machen. Ich könnte auch die Firma schädigen oder die Arbeitsmoral beeinträchtigen. Aus diesen Gründen bekommt man in neun von zehn Fällen lieber bezahlten Urlaub, wenn man die Bank verlässt, und darf während dieser Zeit auch nicht für die neue Bank arbeiten (was ich natürlich sehr gerne getan hätte, wenn es möglich gewesen wäre – das sagte ich zumindest meinen neuen Vorgesetzten). Das kann ein verdammt guter Anreiz sein, die Bank zu wechseln, zumal, wenn man bedenkt, dass dienstältere Mitarbeiter Kündigungsfristen von drei bis zu teilweise sechs Monaten haben.

Nachdem David mich angerufen und mir eröffnet hatte, ich sei die nächsten fünf Wochen bei voller Bezahlung freigestellt, legte ich den Hörer auf und schrie, so laut ich konnte: „Jaaaaaaa!" Meine Freude war so riesig, dass meine Nachbarn geglaubt haben müssen, ich hätte gerade einen flotten Dreier mit Helena Christensen[11] und Claudia Schiffer und sei am Höhepunkt

11) Dänisches Top-Fotomodell der 80er- und 90er-Jahre (Anm. d. Übers.).

angekommen, oder die Queens Park Rangers hätten gerade den britischen Meisterschaftspokal gewonnen. Ich weiß nicht, was von beidem weniger wahrscheinlich ist.

Schon bevor mir David die gute Nachricht übermittelt hatte, wusste ich genau, was ich mit meiner freien Zeit anfangen wollte – mich am Strand von Goa zusammen mit meinem alten Freund Alex erholen, der sich dort als Yoga praktizierender Künstler aufhielt. Aber bevor ich das tun konnte, hatte ich noch eine letzte Verpflichtung: Ich musste meinen Abschiedstrunk organisieren. Das ist nicht nur ein Gebot der Höflichkeit, wenn man seine Bank verlässt, sondern es ist auch sehr vernünftig, das zu tun. Man weiß ja nie, ob einige der bisherigen Kollegen eines schönen Tages bei einer anderen Bank wieder Kollegen oder vielleicht sogar Kunden von einem sein werden. Die Faustregel auf der Square Mile lautet: „Sei im Zweifel jedermanns Freund ... zumindest tu so, als wärst du's."

Ich wählte einen Donnerstag für meine Abschiedsfeier und entschied mich, was wenig originell war, für das Lokal „Moon Under Water". Wie schon erwähnt ist der Donnerstagabend der traditionelle gesellige Abend unter Kollegen an der Börse, auch der traditionelle Abend für Abschiedsfeiern unter Kollegen. Ich freute mich nicht besonders auf diese etwas steife Veranstaltung und darauf, so zu tun, als wäre es ein Vergnügen für mich, mit Leuten zusammen einen zu trinken, mit denen mich privat nichts verband. Ich hatte auch die Befürchtung, dass mich einige der Kollegen für einen Opportunisten halten könnten, der die Banque Inutile nur als Sprungbrett genutzt hatte, um ihr bei der ersten sich bietenden Chance wieder den Rücken zu kehren. Ein weiterer Grund, dieses Ereignis zu fürchten, war die Tatsache, dass es üblich ist, an seinem letzten Arbeitstag die komplette Rechnung zu bezahlen, egal wie hoch sie ausfällt. Ich kannte meine Pappenheimer und wusste, dass es in der Banque Inutile einige Schluckspechte gab, die nur darauf warteten, beim Trinken ihr Bestes zu geben, um mir, der ich die Frechheit besaß, einen Sprung nach oben zu machen und sie hinter mir zurückzulassen, einen reinzuwürgen. Sie würden bestimmt versuchen, mich da zu treffen, wo es besonders wehtat – an meiner Brieftasche.

Der Ausstand an sich war ganz okay. Natürlich waren wieder mindestens zehn Leute da, die ich gar nicht kannte und die nur wegen der kostenlosen Getränke gekommen waren. Der Leser wird sehr überrascht sein zu hören, dass ich binnen kurzer Zeit ziemlich besoffen war, wie die meisten meiner bisherigen-und-bald-Ex-Kollegen. David hielt in einer Ecke unseres, mit einem Seil abgetrennten Teils der Bar Hof und erzählte witzige Anekdoten aus früheren Zeiten. Wenn ich mir seine fröhlich-ausgelassenen Stories so anhörte, hatte ich den Eindruck, dass Nostalgie auch nicht mehr das ist, was sie mal war. Inzwischen war auch Tony zu seiner rauen Höchstform aufgelaufen. Als der Abend endete, war ich selbst überrascht, wie traurig ich war. Als David und Tony sich von mir verabschiedeten, stiegen mir tatsächlich die Tränen in die Augen. Es lag wohl daran, dass ich jetzt meinen Hut nahm und ein paar nette Leute zurücklassen musste. Entweder das oder es lag an der Rechnung über 600 Pfund, die man mir gerade überreicht hatte – vielleicht auch an den neun Bier, die ich getrunken hatte.

Als ich am nächsten Tag aufwachte, wusste ich fast sofort, dass mich dieselben Kerle, die mich schon damals in Edinburgh heimgesucht hatten, wieder besucht hatten. Aus Gründen, die mir immer noch ein Rätsel sind, hatten sie auch diesmal wieder über Nacht ihr böses, sadistisches Ritual an mir vollzogen. Eines Tages würde ich ihnen auf die Schliche kommen, und dann Gnade ihnen Gott, aber bis dahin war ich derjenige, der unter ihnen zu leiden hatte.

Sobald ich in Goa ankam und beim Aussteigen aus dem Flugzeug wie üblich gegen eine Wand aus Hitze prallte, fühlte ich, wie mir eine schwere Last von den Schultern genommen wurde und der Knoten in meinem Magen sich löste. Als ich den Zoll auf dem Flughafen von Dabolim passiert hatte, holte mich Alex auf seiner Enfield Bullet 350CC ab. Ich band meinen Rucksack auf dem Hinterteil des Motorrads fest, und los ging's Richtung Norden, Richtung Anjuna Beach. Ich sah die Palmen, die Reisfelder, das blaue Meer und den weißen Sandstrand. Mit nacktem Oberkörper und dem Wind in meinen Haaren fühlte ich mich richtig gut. Als wir Alex' Häuschen am Strand von Anjuna erreichten, fühlte ich mich wie neu geboren. Ich wollte einfach nur alles sehen und alles machen, was ich vor ein paar Jahren getan hatte, als ich hier ein richtiges Hippieleben geführt hatte. Zum ersten Mal seit Jahren fühlte ich mich wieder richtig lebendig. Meine Sinne, die durch die eintönige Arbeit und den tristen Londoner Alltag wie betäubt gewesen waren, erwachten wieder zu neuem Leben. Ich hatte das Gefühl, alles mit neuen Augen zu sehen, sogar mein Geruchs- und Geschmackssinn waren wieder viel besser. Ich war blind gewesen, aber jetzt konnte ich wieder sehen. Wie sagte der alte Wordsworth vor ein paar Hundert Jahren so schön: „Diesen schönen Morgen mit allen Sinnen erleben zu können, war ein Segen. Es war himmlisch, jung zu sein."

Der nun beginnende Monat war einer der schönsten meines Lebens. Was gibt es Schöneres, als in der Hängematte zu liegen, Manali Cream (bestes indisches Haschisch) zu rauchen und spannende Thriller und anderes unterhaltsames Zeug zu lesen? Von Zeit zu Zeit bestellte ich ein Bier, aß ein paar Meeresfrüchte und badete im warmen, ruhigen Meer. Das Leben war so einfach – und so herrlich! Warum, zum Donnerwetter, gaben ich und so viele andere uns den sinnlosen Stress, einen ganzen Winter lang wie blöde über irgendwelchem hirnrissigen Scheiß zu brüten?

Irgendwann während der zweiten Woche meines Aufenthalts, während ich in einem der Restaurants am Strand faulenzte, zeigten die Besitzer des Restaurants uns eine illegale Kopie eines neuen Films namens „Fight Club". Ich saß da, total breit, zusammen mit meinem Kumpel Alex und ein paar anderen Hippies, die stoned waren, und hörte Tyler Durden (verkörpert von Brad Pitt) sagen: „Ein Leben lang machen wir eine Arbeit, die wir hassen, und warum? Um uns irgendwelchen Kram zu kaufen, den wir gar nicht brauchen." Der Typ sprach mir aus der Seele.

Seine Worte blieben mir im Kopf hängen und ich dachte ein paar Minuten darüber nach. Hinter mir rauschte das Meer, um mich herum qualmten ein Dutzend Joints. Ich war nicht der einzige, dem Tyler aus der Seele gesprochen hatte. Als wir seine Analyse des modernen Lebens gehört hatten, lachten wir alle und riefen durcheinander: „Richtig so!" und „Du sagst es, Mann!" Alle waren wir Menschen, die seine Ansicht teilten und sich deshalb nichts aus der westlichen Kultur machten. Wir sahen gesund, glücklich und entspannt aus. Wir wussten, dass das Leben kurz ist und dass man es am besten beim Schopf packt. Seit ich wieder in Indien war, lachte ich mehr als in den ganzen letzten Jahren. Seit meiner letzten großen Reise hatte ich mich nicht mehr so wohl und entspannt gefühlt. So war ich, so wollte ich leben – und so wollte ich mich immer fühlen. Warum, zum Teufel, war ich bloß so blöd, ernsthaft daran zu denken, in die City zurückzukehren?

Natürlich bin ich zurückgekehrt. Wäre ich das nicht, gäbe es dieses Buch nicht ... oder es sähe ganz anders aus. Vielleicht besser, wer weiß? Ich nehme an, es waren meine „reifere" Seite, der Mangel an sich abzeichnenden Alternativen, das Wissen, dass ich nach einigen weiteren Jahren einer gesicherten finanziellen Zukunft entgegensehen konnte sowie meine fehlende Bereitschaft, die Nabelschnur zu meinen Eltern ganz zu kappen, die dazu führten, dass ich damals nicht für immer da blieb. Aber ich muss sagen, dass es mir extrem schwerfiel. In meiner vorletzten Nacht in Indien gingen Alex und ich zu einem Rave in einer Lichtung mitten im Dschungel namens Bamboo Forest. Diese kostenlosen Parties sind an sich schon verrückt, aber nach einer kräftigen Dosis LSD und genügend Ecstasy, um auf Ibiza ein paar

Tage und Nächte hintereinander durchzufeiern, brauchte man die mentale Stärke eines Gary Kasparow, um nicht gänzlich den Verstand zu verlieren. Nach einer irren Fahrt auf dem Sozius von Alex' Motorrad über unbeleuchtete Landstraßen mit kochtopfgroßen Schlaglöchern und gelegentlichen Elefanten auf der Straße kamen wir schließlich an unser Ziel. Ich war schon bei einigen dieser dreitägigen Raves in Goa gewesen, hier im Bamboo Forest, aber auch in Hill Top und Disco Valley, aber ich hatte zwischenzeitlich ganz vergessen, wie freakig es da zuging.

Nach dem Abstieg von unserem treuen Hengst traten wir auf die dumpfen Bässe zu, die Vorboten krasser israelischer Trance-Musik. Wir gingen an etwa 30 einheimischen Mädchen vorüber, die auf Matten vor dem natürlichen Tanzboden, wenn man die Lichtung im Urwald so nennen kann, Kuchen und Tee servierten. Gott allein weiß, was diese armen jungen Frauen an all den bedröhnten weißen Hippie-Jungs finden mochten, die sich zu einem Lärm, der für sie wohl kaum Musik war, rhythmisch auf und nieder bewegten. Inmitten all dieses Chaos liefen mit Tüchern behängte und bemalte heilige Kühe herum, mit Kuhglocken an den Hörnern, und an den Bäumen hingen große Spinnennetze aus hellen, nachts leuchtenden Seilen. Als wäre das noch nicht genug, hatte der Veranstalter rund um die Tanzfläche großzügig einige halluzinogene Bilder von Aliens und andere psychedelische Motive aufgestellt. Die meisten davon waren dreidimensional ... zumindest kam es mir so vor. Wir kamen am dritten Tag der Party an und die Leute, die da überall herumlagen, sahen schon gespenstisch aus wie Zombies, und das nicht nur wegen der Drogen, die ich intus hatte. Nach drei Tagen Drogen und Tanzen ohne Unterbrechung sieht jeder wie ein Zombie aus.

Ich ging auf die Tanzfläche und tanzte ekstatisch wie seit vielen Jahren nicht mehr. Man hätte im Sinne eines oft zitierten, alten Klischees sagen können: „Ich war eins mit der Musik, Mann!" Mein Körper, der vom wochenlangen Schwimmen, Sonnenbaden und guten Essen kräftig und gesund war, gestattete mir, stundenlang ohne Pause herumzuspringen. Es war fast zu viel. Vor Freude wäre ich um ein Haar geplatzt.

Das ist das Besondere an LSD: Es betont lediglich die Stimmung, in der man sich befindet, und da ich mich sowieso schon großartig fühlte, wurde ich noch glücklicher. Allerdings öffnet das Zeug auch Türen im Bewusstsein, hinter die die meisten Menschen lieber nicht sehen würden. Aber wenn man es nicht wagt, auch unbequemen Wahrheiten ins Auge zu blicken, wird man seine dunkelsten Ängste nie kennenlernen, und wenn man das nicht tut, wie soll man dann etwas über sich selbst lernen? Ähnlich, wie Dylan

Thomas sagte, er vertraue niemandem, der nie in seinem Leben besoffen war, fand ich es immer schon schwierig, Leuten zu vertrauen, die noch nie auf einem LSD-Trip waren. Ich frage mich: Was haben sie vor sich und anderen zu verbergen? O je … tut mir leid. Was für ein Humbug! Sie sehen daran, liebe Leser, dass ich nach vier Wochen idyllischer Ferien von der Hippie-Ideologie schon ganz durchgeknallt war. Jedenfalls hatte ich in diesen vier Wochen eine paradiesische Zeit gehabt und die Aussicht, bald wieder Tag für Tag um 6.oo Uhr aufzustehen, um zwölf Stunden lang im kalten und verregneten London in der Scheißebank wie ein Geistesgestörter zu arbeiten, war nicht gerade der Bringer. Ich dachte mir einen Plan aus. Von einem zwielichtigen Typen, den ich am Strand von Arumbol getroffen hatte, hatte ich gehört, dass die Ärzte in Calangute mir für ein paar Rupien jederzeit ein Attest ausstellen würden, dass ich mir Malaria, Dengue-Fieber oder so etwas eingefangen hätte und in den nächsten paar Wochen nicht reisefähig sei. An dem Morgen, an dem mein Flugzeug nach Hause starten sollte, stieg ich tatsächlich auf Alex' Motorrad und fuhr in Richtung Calangute, um den Plan in die Tat umzusetzen und ein paar Wochen länger im Paradies bleiben zu können. Auf halber Strecke dahin bremste ich und hielt an. Ich fuhr an den Straßenrand der staubigen Landstraße und dachte noch einmal gründlich über alles nach. Dann wendete ich langsam und fuhr zurück, aber ich schwor mir dabei hoch und heilig, dass ich höchstens weitere fünf Jahre als Börsenmakler arbeiten wollte. Ich schätze, die Tatsache, dass ich gezwungen war, mir dieses Ultimatum zu setzen, das ich gerade noch aushielt, zeigt deutlich, dass ich von diesem Lebensplan nicht besonders erbaut war. Nach einem tränenreichen Abschied von meinem alten Kumpel Alex, der in meinen Augen seinen Traum lebte, bestieg ich meinen Flieger und brütete dort neun Stunden lang vor mich hin und überlegte, was das Schicksal in Zukunft im langweiligen alten England wohl für mich bereithalten würde.

Der erste Tag in der Scheißebank war heftig. Der Gegensatz zwischen dem idyllischen, entspannten Leben in Goa, aus dem ich kam, und dem intensiven, hektischen und stressigen Alltag, den ich mir auferlegt hatte, hätte nicht extremer sein können. Schon nach drei Stunden meines ersten Arbeitstages war der Druck in meinem Magen wieder da, und er brachte noch ein paar Kameraden mit – einen dumpfen, pochenden Schmerz in meinen Schläfen und akute Augenschmerzen, da meine Augen nach fünf Wochen Ruhe dieses ständige Auf-den-Bildschirm-Starren nicht mehr gewohnt waren. Alles, was mir dazu einfiel, war nur, dass Marvin Gaye, mit dieser Situation konfrontiert, mit Recht gesungen hätte: „This ain't living …" In meiner ersten Arbeitswoche war ich so deprimiert, dass ich kaum aus dem Bett kam. John Gutfreund, der berühmte Vorstandsvorsitzende der Firma Solomon Brothers und sogenannte König der Wall Street, hat einmal gesagt, er verlange, dass Börsenmakler und Aktienhändler jeden Morgen mit dem Elan aufstehen, den man braucht, um „einem Bären in den Hintern zu beißen".

Nun, bei mir reichte es in meiner ersten Woche höchstens dazu, einem Eichhörnchen einen Kieselstein an den Kopf zu werfen oder einen Chinchilla mit Flüchen zu beeindrucken. Ich war so schlecht in Form, dass selbst das schon höchste Anstrengung von mir forderte. Alles, was ich tun konnte, war, mich zusammenzureißen und mich an mein Ziel zu erinnern, den großen Hugo Bentley zur Strecke zu bringen. Ich war seit fünf Wochen aus dem Rennen und war schrecklich langsam – wie ein Boxer, der jahrelang nicht mehr gekämpft hat und völlig eingerostet ist. Es heißt, eine Woche sei in der Politik eine lange Zeit – an der Börse kommt sie einem vor wie ein halbes Leben. Die Strategien der Unternehmen ändern sich, die Geschichten auch und Klienten und Konkurrenten können wechseln. Ich fühlte mich wie Martin Sheen zu Beginn von „Apocalypse Now", wenn er verzweifelt, weil er nicht mehr im Dschungel ist und nicht mehr gegen seinen vietnamesischen Feind kämpfen kann. Tauschen Sie den Namen Charlie gegen Hugo und den Busch gegen das „Le Gavroche" aus, und es ist so, wie Mr. Sheen sagt – er wird mit jedem Tag, den er in seinem Zimmer eingesperrt ist, schwächer, während Charlie mit jedem Tag im Busch stärker wird – genauso ging es meiner armen Psyche.

Ich musste da raus und fing wieder an, meine Klienten groß auszuführen. Ich musste wieder so denken und mich so verhalten wie ein Börsenmakler, sonst war meine Mission zum Scheitern verurteilt. Das Rauchen vom Haschisch tötet zweifelsohne den Ehrgeiz … außer, dein Ehrgeiz ist, am Strand zu liegen oder tagsüber fernzusehen. Das tat ich. Ich ging mit jedem einzelnen meiner Kunden essen und/oder etwas trinken und mein Spesenkonto bei der Scheißebank war größer als das von George Best[12], Peter O'Toole[13] und Oli Reed[14] zusammen. Weit davon entfernt, mit meinen Taktiken alter Schule unzufrieden zu sein, waren Michael und mein neuer Boss Hans sehr erfreut darüber … im Gegensatz zu meiner armen Leber und meinem arg

---

12) Begnadeter nordirischer Fußballer, der für seine Torgefährlichkeit und seinen Alkoholismus bekannt war, der seine Karriere vorzeitig beendete (Anm. d. Übers.).
13) Irischer Schauspieler, berühmt für seine Hauptrolle im Film „Lawrence von Arabien" (1962) (Anm. d. Übers.).
14) Britischer Schauspieler, bekannt für seine Alkoholexzesse (Anm. d. Übers.).

strapazierten Dickdarm. Innerhalb eines Monats mutierte ich vom sonnengebräunten, kerngesunden, schlanken jungen Mann zu einem fleckigen, blassen, aufgedunsenen Schatten meiner selbst. Mädchen, die gelegentlich meine halb dezenten Blicke in der U-Bahn gut fanden, sandten mir jetzt irritierte Blicke zu. Einmal lehnte sich eine hübsche Rothaarige, die in der U-Bahn mir gegenüber saß, zu mir nach vorne, um etwas zu sagen. Mit meinem stets wachsenden Ego dachte ich, sie wolle mich vielleicht zu einem Date einladen. Stattdessen wollte sie nur wissen, ob alles in Ordnung sei. Was war los? Ein besonders reichhaltiges und feucht-fröhliches Mittagessen hatte mich so ins Schwitzen gebracht, dass mein Hemd ganz nass war und sie sich als Krankenschwester Sorgen machte. Krach, fiel mein Ego scheppernd auf den Boden – das Geräusch muss noch am anderen Ende des Zuges zu hören gewesen sein.

Ungefähr im Mai 1999 veröffentlichte Michael seine bahnbrechende Analyse, die ihn rasch zu einem der besten Analysten des britischen Strommarktes machte. Im Nachhinein betrachtet war seine Argumentation sehr einfach, aber die Schlüsse, die er daraus zog, waren gewagt. Seiner Meinung nach führten einige kürzlich neu gebaute Kraftwerke zu einem Überangebot an Strom, das, kombiniert mit einem raffinierteren Strommarktmechanismus, unweigerlich zur Folge habe, dass die künstlich hoch gehaltenen britischen Strompreise bald deutlich sinken würden. Das bedeutete, dass er den Investoren riet, ihre Aktien fast aller britischen Stromerzeugern zu verkaufen. Seine Theorie war eindeutig und wurde durch eine bestechende Faktenlage gestützt. Seine Empfehlungen waren nicht die üblichen, dass die Aktien um 10 bis 15 Prozent nach oben gehen würden. Im Gegenteil – er behauptete, einige Aktien aus seinem Zuständigkeitsbereich seien nur noch die Hälfte ihres aktuellen Kurses wert! Es ist extrem mutig, wenn ein Neuling im Börsengeschäft dem Markt (das heißt, allen Konkurrenten und Klienten) allen Ernstes sagt, manche Papiere seien zweifach überbewertet. Wenn die Aktionäre da nicht hellhörig wurden und ihn zu einem Vortrag einluden, dann würden sie es nie tun. Alles, was ich jetzt noch tun musste, war, mir eine ebenfalls gewagte, aber einleuchtende Aussage über die britische Wasserwerkssparte auszudenken, sodass wir im Doppelpack in Erscheinung treten konnten – das würde bestimmt Wellen schlagen! Ich entschied mich dafür, ebenfalls eine baisse-orientierte (also negative) Note über die britischen Wasserwerte zu verfassen (teilweise nur, um es Michael gleichzutun). Damit würde es uns zwar nicht gelingen, die ganze Stadt rot einzufärben, aber die Bildschirme von Reuters in der gesamten City schon. Sobald unsere Analyse bekannt wurde, würde es einigen Aufruhr geben, und der Wichser Hugo hätte keine andere Wahl, als Notiz von uns zu nehmen.

Um der Wahrheit die Ehre zu geben: Ich hatte sehr mit mir gerungen, was ich in meiner Wasser-Analyse sagen sollte, und brauchte jetzt schnell eine zündende Idee, damit Michael und ich die Klienten ordentlich in die Zange nehmen konnten. Erst als Michael zu mir rüberkam, um ein bisschen mit mir zu plaudern, kam mir der Gedanke, wie es gehen könnte. Er sagte: „Sieh mal, Steve, du musst nur deine Meinung vertreten. Es reicht, wenn die Story, die du ihnen gibst, einigermaßen plausibel ist. Deine Sparte reagiert so empfindlich auf Zinsschwankungen, Äußerungen von Politikern und Spartenrotation, dass es sowieso immer ein Ratespiel ist. Warum sagst du nicht einfach was von wegen: ‚Die neuen Regeln am Markt, die wenig hilfreiche Labour-Regierung und übertrieben hohe Anbietererwartungen haben zur Folge, dass die ganze Sparte um 20 Prozent im Wert sinken wird.‘ So hab ich es auch gemacht. Ich hätte auch jemand anderen bitten können, das Ding zu schreiben, aber das wäre ein bisschen frech gewesen. Ich musste meinem Team zumindest vorspielen, dass ich meinen Job ordentlich mache."

Sobald meine Analyse veröffentlicht worden war, erstellte ich einen richtig guten Marketing-Plan für uns beide (ich weiß, Eigenlob stinkt, aber er war gut). Wir besuchten jeden größeren Klienten in London, Edinburgh, Glasgow, Dublin, Frankfurt, Paris, Mailand, Zürich, Genf, Stockholm, Kopenhagen und Helsinki. Wir waren ein richtig gutes Paar wie Batman und Robin oder Butch Cassidy und Sundance Kid[15]. Allerdings muss ich zugeben, dem Aussehen nach waren wir eher wie Jeeves und Wooster[16] oder Wallace und Grommit[17] ... wobei ich der Dickere von uns beiden war. Das Schwierigste war, neben Michael zu stehen und etwas zu präsentieren – verglichen mit seiner stets herausragenden Leistung war alles, was ich tat, bestenfalls zweitklassig. Aber so war es nun mal und ich konnte ganz gelassen in unsere Vorträge gehen, weil ich wusste, dass mein Sancho Panza[18] auch die kompliziertesten Bilanzierungs- und Auswertungsfragen perfekt beantworten konnte. Es dauerte nicht lange, da hatten wir beide eine ganze Reihe abgesprochener, aber scheinbar spontaner Gags parat, mit denen wir unsere Klienten unterhalten und unseren Ideen zum Durchbruch verhelfen konnten. Es kam noch besser: Die Kurse der Aktien, zu deren Verkauf wir geraten hatten, begannen nachzugeben, und unsere Bank verdiente eine Menge

---

15) Helden einer US-Westernkomödie von 1969 (Anm. d. Übers.).
16) Helden einer englischen TV-Comedy-Serie (Anm. d. Übers.).
17) Helden eines britischen Animationsfilms (Anm. d. Übers.).
18) Treuer Begleiter von Don Quijote (Anm. d. Übers.).

Provisionen von den Anlegern, die wir davon überzeugt hatten, ihre Portfolios abzuverkaufen. Es fiel nicht weiter auf, dass der Hauptgrund für den Ausverkauf in der Energieversorgersparte der war, dass jeder Technologiewerte, Medien- und Telekom-Anteile haben wollte und defensive, traditionelle Branchen wie die unsere nicht mehr interessant waren. Wir hatten recht, wenn auch die falsche Begründung dafür.

Nachdem wir Europa abgegrast hatten, gab es nur einen wichtigen Ort, den wir noch nicht besucht hatten – die USA. Ich selbst war noch nie in Amerika gewesen und war besonders gespannt auf New York. Unser Tagesplan war schwindelerregend – ungefähr sechs Vorträge an jedem Arbeitstag und dazwischen waren riesige Strecken zurückzulegen. Wir fuhren auch einige wirklich abgelegene Orte an wie Des Moines und Wilmington. All das war nötig, um die Yankees von unserem Können zu überzeugen, denn ihre Fondsmanagements hatten allen Umfragen zufolge ein wichtiges Wort mitzureden.

Das erste Mal in New York zu sein, ist ein bisschen wie das erste Mal Koks zu probieren – ein Erlebnis, das man nie mehr so ganz wiederholen kann. Es war ein unvergleichliches Summen in der Luft, als unser gelbes Taxi – eine Marke, die man von unzähligen Spielfilmen her kennt – uns vom John-F.-Kennedy-Flughafen aus über die Williamsbridge ins Zentrum brachte. Uns erwartete eine überdimensionale Filmlandschaft. Das einzige, was ich daran auszusetzen hatte, war, dass die Schauspieler auf der Straße etwas übertrieben spielten – sie überzogen das Klischee von den typischen New Yorkern derart, dass weniger mehr gewesen wäre. Ich fühlte mich, als wäre ich mitten in einem Hollywood-Kassenschlager – gleichzeitig hatte ich den Eindruck, als wäre ich der Held in diesem Film. „Die City sollte sich besser in Acht nehmen", dachte ich, „denn die Stadt hat jetzt einen neuen Sheriff. Und, was noch besser ist, der Neue hat 'nen Hilfssheriff, der bald alle in den Hintern treten wird."

An unserem ersten Abend in New York mussten Michael und ich natürlich den Hexenkessel hautnah miterleben. Vielleicht war es nicht die beste Vorbereitung auf einen viertägigen Vortragsmarathon, aber ich wollte mir die einmalige Chance nicht entgehen lassen, diese Stadt zu sehen.

Im Laufe des letzten Monats, bei all dem Marketing, waren Michael und ich Freunde geworden. Unsere Freundschaft beruhte auf gegenseitigem Respekt – ich bewunderte ihn wegen seines großartigen Intellekts und er mich wegen … was weiß ich. Jedenfalls kamen wir richtig gut miteinander aus und waren gerne zusammen. Michael hatte leichte autistische Neigungen, womit ich meine, dass seine Kommunikation mit anderen manchmal etwas seltsam war, aber das war eben der Preis, den er für seine Klugheit zahlen musste. Ich würde so weit gehen zu sagen, dass viele der besten City-Analysten, die ich kenne, Beinahe-Autisten sind oder zumindest am Asperger-Syndrom[19] leiden. Diese Leute, die in ihrer eigenen, formelhaften, emotionsarmen Welt leben, haben im Umgang mit so abstrakten Dingen wie Aktien oder Derivaten verglichen mit uns „Normalmenschen" sogar handfeste Vorteile. Auch Michael mochte seine Macken haben – jedenfalls trat er wieder mal argumentativ sehr überzeugend auf, wie zwei unglückliche junge Yankees aus einem Nest namens Iowa zu spüren bekamen, als sie in einer schäbigen kleinen Bar im Metzgerviertel (oder Betrügerviertel, wie ein Kollege es scherzhaft nannte) eine Unterhaltung mit uns anfingen. Als sie mitbekamen, dass wir Börsenmakler waren, nahmen uns diese unsportlichen Spießer im Holzfällerhemd aufs Korn und meinten, alle Börsenmakler seien „beschissene Arschlöcher und eitle Säcke".

Ich überlegte gerade, ob wir nicht lieber das Lokal wechseln und uns bessere Gesellschaft suchen sollten, da schaltete sich Michael ein und gab ihnen ein Beispiel seiner guten, altmodischen Rhetorik. Er fragte: „Sag mal, Hank, magst du deine Großeltern?" „Na klar." „Dann müsstest du Steve und mir eigentlich dankbar sein, dass wir von weit her gekommen sind, um ihnen aus der Klemme zu helfen." „Kapierst du, was dieser verdammte Engländer meint?", fragte Hank seinen Kumpel Rusty. „Na ja, deine Großeltern beziehen doch bestimmt eine Rente, und damit sie die bekommen, haben sie in eine Rentenversicherung eingezahlt. Es ist Steves und mein Job, die Manager dieses Fonds zu beraten, damit sie das Geld deiner Großeltern in Papieren anlegen, deren Kurswert steigt und nicht etwa fällt. Wenn wir unseren Job richtig machen, bedeutet das, dass sie mehr Cash haben und im Winter nach Florida reisen und die Sonne genießen können, wenn sie wollen." Nun waren sie erst mal still, aber nicht lange, denn Michael stellte ihnen eine Frage: „Sag mal, Rusty, bist du Kommunist?" „Ach was, wo denkst du hin? Ich glaube an den amerikanischen Traum und an das, für das er steht." „Aha. Ja, wenn das so ist, dann solltest du Steve und mir auf die Schulter klopfen, weil wir nämlich einiges dafür tun, den amerikanischen Traum am Leben zu erhalten." „Wirklich? Wie das? Glaubst du, dass die beiden Vögel da recht haben?", fragte Rusty seinen Freund Hank. Michael erklärte es ihm. „Also – der amerikanische Traum, wie ich ihn verstehe, beruht hauptsächlich auf den Prinzipien der freien Marktwirtschaft und den Chancen,

19) Leichte Sonderform des Autismus (Anm. d. Übers.).

die dieses System dem Einzelnen bietet. Steve und ich arbeiten unermüdlich daran, dieses System aufrecht zu erhalten. Wir sagen den Leuten, sie sollen ihre Aktien in gut gemanagte Firmen investieren und die der schlechter gemanagten verkaufen. Dadurch gehen die Kurse der gut gemanagten Unternehmen rauf, während die der unproduktiven fallen. Mit der Zeit übernehmen die gut geführten Unternehmen die schlecht geführten und setzen ihre erfolgreichen Prinzipien auch dort um. Du siehst also, Rusty, wir sind sozusagen die Leibwächter der kapitalistischen Leistungsgesellschaft, die das Herzstück des amerikanischen Traums ist und nur dann richtig funktioniert, wenn harte Arbeit durch finanziellen Erfolg belohnt wird. Wir sind dazu da, dafür zu sorgen, dass das Ganze wie am Schnürchen läuft." Hoppla – selbst ich war bei der Argumentation ganz baff! Rusty und Hank jedoch wirkten nicht so hundertprozentig überzeugt. Sie stiegen von ihren Barhockern herunter und sahen so aus, als würden sie uns gleich eine Tracht Prügel verabreichen. Zwei englische Klugscheißer, die ihnen weismachen wollten, sie seien extra hergekommen, um ihren alten Verwandten zu helfen und den amerikanischen Traum am Leben zu erhalten – das war wahrscheinlich mehr, als ihre kleinen Gehirne aufnehmen konnten. Ich schob Michael sanft in Richtung Ausgang. Vielleicht kapierte er in seiner autistischen Selbstbezogenheit ja gar nicht, dass es hier langsam für uns beide gefährlich wurde.

Als wir gingen, rief Hank uns nach: „Wir haben euch 1776 rausgeworfen und wir werden es immer wieder tun, ihr blöden Engländer!" Ich legte Michael die Hand auf den Mund und konnte ihn auf diese Weise gerade noch daran hindern, dass er laut antwortete: „Erstens hat man uns erst 1783 rausgeworfen und zweitens bin ich gebürtiger Ire ..."

Als wir in sicherer Entfernung von den beiden Idioten waren, platzten wir vor Lachen laut heraus. Ich fragte Michael: „Sag mal, glaubst du den Mist, den du da verzapft hast, wirklich?" „Sei kein Idiot!", rief er zu meiner großen Überraschung. „Erstens ist es ein Nullsummenspiel – wenn wir einem Versicherungsfonds raten, in Aktien mit guten Gewinnaussichten zu investieren, kauft er sie vielleicht einem anderen Versicherungsfonds ab, dessen Rentner dafür nicht von der kommenden Kursaufwertung profitieren können" – ein wirklich stichhaltiges Argument. „Zweitens ist die Qualität des Managements eines Unternehmens, wie du weißt, ganz unten auf der Liste, wenn es darum geht, Gründe zu finden, die Aktien eines Unternehmens zu kaufen. Die Basis meiner Bewertung ist stattdessen eine grundlegende Analyse der Branchentrends und der gesamtwirtschaftlichen Entwicklung."

Wieder ein Punkt für Michael. Wahrscheinlich hatte ich seinen Sinn für Humor unter- und seinen Autismus überschätzt. Wir nahmen noch ein paar Drinks und fuhren dann zurück ins „Parker Meridian Hotel" nahe dem Central Park. Es war 3.30 Uhr und in vier Stunden sollte unsere erste Präsentation anfangen. Als ich meinen strapazierten Kopf aufs Kissen legte, dachte ich: „Warum tue ich mir das alles immer wieder an?"

Wenn man davon absieht, dass meine sadistisch veranlagten nächtlichen Besucher wieder da waren (hatten sie sich wirklich die Mühe gemacht und mich bis New York mit dem Flugzeug verfolgt oder hatten sie ein paar amerikanische Kollegen gebeten, den Job, mich zu quälen, zu übernehmen?), klappte es mit unseren Vorträgen am ersten Tag ganz gut und wurde anschließend von Tag zu Tag besser. Es kam nicht ein einziges Mal vor, dass jemand Michael eine Frage stellte und er sie nicht hervorragend beantworten konnte. Egal wie viele Sitzungen wir durchstehen mussten, es war mir immer wieder eine Freude zu sehen, wie es Michaels Superhirn gelang, die Argumente seiner Gegner zu entkräften. Es war klasse, außer natürlich für alle diejenigen, die dumm genug waren, weiterhin der gegnerischen Meinung anzuhängen. Nachdem unser Flugzeug wieder auf englischem Boden gelandet war, verabschiedeten wir uns am Flughafen London-Heathrow von einander. Wir gaben uns förmlich die Hand, aber wir versicherten einander gegenseitig, dass unsere Geschäftsreise sehr erfolgreich gewesen war. Die Dinge entwickelten sich prima.

Der einzige weitere Vorfall von Bedeutung, der in meinem ersten Jahr in der Scheißebank passierte, geschah am 1. Mai 2000. Wir waren vorgewarnt worden, es könne an diesem Tag der Arbeit zu Unruhen kommen, und ich als jemand, der über die Revolutionsgeschichte und die Pariser Studentenunruhen im Mai 1968 geschrieben hatte, war natürlich besonders gespannt auf diesen Tag. Unsere Sicherheitsleute hatten die Devise ausgegeben, dass wir an dem Tag keine Anzüge tragen sollten. Witzigerweise dachten die meisten meiner lächerlichen Kollegen, ihre Chinos, Slipper, Polohemden und Sportsakkos (ihr Standard-Leger-Look für freitags) wären eine perfekte Tarnung. In Wirklichkeit roch man ihnen den Börsenmakler auf zehn Meilen gegen den Wind an, zumal diese Hornochsen fast alle die *Financial Times* unterm Arm trugen. Soweit ich weiß, tragen Aufständische keine *Financial Times* unterm Arm ... dann schon eher den *Daily Telegraph*.

Es dauerte bis zum späten Vormittag, bis wir etwas hörten. Ich nehme an, die Weicheier wollten sogar am Tag der Revolution lieber ausschlafen. Gegen 11.00 Uhr rief ein Kollege: „Die Bauern proben den Aufstand!", aber ich hatte

Ähnliches schon öfter gehört und glaubte erst, als ich Glas splittern hörte, dass etwas los war. Meine diffusen Sympathien für die Linken führten dazu, dass ich sogar für die, die uns angreifen wollten, heimlich Sympathien hegte. In Wahrheit fand ich die Aufregung um mich herum ganz spannend und ging, trotz der Proteste meiner Arbeitskollegen, hinaus auf die Straße, um zu sehen, was draußen los war. Im Gegensatz zu meinen lieben Kollegen trug ich Jeans und ein Schlabber-T-Shirt und die *Financial Times* ließ ich lieber auf dem Schreibtisch liegen.

Ich fand den Anblick, der sich mir draußen bot, ziemlich enttäuschend. Es waren ein paar aus der Hippie-Hund-Liga da, aber alles sah recht harmlos aus. Später hörte ich, dass es einen Angriff auf das Handelsparkett von LIFFE (Abkürzung für „London Financial Futures and Options Exchange") gegeben hatte, aber es klang nach einem triumphalen Sieg für die Vertreter des Kapitalismus. Anscheinend hatten die witzigen Futures-Trader von LIFFE in ihren bunten Sakkos Hunderte Fotokopien von ihren 50-Pfund-Noten gemacht und sie auf ihre Möchtegern-Angreifer unter ihnen herunterregnen lassen. Als ein paar mutigere Aufständische versucht hatten, über die Rolltreppe nach oben zu gelangen, hatte man deren Fahrtrichtung flugs umgestellt, was prompt dazu führte, dass die Rebellen herunterpurzelten und unten alle in einem großen Haufen übereinanderlagen. Selbst auf dem Trafalgar Square, wo etwas mehr los war, kam es lediglich dazu, dass eine Winston-Churchill-Statue verunstaltet und das Fenster eines McDonald's-Restaurants eingeworfen wurde. Das fand ich alles ziemlich mager – keine Rede von einem wirklichen Aufstand.

Die Unruhen vom Mai 2000 waren sinnlos und erreichten gar nichts. Es wurde schnell klar, dass die Teilnehmer nur ein bunter Haufen von Chaoten ohne gemeinsame Ziele und ein durchdachtes Konzept waren. Hätten die „Wombles", wie sich eine Gruppe nannte, wirklich das Ziel gehabt, in Wimbledon aufzuräumen, wie es ihre Namensvettern einst taten, hätten sie bestimmt viel mehr erreicht und vielleicht auch die Unterstützung von Teilen der Öffentlichkeit bekommen. Die Geschichte zeigt, dass es – auch heute noch – möglich ist, durch direktes Handeln Änderungen herbeizuführen, aber dazu braucht man erreichbare, alle einende Ziele, die auch vom allgemeinen Publikum gerne angenommen werden. Ich erinnerte mich noch gut an die Unruhen gegen den Erlass der Kopfsteuer durch die Regierung Thatcher auf dem Trafalgar Square im Jahr 1990, die maßgeblich zum Sturz von Margaret Thatcher und zur Abschaffung der Kopfsteuer beitrugen. Das Tolle an den damaligen Aufständen war, dass sie auf einem einzigen großen Thema beruhten, das allen auf den Nägeln brannte und von der breiten Öffentlichkeit unterstützt wurde. Allerdings hätten sich Margaret Thatcher und ihre Gesinnungsgenossen denken können, dass sie mit der Durchsetzung eines Konzepts, das schon 600 Jahre zuvor höchst umstritten war und im Jahr 1381 in der Bauernrevolte beseitigt worden war, Schiffbruch erleiden würden.

Als ich meinen soziologischen Ausflug beendet hatte und ins Büro zurückkehrte, war ich etwas deprimiert. Ein egoistischer Teil meiner Persönlichkeit wünschte sich, jetzt da draußen zu sein und meine analytischen Fähigkeiten als Berater von Unternehmen einsetzen zu können, um eine Revolution zu organisieren, die diesen Namen wirklich verdiente. Ich hatte das Geschichtswissen dazu und kannte den ideologischen Feind bestens. Erst als mir wieder bewusst wurde, dass ich ja ein Börsenmakler und als solcher selbst einer der Feinde der Revolution war, wurde mir klar, was ich da für einen Unsinn gedacht hatte.

Einen Monat nach den mickrigen Aufständen passierte etwas, was von ungleich größerer Bedeutung war: Die Extel-Befragung des Jahres 2000 kam heraus und das Versorger-Team der Scheißebank lag an sechster Stelle. Wir hatten im Ranking einen ordentlichen Sprung nach oben gemacht. Unsere Marketing-Blitzaktion, meine feucht-fröhlichen Bemühungen bei unseren Kunden und die Tatsache, dass unsere Aktienoptionen so gut liefen, all das miteinander bewirkte, dass wir so hoch eingestuft wurden. „Die Sache läuft gut an für uns", dachte ich, „zieh dich warm an, Hugo Bentley!"

Ein paar Tage nach diesen großartigen Nachrichten hatte ich das Pech, und zwar anlässlich der Jahresergebnis-Präsentation eines Wasserwerkes, Hugo Bentley in die Arme zu laufen. Das Team, das er anführte, war nach wie vor Nummer 1 und zu meinem Leidwesen war der Prozentanteil an Stimmen, die seine Yank Bank eingeheimst hatte, noch gestiegen. Hugo wechselte nur ein paar Worte mit mir, aber die hatte er sorgsam gewählt, um mir „auf nette Art" einen reinzuwürgen. Er gratulierte mir mit den Worten: „Gut gemacht, Steve. Du siehst, es lohnt sich, sich Mühe zu geben!"

Was er nicht wusste, war, dass er mit diesem Satz sein eigenes Todesurteil unterschrieben hatte. Ich hatte schon fast wieder vergessen, wie sehr ich diesen Kerl hasste, aber dieses kurze Treffen brachte mir meine ganze Schande von Edinburgh wieder voll zu Bewusstsein. Für mich war er ab heute ein Todeskandidat. Bevor ich ihn zu Fall bringen konnte, musste ich erst noch einen weiteren wichtigen Menschen kennenlernen – aber bevor es so weit war, durfte ich mich noch etwas vergnügen ...

DER KUNDE 5

Wenn es zu einer Revolution kommt, sind die Jungs von den Hedgefonds mit Sicherheit als Erste in einer aussichtslosen Lage. Nie zuvor verdienten im Kapitalismus so wenige so viel Geld, und das mit so wenig eigener Anstrengung. Viele von diesen Clowns verdienen in einer Woche mehr als ein Lehrer oder eine Krankenschwester im ganzen Jahr, ihre Gehälter stellen sogar die der Börsenhändler im New York der 80er-Jahre in den Schatten – der sogenannten „Masters of the Universe". Ich würde ja gerne so tun, als beruhte meine Wut über diese Situation nur auf meinem Bedürfnis nach einer gerechteren Gesellschaftsordnung, aber damit kann ich wohl keinen überzeugen – am wenigsten mich selbst. Dank meiner Ellenbogennatur kann ich selbst jetzt, nach meinem „Durchbruch", einen gewissen Neid auf solche riesigen Vergütungspakete, wie diese Herren sie bekommen, nicht verhehlen. Wenn ich heute an Hedgefonds denke, kommt mir immer wieder ein Mann in den Sinn – Richard Montague.

Richard war – und ist meines Wissens bis heute – Partner eines der aggressivsten und erfolgreichsten Londoner Hedgefonds. Als ich ihn im Januar 2000 kennenlernte, war er in überschwänglicher Stimmung. Ich wusste es damals nicht, aber man hatte ihm gerade die Höhe seines Bonus mitgeteilt und er freute sich wie ein Schneekönig. Normalerweise sind Manager von Hedgefonds für ihre Geheimniskrämerei bekannt und würden niemals ausposaunen, was sie verdienen, aber einige Wochen oder Monate später, als wir in einem Klub in Soho waren und er gerade randvoll mit Boliviens feinstem Stoff war, vertraute Richard mir an, dass sein Bonus für das Jahr

1999 nicht weniger als 4,5 Millionen Dollar betrage. Richard war damals gerade mal 26 Jahre alt.

Der kometenhafte Aufstieg der Hedgefonds begann um das Jahr 2001. Bis dahin hatten die Börsenmärkte nach dem Platzen der Tech-Blase etwa ein Jahr lang am Boden gelegen. Die Baisse schien damals kein Ende zu nehmen, aber die Anleger wollten Renditen haben, die nichts mehr mit der wahren Performance der Aktien zu tun hatten. Sie wollten partout Gewinn machen, auch für den Fall, dass die Aktien mehrheitlich in den Keller gehen sollten. Sie verlangten nach Anlagen, die die Cityboys in ihrer typischen Art, das breite Publikum zu verwirren und einen auf intelligent zu machen, „Alpha" nennen, und sie wollten keine „Beta"-Aktien. Die Hedgefonds wurden jetzt immer beliebter, denn im Gegensatz zu den konventionellen, nur langfristig orientierten Anlageformen können sie Aktien leer verkaufen. Wie das geht? Sie können Kontrakte auf Aktien, die sie gar nicht besitzen, verkaufen, indem sie sie von einem konventionellen Fonds ausleihen und, wenn der Kurs fällt, diese Leerverkäufe zu einem geringeren Kurs rückkaufen. Die Baisse dauerte an, immer mehr Bargeld floss in diese Fonds und bestimmte kleine, aber erfolgreiche Fonds wie der von Richard (der anfangs nur Vermögenswerte im Wert von etwa 200 Millionen Pfund verwaltete) wuchsen auf das Vier- oder Fünffache ihrer ursprünglichen Größe an.

In dem Maße, in dem die Größe der verwalteten Vermögen anwuchs, wuchsen auch die Vergütungen der Hedgefonds-Verwalter. Üblicherweise erhält so ein Verwalter zwei Prozent Verwaltungsgebühren plus 20 Prozent Performance-Beteiligung. Das bedeutet, dass diejenigen, die einen Fonds mit einer Milliarde Pfund Vermögen verwalten, wie Richard im Jahr 2004, 20 Millionen Pfund im Jahr bekommen, ohne etwas dafür tun zu müssen, plus 20 Prozent vom Wertzuwachs ihres Fonds. So bedeutet ein jährlicher Wertzuwachs von 20 Prozent in Richards Fonds, dass sich fünf oder sechs Personen (nach Abzug der zehn Millionen Kosten) ungefähr 50 Millionen Pfund Belohnung für die „Arbeit" eines Jahres teilen dürfen – auch wenn diese Arbeit nicht entfernt so hart ist wie beispielsweise die eines Arbeiters am Hochofen. Der Löwenanteil dieses Betrags geht an die zwei oder drei Partner und Seniorchefs des Hedgefonds, aber auch die übrigen Mitarbeiter müssen nicht hungern – zumindest nicht in den nächsten 300 Jahren. Um einen Fonds mit Einlagen im Wert von zehn Milliarden Pfund zu verwalten, braucht man nicht zehnmal so viel Personal wie für einen mit einer Milliarde. So hat das stete, gewaltige Wachstum einiger dieser Fonds dazu geführt, dass manche Jungs in Amerika schier unglaubliche Summen „verdienten" – die 20 erfolgreichsten US-Hedgefonds- und Private-Equity-Manager des Jahres 2006 erhielten allein in diesem Jahr im Durchschnitt 675,5 Millionen Dollar. Damit verdienten diese Jungs – und es handelt sich fast ausschließlich um Männer, nicht um Frauen – innerhalb von zehn Minuten so viel wie ein Durchschnittsamerikaner in einem ganzen Jahr. Ein stolzer Verdienst, wenn man ihn tatsächlich bekommt.

Zugegeben – manche von diesen Leuten sind extrem clevere Investoren, die sich darauf verstehen, Geld zu verdienen, egal wie die Märkte sich entwickeln. Aber ich habe auch schon festgestellt, dass die Performance vieler Hedgefonds doch mehr mit der Entwicklung am Aktienmarkt zu tun hat, als es die Herren zugeben würden. Seit dem Anstieg des FTSE-100 in den drei Folgejahren nach seinem Tief im März 2003 um circa 80 Prozent hätte Richards Fonds 800 Millionen Pfund Gewinn gemacht, auch wenn all das Geld nur von einem passiven, indexgebundenen Fonds angelegt worden wäre und Richard und seine Freunde die ganze Zeit ausschließlich beim Sporttauchen auf den Malediven verbracht hätten. Selbst in diesem Fall hätten Richard und seine Partner noch 160 Millionen Pfund eingestrichen – kein schlechter Lohn fürs Fischen im Indischen Ozean.

Je mehr diese Hedgefonds wuchsen und je mehr es davon gab, desto mehr sahen sich die Investmentbanken gezwungen, sie ihren alten, herkömmlichen Klienten mit ausschließlich langfristigen Strategien vorzuziehen, denn manche von diesen verrückten Kerlen lieben es wirklich, mit Aktien zu handeln. Während ein typischer Rentenfonds ein Jahr oder länger an einer bestimmten Aktie festhält, habe ich schon Hedgefondsmanager gesehen, die ein und dieselbe Aktie morgens kaufen und nachmittags wieder verkaufen. In besonders krassen Fällen liegen Kauf und Verkauf desselben Papiers sogar kaum eine Stunde auseinander! An bestimmten Tagen stand einer der größten Hedgefonds, GLG, angeblich hinter fünf Prozent aller FTSE-100-Geschäfte. Verständlicherweise gefiel die Vielzahl der Transaktionen und der daraus entstehenden Provisionen den Investmentbanken so gut, dass sie halfen, neue Hedgefonds aufzubauen, aber nur unter der Bedingung, dass sie der Hauptmakler dieser Hedgefonds sein durften, das heißt, die Hausbank, die den größten Teil der Wertpapiergeschäfte dieser Fonds abwickeln durfte. Diese Praxis förderte den Boom – man kann es auch eine Blase nennen – der Hedgefonds noch mehr. Die Investmentbanken verliebten sich so sehr in die Hedgefonds, dass sie sogar anfingen, ihre eigenen Hedgefonds zu gründen und ihre Gewinne noch abhängiger von den Launen der Börse zu machen. Wenn diese bankinternen Hedgefonds als Teil einer großen Bank, in die Hunderte von

Wertpapiergeschäften abgewickelt werden, nicht gelegentlich von Insiderinformationen profitieren, fresse ich einen Besen – aber dazu später.

Dieser gesamte Prozess hatte zahlreiche Folgen, von denen Sie einige vielleicht auch mitbekommen haben – insbesondere, wenn Sie zufällig in London wohnen. Erstens sind die Aktienmärkte viel schwankungsanfälliger geworden, weil die kurzfristig orientierten Hedgefonds wie wilde Derwische handelten und auch aus der fadenscheinigsten Nachricht ein profitables Geschäft zu machen versuchten. Das bewirkte, dass der Aktienmarkt viel riskanter wurde, sei es für Direktkäufer oder indirekt, via Aktien- oder Rentenfonds. Selbst erstklassige Aktien gingen „rauf und runter wie der Schlüpfer einer Hure", wie es ein geflügelter Spruch in der City drastisch beschreibt.

Zum zweiten fingen bestimmte Hedgefondsmanager auf einmal an zu spielen, anstatt ihr Geld anzulegen. Wenn sich deine Vergütung ganz direkt nach der Performance deines Fonds richtet und du in der kurzfristigen „Hire and fire"[20]-Mentalität unserer Finanzwelt zu denken gewohnt bist, ist die Versuchung groß, Wetten auf Aktienkursschwankungen abzuschließen. Denn du weißt, wenn deine Wetten gut ausgehen, gehst du mit noch mehr Kohle heim. Diese Rücksichtslosigkeit ist die Folge der maßlosen Gier, noch schneller reich zu werden, und der erfreulichen Tatsache, dass es ja nicht das eigene Geld ist, mit dem man da fröhlich zockt. Zugegeben – wenn deine Wetten wirklich schlimm in die Hose gehen, kannst du deinen Job verlieren, aber meine Erfahrung lehrt mich, dass die meisten gescheiterten Fondsmanager den Grund ihres Weggangs ganz gut vertuschen und es schaffen, woanders wieder in ähnlicher Position etwas zu finden, so groß und ineffizient, wie dieser globale Finanzdienstleistungsmarkt inzwischen geworden ist.

Das Wetten auf kurzfristige Anlagen ist nicht nur auf die Käuferseite beschränkt. Die ganze Bonuskultur, die die Verkäuferseite beherrscht, sorgt dafür, dass viele Trader von Investmentbanken sich auf Spekulationen einlassen, die viel riskanter sind, als sie es gegenüber ihren Chefs zugeben würden. Wenn solche Wetten gut ausgehen, kann man sicher sein, dass die interne Kontrollstelle der Bank alle Augen zudrücken wird und dass man obendrein mit einem ordentlichen Bonus belohnt wird. Geht das Spiel jedoch schief, riskiert man zwar, seinen Job zu verlieren, wenn man ei-

---

20) „Einstellen und entlassen", hier eher „kaufen und gleich wieder verkaufen" (Anm. d. Übers.).

132

nen größeren Betrag verzockt hat, aber man verliert dabei kein eigenes Geld. Das ist der Grund, warum das Bonussystem kurzfristiges Zocken auch noch fördert – es gibt ein asymmetrisches finanzielles Risiko beim Zocken und die meisten Trader sind so clever, dass sie das nach ein paar Tagen in diesem Beruf spitzgekriegt haben. So kann man davon ausgehen, dass Jérôme Kerviel, der angebliche Schurken-Trader der Société Générale, seine Wahnsinnswetten Anfang 2008, mit denen er für seine Bank fünf Milliarden Euro Verluste einfuhr, nur unternahm, weil er der festen Überzeugung war, dass er bei positivem Ausgang einen Riesenbonus kassieren und sein Chef großzügig über alle nicht eingehaltenen Vorschriften hinwegsehen würde. Also sind die fünf Milliarden Euro Verlust für die Société Générale nichts anderes als die logische Folge des Bonussystems, wie es derzeit bei allen Investmentbanken gehandhabt wird! Na, das kann ja heiter werden …

Das berühmteste Beispiel aus jüngster Zeit für die Neigung der Verkäuferseite zum Zocken lieferte ein Fonds namens Amaranth (ein komischer Name, der für nicht minder komische, durchgeknallte Jungs steht). Der große, sehr angesehene Fonds verlor im September 2006 innerhalb einer Woche zwei Drittel seines Vermögenswerts (sechs Milliarden Pfund!), und zwar hauptsächlich deshalb, weil seine Manager darauf gewettet hatten, dass die Benzinpreise in den USA steigen würden, was nicht der Fall war. Mehrere andere Fonds hatten sich dieser Wette angeschlossen. Die Riesenwette, um die es ging, basierte auf der Annahme, dass Hurricanes in den USA um diese Jahreszeit für gewöhnlich Probleme in der Treibstoffversorgung auslösen. Das bedeutet: Alle betroffenen Anleger verloren über die Hälfte ihres Vermögens, nur weil irgendein Komiker es sich einfallen ließ, Wetten auf die amerikanische Wettervorhersage abzuschließen! Man fragt sich, ob diese Leute schon mal etwas vom Dominoeffekt gehört haben, den ein Schmetterling, der in China mit den Flügeln schlägt, auslösen kann. Genauso gut hätten die Herren Investoren von Amaranth auf irgendeinen Gaul im Pferderennen von Doncaster setzen oder in ein Kasino gehen und unbekümmert all ihr Geld auf Schwarz setzen können.

Eine weitere Konsequenz des Aufstiegs der Hedgefonds betraf mich und meine Brokerkollegen noch mehr. Vor dem Boom der Hedgefonds konnte ich im Allgemeinen noch sicher sein, dass ich bei Handelsgeschäften mehr verdiente als die Kunden, für die ich sie tätigte. Das bedeutete, dass die Ausgangsposition einer jeden Kundenpräsentation früher so war, dass die Kunden dankbar zu mir aufsahen. Sobald aber diese Hedgefonds-Jungs auf der Bildfläche erschienen, die so viel verdienten, dass sie einen kleinen Fisch wie mich nicht mehr ganz ernst nehmen konnten, wurde es wesentlich schwieriger für mich, sie von irgendetwas zu überzeugen, wusste ich doch, dass ihr Gehalt das meine um ein Vielfaches überstieg. Das war ein totales Missverhältnis, und so ging ich fortan mit dem „guten" Gefühl in jede Präsentation, das ein kleiner Chihuahua hat, wenn er einem gereizten Pitbull gegenübersteht.

Unter eben diesen Umständen traf ich Richard zum ersten Mal. Ich hatte zuvor bereits ein paarmal mit ihm telefoniert und hatte mit ein paar kleineren Orders, die ihm etwas Geld einbrachten, Eingang in seine Bücher gefunden. Michael und ich gingen Anfang 2000 zu ihm, um ihm einen Powerpoint-Vortrag mit dem spannenden Titel „Aussichten für die britischen Versorger im Jahr 2000" zu halten. Richard hatte eingewilligt, uns zum Vortrag zu sich einzuladen, weil unsere skeptischen Voraussagen vom Vorjahr sich als richtig erwiesen hatten und er daran interessiert war zu hören, was wir für das laufende Jahr vorhersagen würden. Im schwarzen Londoner Taxi auf dem Weg nach Mayfair (wo viele Hedgefonds zu Hause sind) erklärte Michael, Richard sei ein potenziell sehr lukrativer Kunde und ein cleverer Bursche. Als wir im schicken Büro in Mayfair ankamen, wurden Neidgefühle in mir wach, wenn ich daran dachte, wie viel schöner es wäre, in diesem pulsierenden Stadtteil Londons zu arbeiten als in dem sterilen Börsenviertel, das so von den langweiligen Cityboys beherrscht wird. Zumindest taten die Leute hier noch etwas anderes, als untereinander Wertpapiere herumzuschieben und nur darüber zu reden, wie reich man schon ist. Hier waren die Leute so reich, dass sie sich nicht mehr mit diesem Kinderkram abgaben.

Als wir Richards Büro betraten, fiel uns als erstes auf, wie klein es war. Nur zehn Angestellte (die Sekretärinnen mitgezählt) waren hier tätig, und das, obwohl der Fonds ein paar Hundert Millionen Piepen verwaltete! Sofort musste ich denken: Mann, was haben die hier für ein tolles Leben! Sie brauchten keine Krawatten und keine Anzüge zu tragen. Sie mussten nicht zu nachtschlafender Zeit aufstehen und konnten um 7.45 Uhr locker in ihrem schönen Büro gleich neben dem Hyde Park eintrudeln. Sie mussten ihre Anlagephilosophie nicht von irgendwelchen Ausschüssen absegnen lassen, wie es bei Fidelity und anderen großen verkäuferseitigen Institutionen der Fall war. Sie mussten sich nicht mit dem blöden Verwaltungskram herumärgern, der in jeder größeren Firma notwendigerweise anfällt. Diese Jungs saßen einfach nur da und dachten den ganzen Tag ausschließlich darüber nach, welche Aktien sie zu Long- und welche sie zu Short-Positionen machen sollten. Was noch besser war – sie hatten in ihren Räumen sogar einen Billardtisch und eine Darts-Scheibe. Diese Kerle verdienten mehr Geld als wir, hatten einen interessanteren Job als wir, und als wäre das nicht schon genug, konnten sie es sich auch noch leisten, während der Arbeitszeit Billard und Darts zu spielen. Solche Glückspilze!

Man bat Michael und mich in ein kleines Besprechungszimmer, bot uns Tee und Kaffee an und bat uns um ein paar Minuten Geduld, Richard müsse noch „ein sehr wichtiges Geschäft zu Ende führen". Wir warteten und warteten und nach etwa 20 Minuten betrat ein ganz entspannter Richard den Raum. Er war so gelassen, dass ich schon dachte, sein „wichtiges Geschäft" habe darin bestanden, auf dem Klo zu sitzen und in aller Ruhe einen Joint zu rauchen.

Richard sah gut aus. Er war etwa 1,90 Meter groß und hatte die breiten, muskulösen Schultern eines Mannes, dem Fitnessstudios nicht fremd sind. Mit leichten Schuhen, bequemen Hosen und Polohemd trug er die typische Uniform der Hedgefondsmanager; das einzig Extravagante an ihm war sein großer, dicker Wollpullover im Stil der 70er-Jahre, wie er zuletzt in der Serie „Starsky and Hutch" zu sehen war. Er gab uns locker die Hand, sagte etwas von „Sorry, Leute, dass ihr warten musstet" und setzte sich mit einem breiten Grinsen zu uns, das ausdrückte, „es könnte gar nicht besser laufen". Eigentlich hätte ich ihn sofort hassen sollen, aber da war etwas an ihm, das mich interessierte.

Er eröffnete das Gespräch: „Also, Steve, wie werden Sie für mich dieses Jahr Geld verdienen? Wissen Sie, ich liebe Geld. Sie etwa nicht?" Michael und ich zückten sofort unsere sorgfältig aufgemachte Powerpoint-Präsentation und reichten ihm ein Exemplar. Er ignorierte es und meinte: „Vergesst den Kram! Sagt mir nur eure zwei besten Ideen, und wenn da nicht binnen sechs Monaten mindestens 25 Prozent Rendite rausspringen, verlieren wir nur kostbare Zeit!" „Ach du liebe Güte", dachte ich, „das ist ja einer!" Mir fiel auf, dass Michael anfing, leicht gereizt zu werden, aber Richard war für uns ein wichtiger Kunde, daher hieß die Devise: Ruhig bleiben. Also erklärte ich Richard ohne Umschweife, warum er sofort Aktien von Thames Water kaufen solle, und Michael hielt ihm einen noch viel fundierteren Vortrag, warum er außerdem auch noch Anteile an Powergen erwerben solle. Während wir beide sprachen, saß Richard etwas gelangweilt da, zumindest hatte es den Anschein, aber seine Rückfragen zeigten, dass er uns aufmerksam zuhörte und dass er ein schlaues Kerlchen war.

Richard wusste, dass er intelligent war. Nicht nur das, er sah auch noch gut aus, war körperlich fit, wohlhabend und hatte alle Aussichten, noch reicher zu werden. Wenn man all das zusammennimmt, wäre auch der demütigste buddhistische Mönch zu einem egoistischen Schwein mutiert. Man konnte verstehen, dass Richard sich für etwas Besseres als den „Durchschnitt da draußen" hielt – so sprach er über 99 Prozent seiner Mitmenschen. Ich sah, dass er jetzt, in diesem frühen Stadium seiner Laufbahn, bereits etwas arrogant wirkte, aber das war noch gar nichts im Vergleich zu ein paar Jahren später, als er im großen Stil Geld verdiente. Jetzt, Anfang 2000, war er noch nicht überheblich – im Gegensatz zu dem Monster, das später aus ihm wurde. Einer meiner humorvollen Kollegen sagte einmal über ihn, Gott habe einen Montague-Komplex.

Arroganz und die City, das passt zusammen wie Portwein und Käse oder wie Kokain und dummes Geschwätz. Seit Jahrzehnten fragte man sich auf Dinnerparties in und um London, ob die City arrogante Arschlöcher anzieht oder ob sie erst durch ihren Job so werden. Richard war ein typischer Beleg für Letzteres, aber man konnte es ihm nicht beweisen. Ich selbst kannte ihn erst, seit er mit der City zusammenarbeitete, aber ich nehme an, er war schon vorher ziemlich selbstbewusst. Was ich sicher weiß, ist, dass ein paar Jahre City-Erfahrung ausreichten, um aus diesem fast akzeptablen menschlichen Wesen so etwas wie das uneheliche Kind von Paris Hilton und Russell Crowe zu machen.

Ich glaube, es gibt drei Gründe dafür, dass die City diejenigen, die in ihr Karriere machen wollen, so arrogant werden lässt: Erstens beginnen die meisten Menschen ihre City-Karriere sehr früh (das heißt mit etwa 21 Jahren), sodass ihre Persönlichkeit noch nicht gefestigt ist und es ihnen einfach zu Kopf steigt, wenn sie als halbe Kinder schon so viel Kohle verdienen. Mein Glück war, dass ich erst im Alter von 24 Jahren in der City auftauchte und es mir deswegen besser gelang, mir meine zweifelsohne perfekte Persönlichkeit zu bewahren, ohne arrogant zu werden.

Zweitens – und das gilt hauptsächlich für Analysten auf Verkäuferseite und Fondsmanager (also die „Kunden") – kann die ständige Arschkriecherei und Speichelleckerei, der manche Leute ausgesetzt sind, sie eitel werden lassen. Da sich viele Broker um die begrenzte Anzahl von Provisionsgeschäften schlagen, bekommt selbst ein wenig bedeutender Kunde aus irgendeiner gottverlassenen Institution Unterhaltungsangebote, nach denen sich die meisten Müllers und Meiers die Finger lecken würden. Viele von diesen Jungs werden so blasiert, dass sie es nicht mehr nötig haben, Einladungen zu teuren Events wie Wimbledon rechtzeitig oder überhaupt abzusagen. Manche von ihnen gehen sogar so weit, dass sie nicht einmal einen Grund für ihre Absage angeben und einfach nicht auftauchen – und das, obwohl die Eintrittskarte 300 bis 400 Pfund gekostet hat! Wenn Sie laufend Tickets zu Meisterschaftsspielen oder zum neuesten Madonna-Konzert angeboten bekommen, stumpfen Sie vielleicht irgendwann ab und werden zur verwöhnten Primadonna – aber trotzdem finde ich dieses Verhalten nicht normal. Es heißt, Verrücktheit ist, dasselbe immer wieder zu tun und zu hoffen, dass das Ergebnis irgendwann einmal ein anderes ist – aber irgendwie konnte ich mich nie so ganz daran gewöhnen, wie unverschämt manche unserer Klienten waren.

Drittens werden Cityboys und Citygirls arrogant, weil ihr Job es von ihnen verlangt. Jedes Mal, wenn ein Trader oder ein Fondsmanager eine Aktie kauft oder verkauft, sagt er damit implizit, dass der Markt (das heißt alle anderen) falschliegt und das Potenzial der Aktie falsch eingeschätzt hat. Egoistische Alleingänge und das Gefühl, es sowie besser zu wissen, gehören wesentlich zu diesem Job. Der Zauderer Hamlet wäre ein schlechter Börsenhändler, Lady Macbeth hingegen wäre eine echte Bereicherung für jedes Broker-Team. Leider greift die Berufskrankheit Arroganz der Cityboys auch auf andere Lebensbereiche über, sodass es bei ihnen zum Beispiel häufig zu Fehleinschätzungen der eigenen sexuellen Attraktivität für das andere Geschlecht kommt. So erinnere ich mich noch gut daran, dass Richard eines Tages (wir kannten uns noch nicht lange) zu mir sagte, nur ein Mädchen, das blind oder frigide oder völlig verblödet sei, schaffe es, seinem Charme nicht zu erliegen. Allerdings stellte ich zu meinem Ärger fest, wenn ich mit ihm auf Parties war, dass er nicht so unrecht hatte …

Wenn Sie das nächste Mal auf einer Dinnerparty neben einem Angeber aus der City sitzen, der Ihnen erzählt, was für ein toller Hecht er ist, bedenken Sie bitte zweierlei: Erstens ist der arme Kerl nicht immer selbst schuld, oft ist es auch der Job, der seine Persönlichkeit zerstört; zweitens muss er so ein eingebildeter Affe sein, um seinen Job ordentlich machen zu können. „Verstehen heißt, verzeihen", sagen die französischen Philosophen … trotzdem kann ich's Ihnen nicht verübeln, wenn Sie den Gastgeber leise fragen, ob er Sie nicht vor dem nächsten Gang diskret umsetzen kann.

Unser erstes Meeting mit Richard war ein ziemlicher Erfolg, denn als wir nach diesem Ausflug wieder in unser Büro zurückkamen, informierte unser Trader Gary uns, Richard habe beide von uns empfohlenen Aktien in größerer Stückzahl gekauft. Das war das Schöne an den Hedgefonds – wenn ihnen gefiel, was wir ihnen erzählten, belohnten sie uns umgehend. Er kaufte von beiden Papieren im Wert von ungefähr je 20 Millionen Pfund ein, was der Scheißebank jeweils rund 80.000 Pfund Provision einbrachte. Nicht schlecht für eine Stunde Arbeit! Diese Hedgefonds waren für uns Broker viel angenehmere Geschäftspartner als ihre langsamen, sorgfältig abwägenden, nur auf langfristigen Erfolg achtenden Kollegen. Bei diesen Vögeln konnte man allenfalls eine Stimme in der nächsten Umfrage ernten, die dann in eine Provision für die Bank mündete – aber nicht unbedingt in eine Provision für die eigene Sparte. Der Handel mit den Hedgefonds war ungleich interessanter und kam dem Bedürfnis meiner MTV-Generation nach sofortiger Belohnung entgegen.

Der nächste Schritt in meinem cleveren Plan, Richard für mich zu gewinnen, war, dass ich ihn ein paar Wochen nach unserem ersten Treffen zu den Cheltenham-Pferderennen einlud. Wenn ich ihn erst zu meinem „Kumpel" gemacht hatte, wie Tony immer sagte, würde er mir bestimmt unzählige Provisionen in gewaltiger Höhe einbringen. Nichts mag ein echter Cityboy mehr als einen Tag an der Pferderennbahn zusammen mit Kunden, die ihm helfen, sein „hart verdientes" Geld zu verzocken. So ein Ausflug vereint alle Vorteile des Broker-Berufes: Jede Menge kostenlose Getränke, jede Menge überteuertes Essen und als Sahnehäubchen obendrauf die Möglichkeit, mit Kollegen zusammen um Geld zu zocken. Was wir noch an dieser Art Ausflug mochten, war die Aussicht, dass ein paar junge Männer um viel Kohle spielen können (manchmal auch mithilfe von Insidertipps) und dabei vertraulich über Dinge reden können, von denen sie nicht allzu viel verstehen – ein echtes Heimspiel für den normalen Broker!

Wir – Richard, Michael und ich sowie ein anderer Kunde von Michael – nahmen also den Zug um 8.15 Uhr von Paddington nach Cheltenham und schlugen unsere Zelte im Erste-Klasse-Abteil auf. Gegen 8.22 Uhr begannen wir, Champagner zu trinken – mit unserem wichtigtuerischen Geschwätz hatten wir schon vorher begonnen. Alles, was Michael und ich tun mussten, war, dafür zu sorgen, dass die Gläser unserer Kunden nie leer wurden. Je mehr die Drinks wirkten, desto mehr amüsierten wir uns über die Landbevölkerung in Filzhut und Tweedanzug, die uns umgab, und über ihre roten, vermutlich von Generationen von Inzucht gezeichneten Visagen. Das war natürlich 1.000 Mal unterhaltsamer für uns als der triste Büroalltag.

Als wir in Cheltenham ankamen, waren wir schon ziemlich beschwippst. Da es erst 10.00 Uhr war, hatten wir mit den paar Pennern auf der Straße mehr gemein als mit der normalen Bevölkerung. Leicht beängstigend wirkte lediglich die Tatsache, dass das erste Rennen erst um 14.00 Uhr beginnen würde.

Selbst ein miserabler Rechner wie ich konnte sich denken, dass bis dahin noch vier Stunden Champagnersaufen und Unsinn-Reden vor uns lagen. Es ist eben ein harter Job, aber irgendjemand muss ihn ja machen, nicht wahr? Wir verbrachten die Wartezeit mit Wetten auf alles Mögliche. Wir wetteten sogar auf die Körbchengröße der Dame am kalten Bufett. Ich wurde damit beauftragt, die richtige Antwort zu erfragen, aber die Dame knurrte bloß: „Hau ab!", und so blieb diese Wette leider offen.

Ein anderes wichtiges Thema unserer Unterhaltung, mit der wir uns die Wartezeit bis zum Rennen verkürzten, war die Wettstrategie. Wir analysierten die Körper der Pferde, die Jockeys und die Rennbedingungen. Offensichtlich war der Boden weich genug, wie auch meine Birne gegen Mittag. Meine eigene, ganz persönliche Wettphilosophie stammte von meiner Tante Beryl, die sie mir bereits beigebracht hatte, als ich sechs Jahre alt war. Die Methode ist recht einfach – man setzt auf das Pferd, mit dessen Namen man am ehesten etwas verbindet. Ich erzählte den anderen aber nichts von meiner Strategie, denn ich wollte meinen Wissensvorsprung nicht aufs Spiel setzen. Sonst hätten sie sich denken können, dass (und warum) ich im 3.15-Uhr-Rennen auf „Exotic Dancer" und „Roll-a-joint" setzte ...

Sobald die echten Wetten begannen, sorgten unsere Egos, wie vorauszusehen war, dafür, dass wir in jedem Rennen noch mehr setzten, um sicher zu sein, dass jeder mitbekam, wer unserer Meinung nach der große Renner war. Was mit harmlosen Einsätzen von 40 Pfund begann, steigerte sich bis hin zu 250 Pfund im letzten Rennen. Jeder, auch der kleinste Gewinn, gab Anlass zu Prahlereien, als wäre er eine Bestätigung der analytischen Fähigkeiten des Spielers, Verluste hingegen wurden mit einem Lachen abgetan, denn die Umstehenden sollten merken, dass wir reich genug waren, um uns diesen Verlust leisten zu können.

Wie vorherzusehen war, standen alle meine drei Kompagnons am Ende des Renntages mit 200 bis 400 Pfund in der Kreide, während meine Wenigkeit dank der Strategie meiner klugen Tante einen Gewinn von 200 Pfund einstreichen durfte. Damit bestätigte sich, was ich schon immer geglaubt hatte – dass Wetten, wie das Setzen auf Aktien, reine Glückssache ist, außer man bekommt wirklich einmal eine heiße Insiderinformation – obwohl ich darüber natürlich nichts weiß ...

Auf dem Rückweg schlug der betrunkene Richard uns vor, den Abend im Westend ausklingen zu lassen – idealerweise zuerst in einer schicken Bar, dann in einem Nachtklub. Wir verstanden uns alle recht gut, und obwohl Richard im Grunde ziemlich eingebildet war, war er erträglich gewesen und hatte sogar einen guten Sinn für Humor bewiesen. Ich hatte nichts dagegen, denn mir war klar, je mehr Richard und ich uns aneinander gewöhnten, desto besser würde unsere Geschäftsverbindung werden. Außerdem langweilte ich mich und konnte etwas Abwechslung gebrauchen. Michael und Bertrand jedoch wollten lieber gehen und brachten irgendwelche schwachen Ausreden von wegen Ärger mit der Ehefrau oder so vor. Nach ein paar Kommentaren von wegen, sie seien Pantoffelhelden und ihre Frauen hätten wohl zu Hause die Hosen an und nicht sie, ließen wir zwei sie von dannen ziehen. Richard und ich handelten uns in jener Nacht tatsächlich noch einigen Ärger ein und zumindest ich erschrak ziemlich über das, was wir anstellten.

Nachdem wir in einer entsetzlichen Bar in der Kingly Street in Soho Platz genommen hatten, verschwand Richard plötzlich für eine Minute und kehrte mit seltsam glänzenden Augen zurück. „Probier das mal!", meinte er und drückte mir verstohlen ein Tütchen in die linke Hand. Jetzt war es mir klar … das war es, was er organisiert hatte, als er mit gedämpfter Stimme kurz vor dem Bahnhof von Paddington telefoniert hatte. Ohne groß nachzudenken, stand ich auf und ging zu den Toiletten.

Ob Sie es glauben oder nicht, liebe Leser, in jener Nacht probierte ich zum ersten Mal Kokain. Ich hatte schon so ziemlich alles probiert, was antört, aber aus welchem Grund auch immer – ich hatte noch nie mit dem weißen Pulver zu tun gehabt. Als Student war es mir zu teuer gewesen und in Asien findet man diese Droge kaum. In meinen ersten City-Jahren war es immer das flüssige Teufelszeug gewesen, nicht das pulverförmige, das ich nahm (ja, und den einen oder anderen Joint – aber nur an jedem Wochentag). Diese neue Droge interessierte mich.

Von wegen interessant – es war einfach der pure Wahnsinn! Ungefähr drei Minuten, nachdem ich das mir bald sehr vertraute Ritual, zwei fette Lines auf dem Toilettendeckel zu formen und sie mit einem zusammengerollten Geldschein in die Nase zu ziehen, zum ersten Mal praktizierte, fühlte ich mich so unheimlich stark und euphorisch, dass ich mir am liebsten die Kleider vom Leib gerissen hätte und explodiert wäre. Ich hatte Lust, mich auf meinen Barhocker zu stellen, die Arme auszubreiten und wie Dennis Hopper in „Blue Velvet" zu schreien: „Ich ficke alles, was sich bewegt!" Sobald Richard von seinem eigenen Toilettenbesuch wiederkam, begannen wir ein ungemein intensives Gespräch, das leidenschaftlicher war als jede Unterhaltung, die ich bislang in meinem Leben geführt hatte.

Eigentlich war es gar kein richtiges Gespräch. Es waren zwei durchgeknallte Koksköpfe, die einander selbstverliebte Monologe hielten. Die Verbindung zwischen dem, was ich sagte, und dem, was Richard sagte, war bestenfalls dürftig, weil ich nur darüber sprach, wie toll ich doch sei und er sich an dieser extrem interessanten Diskussion nicht beteiligte, sondern über irgendein anderes, mir ziemlich gleichgültiges Thema laberte – vielleicht darüber, wie toll er sei. Ich wartete so geduldig, wie ich nur konnte, um ihn ausreden zu lassen, denn er war schließlich mein Klient, dabei konnte ich es kaum mehr erwarten, ihm meine wichtige Botschaft mitzuteilen, die da lautete: Ich bin ein einmalig tolles Individuum, zugedröhnt wie ein Berglöwe, sehe supergut aus und habe viele Frauen. Es war eine einfache Botschaft – warum brachte er es nicht fertig, zustimmend zu nicken und mich detaillierter ausführen zu lassen, warum ich so intelligent war und so reich und so ... all das eben, worüber ich mich auslassen wollte!?

Den Rest dieser Nacht verbrachten wir beide damit, regelmäßig die Toilette aufzusuchen und unsere spannende Debatte darüber fortzusetzen, wer von uns beiden wirklich der großartigste Mensch war, der jemals seinen Fuß auf diesen Planeten gesetzt hatte. Obwohl er mein Klient war, hielt ich mit meinen besten Argumenten tapfer dagegen und hätte noch bis Sonntag so weitergemacht. Aber irgendwann ging uns der weiße Stoff aus und ich wurde wieder klarer und vernünftiger. Richard war ein wichtiger Kunde und ich musste, wie man so sagt, alles für ihn tun, was ich nur tun konnte. Schließlich erlaubte Richard mir, nach Hause zu gehen, aber erst nachdem ich ihm zugestimmt hatte, dass er der Sohn Gottes war, wenn nicht noch ein bisschen mehr als das.

Charlie (auch genannt Nasenputzer, Koks, Schnee, Blow und was weiß ich noch alles) war seit Mitte der 80er-Jahre in der City zu Hause. In den guten alten Zeiten war Koksen das Privileg einiger weniger, meist der Broker. Man hat mir mal von einem Memo erzählt, das in den späten 80ern in einer bestimmten Investmentbank an alle Mitarbeiter gegangen sein soll und in dem angeblich stand, die Trader sollten gefälligst die Toiletten, nicht ihre Schreibtische, benutzen, wenn sie schon meinten, sie müssten Koks schnupfen. Ob das nun stimmt oder nicht, kann man bezweifeln, aber was ganz sicher zutrifft, ist, dass London seit den späten 90er-Jahren mit Kokain geradezu überschwemmt wurde. Deshalb stimmte Robin Williams' berühmter Ausspruch „Kokain ist ein Hinweis Gottes, dass du zu viel Geld verdienst" schon nicht mehr, als ich in die City kam. Im frühen 21. Jahrhundert war es dank des raschen Kokain-Preisverfalls so, dass einen nicht mehr nur der Verkaufsleiter zu einer Nase einlud, sondern bald jeder x-beliebige junge Kollege. Viele Presseartikel behaupteten, jeder Broker in der Stadt habe einen zusammengerollten

Fünfziger in der Nase stecken. Das stimmt aber so nicht mehr. Ich denke, Außenseiter wären erstaunt, wenn sie wüssten, wie sauber Cityboys sind. Das liegt nicht an besserer Einsicht, sondern hauptsächlich daran, dass strengere Regeln und zufällig stattfindende Drogentests (auch wenn Letztere auf dieser Seite des großen Teichs wohl eher Legende sind), einen ganz schön abschrecken können, wenn man weiterhin eine halbe Million im Jahr verdienen möchte. Aber trotz dieses allgemeinen Trends gibt es natürlich immer noch einen harten Kern, der Millionen verdient und es irgendwie schafft, an einer Entlassung vorbeizuschrammen, obwohl die Leute koksen wie Pete Doherty bei einer Bogotà-Houseparty. Man munkelt, es gebe ein florierendes Geschäft mit sauberen Urinproben für den Fall, dass die Jungs von der internen Kontrolle vorbeischauen.

Aber abgesehen vom Risiko, den Job zu verlieren, ist Koksen in der City sowieso keine so gute Idee. Ich kenne wenige Jobs auf der Welt, die gesundheitsschädlicher sind als die Arbeit an der Börse (außer, man ist Sexpartner des Pornodarstellers Ron Jeremy). Das Leben eines Börsenmaklers besteht in der Regel aus Stress, Alkohol, Schlafentzug und zu reichhaltigem Essen, und das ist der Grund dafür, dass viele von uns schon ausgebrannt sind, bevor sie 40 Jahre alt sind. Wenn man bei diesem schädlichen Mix noch Kokain nimmt, stellt einem das eigene Ego Schecks aus, die der eigene Körper nicht mehr lange einlösen kann. Leider wusste ich das damals noch nicht. Ich fing an, ziemlich regelmäßig zu koksen, und war bald bei einem Suchtstadium angelangt, das selbst ein Keith Richards als exzessiv bezeichnet hätte. Aber jetzt greife ich schon weit voraus – um auf diese erste Koksnacht zurückzukommen: Sie war der Beginn einer gar nicht schönen Freundschaft zur schädlichsten aller Drogen. Im Laufe der nächsten Monate wurde aus dieser Freundschaft eine feste Beziehung, aber selbst Ende 2001 war die weiße Lady nur ein gelegentlicher Gast bei mir. Erst im Jahr 2002 wurde unsere Beziehung ernsthafter und 2003 wurde sie dann meine feste Freundin. An einem kalten Wintertag im Jahr 2004 nahm ich all meinen Mut zusammen, ging auf die Knie, nahm eine ordentliche Prise und hielt um die Hand von Madame Cocaine an. Natürlich sagte sie Ja – denn sie liebte mich ebenfalls.

Alles lief hervorragend mit mir und Richard. Ich verhalf ihm zu einer Menge Geld, und das ist unter Cityboys immer die wichtigste Voraussetzung für gegenseitige Zuneigung. Bei uns Cityboys geht Liebe nicht durch den Magen (obwohl ein paar Essen in sternengekrönten Restaurants auch das Ihre dazu tun können), es muss schon der direkte Weg zum Geldbeutel sein. Deswegen gewann ich im September 2000, als er seine Thames-Water-Aktien mit 40 Prozent Gewinn abstoßen konnte, endgültig seine Zuneigung. Als er die erfreuliche Nachricht hörte, rief er mich gleich von seiner Mittelmeerjacht aus an und gratulierte mir mit einem so breiten Grinsen auf seinem Gesicht, dass ich es fast durch den Hörer hindurch sehen konnte. Und er hatte recht! Denn die Prämie, die der deutsche Gigant RWE für Thames bezahlte, bedeutete noch einmal extra 100.000 Pfund Bonus für Richard. Die 10.000 Pfund extra, die ich dafür zusätzlich zu meinen 2.000 erhielt, waren auch nicht zu verachten – zumal das Ganze sowieso Michaels Idee gewesen war.

Richard wurde bald mein wichtigster Kunde, den ich jeden Morgen anrief. Es dauerte nur wenige Monate und er zahlte der Scheißebank mehr Provisionen für Handelsgeschäfte mit Versorger-Aktien als die nächsten drei Klienten zusammen. Ich ließ ihn weiterhin in dem Gefühl, er sei einer meiner besten Freunde, und wir gingen regelmäßig zu unseren Koksabenden in schmierige City-Bars und zogen Lines, als kämen sie bald aus der Mode (was sie selbstverständlich nicht tun werden). Er und ich wurden zu Komplizen. Unser Band wurde noch stärker durch das Wissen, dass jeder von uns den anderen jederzeit hochgehen lassen konnte, falls dieser Drogenmissbrauch bekannt würde.

Der einzige Dämpfer für unsere ansonsten blühende Geschäftsbeziehung war, dass Richard einer der vielen Kunden war, die ich bequatscht hatte, Aktien eines kleinen Unternehmens namens Scottishpower zu kaufen. Bis Ende 2000 eines ihrer Kraftwerke in Utah explodierte ... und den Rest der Story kennt der geneigte Leser ja bereits. Zum Glück verziehen Richard und die übrigen Klienten mir meinen Tipp. Schließlich war dieses bedauerliche Ereignis nicht vorherzusehen. Man musste davon ausgehen, dass die Leute von Kraftwerktechnik Ahnung haben. Sogar mein Boss und mein Trader Gary brachten schließlich Verständnis dafür auf, obwohl ich meiner Bank damit 1,2 Millionen Pfund Verluste bescherte, denn die meisten meiner sonstigen Empfehlungen trafen ein. Meine Besprechung mit dem Boss am Tag, als es passierte, lief ebenfalls glimpflich ab, auch wenn er klarstellte, ein weiterer Fehler in dieser Größenordnung könne durchaus hinderlich für meine Karriereaussichten sein. Ich schaffte es auch, den meisten meiner Kollegen weiszumachen, dass ich von Kindesbeinen an unter Nasenbluten leide und es durch Stress verursacht werde. Die meisten Leute kauften mir diesen Unsinn ab, aber ein paar Witzbolde vom Händlerparkett bestanden darauf, mir den Rest meiner Zeit in der Scheißebank den Spitznamen „Charlie Chang" zu geben.

Richard und meine übrigen Kunden waren sogar noch schneller bereit, mir zu vergeben, als Powergen im April 2001 ankündigte, sie würden vom gierigen deutschen Stromgiganten E.on aufgekauft und es würde wiederum eine stattliche Prämie auf jede Aktie geben. Keine drei Minuten, nachdem diese Nachricht auf meinem Reuters-Nachrichtenschirm aufgetaucht war, rief Richard mich an und brüllte so laut, dass ich meinen Kopfhörer von mir weghalten musste, was er doch für ein Genie sei. Es war ein Zeichen für seine stetig wachsende Arroganz, dass er längst vergessen hatte, dass es Michaels Idee gewesen war, in Powergen zu investieren. Das ist etwas, was mir bei vielen meiner Klienten aufgefallen ist. Wenn sie das tun, was man ihnen geraten hat, und sie Erfolg damit haben, dann behaupten sie, es sei von vornherein ihre eigene Idee gewesen. Aber wenn dein Rat etwa so erfolgreich war wie die Sinclair C5, darfst du nicht vergessen, dass es ja sowieso nur deine eigene Idee war. Wie John F. Kennedy einmal sagte: „Der Sieg hat 1.000 Väter, aber die Niederlage ist ein Waisenkind."

Richard entschied, wir sollten seinen fantastischen Sieg mit einer großen Sause feiern – auf Kosten der lieben Tante Scheißebank. Da er meiner Bank ständig Geld in den Rachen warf, wie ein übermütiger Lottogewinner einer Striptease-Tänzerin, hatte ich keine Probleme, Spesen im Wert von 800 Pfund genehmigt zu bekommen. Interessanterweise spielte die Tatsache, dass er 800 Pfund schon in nur zwei Stunden verdiente, für ihn „keine Rolex", er wollte nie auf eigene Rechnung feiern. Ich nehme an, das ist das Geheimnis der Reichen, reich zu werden und reich zu bleiben – sie rechtfertigen ihren Geiz mit dem alten Klischee von wegen „auf jeden Pfennig achten, dann kommt das große Geld von allein."

Wir leben in einer kranken und verrückten Welt, daran besteht kein Zweifel. Und in einer sehr teuren, zumal dann, wenn man in London wohnt. Das viele Geld, das ich zusammen mit Richard an jenem Tag im Mai 2001 ausgeben musste, machte mir wieder klar, wie teuer London inzwischen war, und ich fragte mich wieder einmal, wie zum Teufel Normalverdiener sich noch einen Abend in dieser Stadt leisten konnten, ohne alten Damen die Handtasche zu klauen oder mit irgendeinem Stoff zu dealen.

Wir begannen den Abend in einem berühmten, vornehmen Privatklub in Mayfair (wo Richard durch seine Familie Mitglied war). Umgeben von reichen Arabern, schrecklichen City-Typen, ein paar Idioten vom Kontinent, ein paar schrulligen Adeligen und alten Osteuropäern, waren wir im Nu mittendrin in Cocktails und dummem Geschwätz – inzwischen längst ein altbewährtes Rezept für mich. Es war sehr, sehr schade, dass wir Carol Vorderman[21] nicht eingeladen hatten, denn die Rechnung wurde bald schwindelerregend hoch und ziemlich unübersichtlich. Wir konsumierten jeder etwa fünf Champagner-cocktails unterschiedlicher Art und rauchten dazu zwei feine „Romeo y Julieta"-Zigarren (die, angesichts ihres Stückpreises von 70 Pfund, entweder auf den nackten Schenkeln von Jungfrauen gerollt oder schlichter Nepp waren). Wir waren also jetzt schon bei ungefähr 320 Pfund, Trinkgeld eingerechnet, und dabei hatte der Abend doch eben erst begonnen ...

Anschließend gingen wir im „Petrus" essen. Wir sprachen darüber, wie groß-artig, gut bestückt, reich und sexuell attraktiv wir alle waren und häuften so ganz nebenbei eine Rechnung von über 500 Pfund an für ein Essen, das aus-gezeichnet, aber auch nicht besser als das von Muttern schmeckte. Zugege-ben, den Löwenanteil davon gaben wir für Weine aus, denn ich hatte den kin-dischen Fehler begangen, Richard zu erlauben, die Getränke auszuwählen. Es hätte allerdings noch weit schlimmer kommen können – die teuerste Flasche auf der Speisekarte kostete nämlich, wie ich feststellte, 30.000 Pfund, ein Betrag, mit dem man ein ganzes Dorf in Afrika fünf Jahre lang ernähren konnte. Das sündhaft teure Essen war für uns beide sowieso zu schade, denn wir schlangen es so schnell wir konnten hinunter, um möglichst rasch zum Nachtisch zu kommen, den ich, sorgfältig in zwei Päckchen eingehüllt, in mei-ner Brieftasche trug.

Nachdem ich die Rechnung beglichen hatte, erklärte ich, „die Bank ist hier-mit geschlossen", denn ich hatte die vereinbarten Spesen von 800 Pfund bereits leicht überschritten. Natürlich war Richard, nach ein paar Lines in der Toilette wieder munter geworden, damit keineswegs einverstanden. Ausnahmsweise, aber nur dieses eine Mal, zeigte er sich großzügig und meinte: „Na gut, wir feiern noch ein bisschen weiter – dann zahle ich eben ab jetzt!" Wir marschierten aus dem „Petrus" heraus wie zwei Zinnsoldaten auf dem Weg in den Krieg.

Die lange Schlange vor dem „Chinawhite" verhieß nichts Gutes für zwei Herren ohne Begleitung, aber Richard marschierte einfach nach vorn und fragte den Rausschmeißer des Nachtklubs, wie viel ein Tisch koste. Die Ant-wort „500 Pfund" hätte meine eben erst gegessene Gänseleberpastete beina-he wieder in hohem Bogen herausbefördert, aber meinen Kameraden juckte das nicht. Er zückte seine edle Brieftasche und gab dem Rausschmeißer zehn nagelneue Fünfziger plus einen extra als „Talisman". Wir hatten kaum

21) Englische Moderatorin einer TV-Spielshow, bekannt für ihre Fähigkeiten im Kopfrechnen (Anm. d. Übers.).

Platz genommen, zwei Flaschen Wodka vor uns, da fanden wir uns gleich von einem Schwarm junger Frauen hauptsächlich osteuropäischer Herkunft umgeben. Sie mögen mich einen Zyniker nennen, aber irgendwie kann ich nicht ganz glauben, dass es unsere Unterhaltung war, die sie so prickelnd fanden. Vielleicht erzähle ich besser nicht, wie die Nacht weiterging, um unschuldige Menschen zu schützen ... und Richard und mich auch. Jedenfalls schätze ich, dass unsere Nacht, Koks und Taxis inbegriffen, alles in allem mindestens 1.600 Pfund gekostet hat, und das war nicht der letzte Abend dieser Art – es wurde immer teurer, je weiter wir das erste Jahrzehnt des 21. Jahrhunderts miteinander durchschritten. Der stete, nie versiegende Geldzufluss durch russische Oligarchen, reiche arabische Ölscheichs und immer wohlhabendere Cityboys bewirkte, kombiniert mit dem Börsen-Boom, dass selbst ein normaler, „harmloser" Abend mit ein paar Geschäftsfreunden oft mehrere Hundert Pfund kostete. Ab 2004 war es mir ein vollkommenes Rätsel, wie es Lieschen Müller gelang, in dieser Stadt zu leben, wo ich ständig Geld verpulverte, sobald ich das Haus verließ.

Es war denn auch keine große Überraschung für mich, als eine Analyse des *Economist* im Jahr 2006 ergab, dass London inzwischen die viertteuerste Stadt der Welt war. Nach den teuren Vergnügungen, die ich dort genoss, wunderte es mich eher, dass es irgendwo auf der Welt noch teurer sein konnte (vor allem, dass die teuerste Stadt Oslo sein sollte – Makrelenfischen muss verdammt lukrativ sein). Für mich ist sonnenklar, dass die ständig steigenden Boni in der City ihren Teil dazu beigetragen haben, die Lebenshaltungskosten in London in die Höhe zu treiben, und ich nur noch den Kopf schütteln konnte, wenn ich sah, was manche Dinge hier kosteten. Wenn schon ein erfolgreicher Börsenmakler, wie ich einer war, vieles zu teuer findet, ist das ein Anzeichen dafür, dass die Welt wirklich anfängt durchzudrehen. In der Tat war mein Ekel vor mir selbst nach dieser ersten teuren Nacht mit Richard so groß, dass ich mir ernsthaft überlegte, ob ich nicht lieber in die billigste Hauptstadt der Welt ziehen solle ... Teheran mag seine Nachteile haben, aber so schlimm wie eine Londoner Nacht für 1.600 Pfund kann es dort gar nicht sein.

Es war uns damals nicht bewusst, aber Richard und ich ritten auf einer Welle, die London so viel Geld bescherte, dass man den Eindruck bekam, König Midas wäre in die Stadt gezogen und hätte alles Mögliche mit seinem Finger berührt, um es zu Gold zu machen. Das Jahr 2001 war keineswegs ein besonders ertragreiches Jahr, denn die meisten Börsenkurse fielen weiter bis ins Jahr 2003 hinein, aber es war bereits abzusehen, dass es nach Überstehen dieser relativ mageren Zeiten nur noch aufwärts gehen konnte. Das Problem der Bürger Londons war nur, dass wir Cityboys so wahnsinnig viel Kohle verdienten, dass alle anderen, außer sie waren zufällig russische Oligarchen oder saudi-arabische Scheichs, sich immer ärmer fühlen mussten. Natürlich behaupten viele, dass vom Geld der Reichen letztlich auch die Ärmeren profitieren. Mein Eindruck war und ist jedoch, dass diese Theorie vom Tisch der Reichen, von dem immer auch Brotkrumen auf den Boden der Armen fallen, ungefähr genauso überzeugend ist wie die These einer früheren Freundin von mir, die meinte, ein gemeinsames Bankkonto wäre „eine echte Bereicherung für unsere Beziehung". Im Kleinen mag das ja funktionieren, aber wenn es um große Boni geht, wie sie in der City üblich sind, dann profitieren von dem Schotter höchstens die Ferrari-Händler, schicke Restaurants und Schickimicki-Nachtklubs wie das „Chinawhite" oder das „Boujis". Ansonsten fließt das Geld allenfalls noch in die Hochburgen der Cityboys, wie Fulham und Battersea, und führt dazu, dass die Chancen für Krankenschwestern und Lehrer, sich dort eine Wohnung zu kaufen oder zu mieten, so groß sind wie die Wahrscheinlichkeit, dass Dawn French[22] zum „Hintern des Jahres" gewählt wird.

Eine deutlich spürbare Folge des kürzlichen Booms in der City ist eine auseinander driftende, zutiefst unzufriedene und innerlich gespaltene Gesellschaft. Die vielen Cityboys, die mit ihrem Geld protzen und um sich werfen, erreichen damit nur, dass alle anderen Bürger der Stadt das Gefühl bekommen, sie hätten nur noch Billigjobs, und sich wie Angehörige der Unterschicht benehmen, die sie dann ja auch immer mehr werden. Zwischen 1990 und 2005 stieg der Vermögensanteil des obersten Hundertstels der Bevölkerung in Großbritannien von 17 auf 25 Prozent und dieser Trend hat sich in den letzten drei Jahren bestimmt so fortgesetzt. Die Reichen werden reicher und die Armen im Vergleich zu ihnen immer ärmer. Das war seltsamerweise besonders unter der Regierung von Tony Blair und Gordon Brown der Fall. 18 Jahre Opposition hatten diese beiden „Sozialisten" so abgeschreckt, dass sie nun keineswegs mehr als „traditionelle Labour-Politiker" gelten wollten und jedes Mal, wenn die City und die Unternehmer nach „geschäftsfreundlichem Klima" riefen, eilig umschwenkten und Steuererleichterungen und gesetzliche Bestimmungen einführten, die dafür sorgten, dass die Reichen noch mehr Kapital anhäufen konnten. Diese deutlich spürbare finanzielle

Kluft sorgt für eine derartige Unruhe, dass man davon ausgehen kann, dass große Teile der Gesellschaft zunehmend gewaltbereit werden und Verbrechen zunehmen werden. Wir alle sind bis heute Kinder von Margaret Thatcher und leben in einem Land, in dem es „keine Gesellschaft gibt" – nur einen Haufen Individuen, die miteinander um jeden Bissen streiten. In dieser unglückseligen Welt gilt das Prinzip „fressen oder gefressen werden", und die Alternative vieler Unterdrückter kann nur sein, wie es der Rapper 50 Cent ausdrückte, „entweder reich zu werden oder beim Versuch zu sterben". Man mag mich altmodisch nennen, aber diese Einstellung führt meiner Ansicht nach nicht zu einer zufriedenen und gesunden Gesellschaft.

Ich gebe zu, dieser Prozess wurde beschleunigt durch die abnehmende Bedeutung der Religiosität und die Diskreditierung ihrer Nachfolgebewegung, des sozialistischen Idealismus, durch fehlgeschlagene Versuche in Russland und China im 20. Jahrhundert. Leider füllte der Götze Mammon die Lücken aus und die Lehren von Adam Smith wurden mehr und mehr zum einzigen Evangelium, das heute noch Gehör findet. Ich behaupte nicht, dass egoistische Gier erst von uns Cityboys erfunden wurde, aber wir sind die typischen und sichtbarsten Exponenten dieser „Bewegung" geworden. Wir sind die Missionare des neuen Glaubens ans Geld und unser augenfälliger Konsum nährt Neid und Unzufriedenheit, die notwendig sind, um die Massen zu „bekehren". Kapitalistische Wirtschaftssysteme können nur dann überleben, wenn sie wachsen, und dazu bedarf es vieler unzufriedener Menschen, denn nur die, die verzweifelt nach materiellem Wohlstand suchen, wollen unbedingt das schickere Auto oder den modischeren Anzug haben. Die Werbeindustrie ist unsere Propagandamaschine, die das Evangelium unter die Leute bringt. Sie verkauft uns die Eiscreme, die uns dick und rund macht, und anschließend die Diätpillen, damit wir wieder abnehmen. Der Trick an der Sache ist, die Menschen so unzufrieden wie möglich zu machen, denn nur dann geben sie all ihr Geld dafür aus, wieder glücklicher und attraktiver zu werden. Das Letzte, was wir wollen, ist, dass die Leute rundum zufrieden sind, denn dann behalten sie ihr altes Auto und das ganze System bricht in sich zusammen.

Das Problem ist, dass Geld ganz klar ein falscher Götze ist und dass das einseitige Streben nach Geld die Menschen meist nur unzufriedener macht. Der verzweifelte Versuch, mit den Nachbarn mithalten zu können, macht uns Menschen nur unglücklich, weil es immer jemanden gibt, der mehr hat als wir selbst. Deswegen sind wir reichen Cityboys im Allgemeinen so ein unglücklicher Haufen. Eine Studie von Alden Cass[23] (dem sogenannten Frasier

Crane[24] der Wall Street) hat ergeben, dass amerikanische Aktienhändler überwiegend nicht ihr „unveräußerliches Grundrecht auf Glück", wie es so schön
in der hedonistischsten alle Verfassungen steht, genießen. Im Gegenteil, sie
seien „viermal häufiger wegen Depressionen in klinischer Behandlung als
der Durchschnitt der männlichen Bevölkerung", und „diejenigen, die am
häufigsten unter Depressionen leiden, sind die, die am meisten Geld verdienen". Eine andere Studie, eine Untersuchung an Brokern in Florida, belegt,
dass sie ihren Weltschmerz „durch Sex, Masturbation, Alkohol und Drogen"
zu lindern suchen – was ja mal ganz schön ist, aber nicht der ganze Lebens-
inhalt eines Menschen sein sollte. Dieses Unglücklichsein kommt meines Er-
achtens von der Ellenbogenmentalität der durchschnittlichen Cityboys und
ihrer daraus folgenden „Angst um den eigenen Status", denn es gibt immer
jemanden, der in der Nahrungskette über einem steht und dafür sorgt, dass
man sich, verglichen mit ihm, klein und sinnlos fühlt. Vielleicht sieht man
das anders, wenn man zufällig Bill Gates oder Warren Buffett heißt, aber
wer will schon so ein erbärmlicher Loser sein wie diese beiden?
Die Frage, die sich stellt, ist: Warum haben die Besitzlosen nicht ihren ganzen Mut zusammengenommen, realisiert, dass Eigentum Diebstahl ist und
ein ungerechtes System verändert, das sie dazu verurteilt, als Bürger zwei-
ter Klasse zu leben? Schon die alten Römer haben Brot und Spiele eingeführt, um die Schicht der Plebejer friedlich zu halten, wir heutzutage haben dafür das Fernsehen, Fast Food und Fußball. Wie hat der Radikale William Cobbett[25] schon vor 200 Jahren gesagt? „Es hat keinen Sinn, einen
vollen Bauch zu etwas zu bewegen." Die Radikalisierung des Volkes mit dem
Ziel, ein korruptes System zu verändern, wird noch erschwert durch das
Scheitern von Alternativen wie Stalin und Mao. Außerdem ist die Einigkeit
im Volke, die nötig wäre, um es zum Handeln zu bringen, nicht gegeben,
denn unterschiedliche Rassen- und Religionszugehörigkeit erleichtern es der
Elite, die Bevölkerung auseinanderzudividieren und sie so besser zu beherrschen. Unsere Herren da oben füttern uns erfolgreich mit Propaganda über
Stars und Unterhaltung jeder Art und lenken uns geschickt ab von ungerecht-
fertigten Kriegen und der Ungerechtigkeit unseres sozioökonomischen Systems. Noch schlimmer ist, dass unsere Medien so erfolgreich die Tugenden
der sozialen Marktwirtschaft propagieren, dass die meisten Menschen den

---

23) US-amerikanischer Psychiater, der über das Burnout-Syndrom bei Brokern forscht (Anm. d. Übers.).
24) Titelfigur einer US-Fernsehserie, Psychiater und Radiomoderator (Anm. d. Übers.).
25) Englischer Schriftsteller und Politiker, 1763–1835 (Anm. d. Übers.).

Schwindel blind glauben, obwohl Public Enemy mit dem Lied „Believe the Hype" alles versucht, uns davon abzubringen. Wir leben daher in einer oberflächlichen Scheinwelt, in der fast niemand wirklich glücklich und friedfertig ist. Der schwelende Zorn, der für eine Revolution nötig wäre, ist durchaus vorhanden, aber er wird nicht zur Veränderung des Systems genutzt – stattdessen für Verbrechen und Gewalttaten, die angesichts der Kluft zwischen den Besitzenden und den Besitzlosen unvermeidlich sind.

Ich glaube, mit Bestimmtheit sagen zu können, dass es nicht diese radikalen Gedanken waren, die mich veranlassten, mir einen Spitzen-Porsche zu kaufen. Mein altes Auto, ein 15 Jahre alter Vauxhall Cavalier, ein Geschenk meiner Mutter, war von hämischen Kollegen und Freunden gleichermaßen als „hässliches Monster" bezeichnet worden, und was soll's, dachte ich, der Preis von 75.000 Pfund war ja nur ein Drittel des Bonus, den ich im Januar 2001 für das Jahr 2000 erhielt. Die Wartezeit von einem Monat, die ich absitzen musste, bis ich meine gierigen Finger ans Lenkrad bekam, zeigte mir, dass ich nicht der einzige Cityboy war, dem trotz eines schwierigen Marktes sein Geld hinterhergeworfen wurde. Richard, der inzwischen so etwas wie ein echter Freund für mich geworden war, hatte mich dazu überredet, mir auch einmal ein nettes Spielzeug zu gönnen. Mein neu entwickelter Drang, meinen Kameraden zu zeigen, was für ein toller Hecht ich doch war, verleitete mich auch dazu, mir eine Rolex Submariner im Wert von 3.700 Pfund und einen maßgeschneiderten Ozwald-Boateng-Anzug für 1.900 Pfund zu kaufen. Bis 2001 hatte ich nur den alten, sechs Pfund teuren Second-Hand-Anzug und einen einigermaßen dezenten Anzug von Gieves and Hawkes getragen. Damit sollten die Tage, da ich aussah wie ein junger Warenhausverkäufer, endgültig vorbei sein.

Die Extel-Befragung 2001 ergab, dass das Versorgerteam der Scheißebank auf Rang 4 kam, wobei Michael und ich mit Abstand die meisten Stimmen für unser Team bekommen hatten. Wir waren also zügig auf der Tabelle nach oben geklettert und unsere Konkurrenten begannen allmählich, von uns Notiz zu nehmen. Von nun an konnte ich es mir leisten, bei Betriebsausflügen und Firmenpräsentationen den Kopf hoch zu halten. Natürlich waren die Idioten von der Mighty Yank Bank vom Canary Wharf immer noch die Nummer 1, aber wir holten auf. Zum ersten Mal in den letzten drei Jahren hatten sie als Team etwas weniger Stimmen bekommen als im Vorjahr, aber ihr Anteil am Gesamtstimmenaufkommen war mit 31 Prozent verglichen mit unseren elf Prozent immer noch gewaltig. Trotzdem nahm ich an, Hugo würde das nächste Mal nicht mehr ganz so großspurig sein.

Denkste! Nach einer Firmenpräsentation von Severn Trent über die Aussichten ihres Abfallbeseitigungsgeschäfts nahm mich Hugo beiseite und meinte: „Gratulation zur Extel-Umfrage, mein Lieber. Nur weiter so – wenn ihr euch in dem Tempo weiterentwickelt, seid ihr in ein paar Jahren eine echte Konkurrenz für uns!" Ich erwiderte: „Vergiss es, Hugo. Es dauert nicht mehr lange, dann haben wir euch eingeholt. Ihr habt doch jetzt schon die Hosen gestrichen voll!" Unsere Beziehung war schon lange so schlecht, dass wir uns nicht mehr bemühten, nett zueinander zu sein. „Tut mir leid, altes Haus ... aber was meinst du mit ‚die Hosen voll haben'? Ich fürchte, ich habe keine Ahnung, was das ist – du musst es mir erklären." „Ich weiß, du bist ein bisschen langsam und man muss dir manches einfacher erklären. Also, pass mal auf – wenn du dir deiner Sache so verdammt sicher bist, warum wettest du dann nicht mit mir?" „Schau, Kleiner, bevor du weiter davon träumst, mich eines Tages zu schlagen, wach lieber auf und entschuldige dich ... allerdings, wenn du glaubst, du musst mir von deinem bisschen Geld was abgeben, meinetwegen – das liegt ganz bei dir." „Du Großmaul, ich steck dich in die Tasche. Ich wette einen Riesen mit dir, dass mein Team dein Team innerhalb von ... sagen wir mal, drei Jahren schlägt."

Ich musste mit dem Zeitrahmen realistisch sein, denn sie waren immer noch höllisch weit von uns weg und unter die ersten Drei zu kommen, würde alles andere als leicht sein.

„Oh, das ist aber mutig! Was soll ich mit einem Tausender? Du musst den Einsatz schon erhöhen, sonst läuft da nichts. Ein kleiner Tausender? Siehst du, das ist der Grund, warum du immer kleine Brötchen backen wirst – weil du zu kleinkariert denkst!" „Ach so, und du hältst dich wohl für was ganz Großes, wie? Wart's ab, du wirst noch ganz großartig ins Gras beißen!", erwiderte ich in Abwandlung eines Al-Pacino-Zitats aus dem Gangsterfilm „Carlito's Way". „Wenn du dir da so sicher bist, kannst du doch ruhig mehr riskieren als 'nen Tausender. Was hältst du von zehn Riesen?" Oh, Scheiße ... damit hatte ich nicht gerechnet. Das Super-Ego war echt raffiniert. Denn damals waren 10.000 Pfund eine Menge Geld für mich und ich konnte ja nicht sicher sein, ob ich binnen drei Jahren ein Team überholen würde, das seit etlichen Jahren die Liste anführte. Es gab nur eine mögliche Antwort auf diesen Schwachsinn. „Vergiss die zehn Riesen. Wenn wir wetten, dann richtig. Wetten wir um ... 20 Riesen." Fast hatte ich „50" sagen wollen, aber ich konnte mich gerade noch beherrschen.

„In Ordnung und denk dran – ein Versprechen unter Gentlemen gilt!", sagte er und bot mir die Hand. Ich schlug ein. Ich ging weg, so ruhig ich konnte

... dabei verfluchte ich innerlich mein blödes Ego, das mich gezwungen hatte, diese bescheuerte Wette einzugehen, die wir kaum gewinnen konnten. Was, zum Teufel, hatte ich da angestellt?

Am nächsten Tag rief mich Richard an. Er sagte: „Hör mal (er fing fast jeden Satz so an, dass er einen erst mal um Aufmerksamkeit bat), ich fliege nächstes Wochenende mit ein paar Jungs nach Ibiza zu den Eröffnungsparties. Jemand hat in letzter Minute abgesagt und ich wollte dich fragen, ob du nicht Lust hast mitzukommen. Wir fliegen im Privatjet eines Freundes rüber und haben dort eine tolle Villa angemietet. Es wird auch bestimmt nicht zu teuer – jedenfalls nicht für jemanden wie dich!" Der Vorschlag klang interessant. Mit einem Kunden zusammen Urlaub zu machen, das war bestimmt die Krönung der Kundenbindung. Es war gut für die Provisionen und gut für Richards Stimme bei den wichtigen Umfragen. Was noch wichtiger war – ich hatte seit Goa nicht mehr so richtig gefeiert und musste mal wieder die Sau rauslassen. Ähnlich wie Glastonbury und Goa würde es mir einfach guttun, mal abzuschalten, und ich würde danach wieder frisch gestärkt an den Schreibtisch zurückkehren, um Hugo zu schlagen. Das waren meine Ausreden für ein ausgeflipptes Drogen-Wochenende.

Die Gulfstream 200 landete am Samstag um 11.00 Uhr auf Ibiza. Die Maschine mit neun Sitzen war umgebaut worden und wir saßen luxuriös auf breiten, cremefarbenen Sesseln um einen Tisch herum. Während des Fluges unterhielten wir uns mit Champagner, Koks und Kartenspielen und mir gingen ganz schön die Augen auf. Bis dahin hatte ich nämlich gedacht, solche Leute wie Richards Freunde gäbe es nur im Fernsehen auf Channel 4. Ich verbrachte fast drei Stunden in einem Flugzeug zusammen mit den größten (aber reichsten) Säufern diesseits von Kathmandu, und schon als wir landeten, bedauerte ich, dass ich mitgekommen war. Verglichen mit François, Brad und Dimitri wirkte der gute Richard wie Mutter Teresa, so groß war ihre Arroganz und ihre grenzenlose Verachtung für alle Menschen, die nicht zu ihrem erlauchten Kreis gehörten. So nahmen sie den Piloten, der uns flog, kaum zur Kenntnis, weil er in ihren Augen nur ein Lakai war, der dafür bezahlt wurde, seine Pflicht zu tun, und sie quittierten seine gelegentlichen Versuche, über Lautsprecher eine witzige Bemerkung zu machen, mit kritischen Blicken, als könnten sie es nicht fassen, dass jemand es wagte, ihre so wichtige Unterhaltung zu unterbrechen. Die Unterhaltung selbst war nichts anderes als die übliche Angeberei und wurde nur unterbrochen, um von Zeit zu Zeit eine dicke Line Koks zu ziehen. Meine Wochenendgefährten waren Dummköpfe der schlimmsten Sorte.

Als wir Ibiza erreichten, war ich total zugedröhnt und zittrig, und die Tatsache, dass ich schon jetzt 700 Pfund beim Pokern verloren hatte, trug nicht eben zu meiner Erleichterung bei. Zu Beginn unserer Flugreise hatte ich noch ab und zu etwas gesagt, aber inzwischen saß ich nur noch stumm da, tat so, als würde ich konzentriert aus dem Fenster sehen, und fragte mich, ob ich wohl überleben würde, wenn ich jetzt den Notausgang öffnete und in die unter mir liegende See spränge. Nachdem Brad zum fünften Mal etwas über seinen tollen Ferrari erzählt hatte und François sich zum fünften Mal beklagt hatte, sein „4-Millionen-Euro-Appartement in Monaco" sei zu teuer gewesen, war es mir wurscht, ob ich da draußen überlebte oder nicht.

Meine netten Freizeitgefährten hatten schon zwei Sekunden nach unserem ersten Kennenlernen am Flughafen herausgekriegt, was ich für einer war. Meine relativ durchschnittliche Garderobe, meine kleine Rolex und mein ganzes Benehmen wiesen mich in ihren Augen als Pseudo-Reichen, als Möchtegern aus. Diese Jungs waren schwerreich und alles, von ihren Louis-Vuitton-Reisekoffern bis hin zu ihren exklusiven Frisuren, stank nach Geld. Ich schätze, dass allein die Tatsache, dass sie ihr schönes Flugzeug mit jemandem teilen mussten, der deutlich unter zehn Millionen Pfund besaß, unter ihrer Würde war. Meine hochkarätigen Reisegefährten hätte man sich nicht besser ausdenken können. Dimitri war ein gut aussehendes, sonnengebräuntes, etwas kurz geratenes Ebenbild von Adonis und er war der Einzige von uns, der jünger war als ich. Ich habe niemals herausfinden können, was er beruflich machte. Alles, was wichtig war, war, dass sein Vater ein griechischer Schiffsmagnat war, der ungefähr eine Milliarde besaß. Dimitris Lieblingsbeschäftigungen waren, dem Vernehmen nach, Rauchen und Herumhuren, Rauchen und Herumhuren. Seine strapazierten Lungen quietschten, wenn er atmete, dabei war er erst 25. Sein Toast, den er ausbrachte, als wir im Flugzeug unser erstes Glas Champagner tranken, ließ interessante Einblicke in seine Lebenssicht zu. Er rief: „Auf schnelle Autos, billige Huren und die Steuerfreiheit!"

François war groß, sonnengebräunt und fast so gut aussehend, wie er es sich einbildete. Soweit ich es verstand, gehörte seiner Familie halb Belgien, aber das hatte ihn nicht davon abhalten können, selbst ein erfolgreicher Hedgefondsmanager zu werden. Sein Fonds widmete sich nur Aktien-Leerverkäufen (nicht alle Hedgefonds huldigen einem marktneutralen Ansatz), daher kamen ihm die seinerzeitigen Turbulenzen am Börsenmarkt sehr zupass. Als ich ein bisschen mehr über seinen abstoßenden Charakter herausfand, wunderte es mich nicht mehr, dass die Höhe seines Gehaltes eng mit dem finanziellen Leid von

153

Rentnern verknüpft war, deren Geldanlagen durch den Einbruch der Märkte dezimiert wurden. François war einer von mehreren Idioten, die ich im Laufe meiner City-Karriere kennenlernte, die in eine schwerreiche Familie hineingeboren wurden, aber nichtsdestotrotz den seltsamen Drang verspüren, das reichlich vorhandene Familienvermögen noch zu vergrößern. Die menschliche Gier kennt eben keine Grenzen und privilegierte City-Gestalten wie er scheinen unersättlich zu sein. Ich wunderte mich immer, warum sie nicht einfach in ihren herrlichen Landgütern sitzen und sich ein nettes kleines Hobby zulegen konnten, um anderen ein bisschen was von ihrem Geld abzugeben. François war wahrscheinlich der reichste der drei und überrundete seine Kameraden auch, was seine Arroganz anging – schließlich war er Halbfranzose. Vor 2.000 Jahren ließen römische Kaiser an Feiertagen einen Sklaven neben sich herlaufen, der ihnen ins Ohr flüsterte: „Bedenke, du bist sterblich", um nicht zu sehr abzuheben. Für den Fall, dass ein italienischer Nachfahre eines dieser Sklaven Lust haben sollte, diese gute alte Tradition fortzuführen, wüsste ich einen guten potenziellen Arbeitgeber für ihn. Allerdings fürchte ich, man braucht mehr als ein paar flüchtige Bemerkungen dieser Art, damit dieser François jemals wieder Boden unter die Füße bekommt.

Der Dritte im Bunde, Brad, war der Star der Runde, überlebensgroß. Laut, aufdringlich und widerlich, wie er war, erfüllte er alle Klischees eines amerikanischen Finanzmagnaten. Mit seinen 31 Jahren war er der Älteste unter uns, er war Partner eines extrem erfolgreichen Private-Equity-Fonds. Er war ein großer Blonder mit Bodybuilding-Figur und einem erstaunlichen, fast beneidenswerten Mangel an Selbstkritik. Seltsamerweise nannten ihn die anderen oft Patrick. Sie taten dies, wie ich später herausfand, in Anspielung auf ihr gemeinsames Idol Patrick Bateman, den Protagonisten des Buches „American Psycho" von Bret Easton Ellis. Es schien ihnen nichts auszumachen, dass ihr Held ein Serienkiller war, der ziemlich unappetitliche Dinge mit Ratten anstellte, die meines Wissens in keinem Handbuch der Tierpflege stehen. Wenn er auf Droge war (und das war er, ehrlich gesagt, fast immer, wenn ich ihn auf Ibiza sah), flüchtete sich Brad gern in sein Alter Ego, als würde es ihm erlauben, sich wie ein Tier und nicht mehr wie ein Mensch zu benehmen. Immer wenn ihn während unseres höllischen Urlaubs jemand fragte, womit er sich beruflich beschäftige, sagte er grinsend „Morde und Exekution" anstatt „Merger and Acquisition". Danach kam das unvermeidliche Abklatschen mit einem von uns vieren, einmal auch mit mir – ich schäme mich, zu sagen, aber es ist so.

Das Einzige, was diese drei Bengel gemein hatten, war – außer ihren unkontrollierbaren Egos – ihr unermesslicher Reichtum. Sie hatten tonnenweise Zaster und gaben ihn mit vollen Händen aus. Schon nach zehn Minuten in diesem Flugzeug war mir klar, dass dies das teuerste Wochenende werden würde, dass ich jemals erleben durfte (oder besser erleiden musste). Unter meinen alten Schulkameraden galt ich als Krösus, als Spitzenreiter der Bundesliga, aber neben diesen Typen war ich nicht mal zweite Liga – nicht mal Kreisklasse.

Mein niedriger Status wurde mir noch bestätigt, als ich während des Fluges vergeblich versuchte, mich bei meinen Reisekameraden beliebt zu machen, indem ich klagte, das Finanzamt nehme mir 40 Prozent meines Verdienstes wieder ab. Meine drei Kumpanen sahen mich an, als wäre ich ein Wesen von einem anderen Stern. „Wie bitte, du zahlst noch Steuern?", fragte François ungläubig. „Steuern sind doch nur was für kleine Leute", ergänzte Dimitri und zitierte damit, ohne es zu wissen, die New Yorker Hotelunternehmerin und Milliardärin Leona Helmsley, die, was mich freut, schließlich doch noch der Steuerfahndung in die Hände geriet. Wie sich herausstellte, hatten alle drei Herren clevere Steuerberater, die dafür sorgten, dass das gute alte, trottelige Finanzamt höchstens 10 bis 15 Prozent ihres Gehalts bekam. Sie wendeten jeden Trick an, den es nur gab, von der nationalen Filmförderung über Investitionen in erneuerbare Energien in Italien bis hin zu Offshore-Bankkonten auf den Cayman-Inseln und sonstwo auf der Welt, um möglichst wenig Steuern zahlen zu müssen. Für Brad war es sogar noch einfacher, denn mit seinem Private-Equity-Fonds nutzte er ein Steuerschlupfloch, das zum Ziel hatte, Neugründungen von Unternehmen zu erleichtern. Dieser gezielte Missbrauch eines gut gemeinten finanzpolitischen Anreizes war besonders abgeschmackt und machte erst im Jahr 2007 Schlagzeilen, als Gewerkschaften darauf hinwiesen, dass selbst die Reinigungskräfte bestimmter Firmen, die Private-Equity-Finanziers gehörten, ihre Gehälter zu einem höheren Prozentsatz versteuern mussten als ihre schwerreichen Arbeitgeber. Brad, François und Dimitri waren ganz klar der Meinung, ihr Geld für Kokain und schnelle Autos auszugeben, sei sinnvoller, als es für so doofe Sachen wie Krankenhäuser, Schulen und Arbeitslose zu vergeuden. Ich dankte ihnen überschwänglich, als sie mir die Telefonnummer eines Steuerberaters gaben, der für sie alle arbeitete, und hielt es für am besten, kein Wort zu verlieren über die moralische Verpflichtung, die die Reichen haben sollten, nämlich, sich um diejenigen zu kümmern, denen es nicht so gut geht. Die wirklich Reichen sind, wie F. Scott Fitzgerald in „Der große Gatsby" feststellt, tatsächlich „anders". Der Mann hat recht … die meisten von ihnen sind skrupellose Säcke, die reich geworden und geblieben sind, weil sie es verstehen, anderen das Fell über die Ohren zu ziehen und nur an sich selbst zu denken.

Was mich – abgesehen vom unermesslichen Reichtum meiner Reisegefährten – während des Fluges am meisten schockierte, war ihre Einstellung zu Frauen. Sie hatten ihre Ehefrauen und Freundinnen zu Hause zurückgelassen und wollten das verlängerte Männer-Wochenende nutzen, um sich einiges von der Seele zu reden. Ich denke, keine Faser meines Körpers ist sexistisch (außer vielleicht dem einen Teil), und ich war entsetzt über die tiefe Frauenverachtung und Degradierung zu Lustobjekten, die aus dieser Männerrunde sprach. Ich traute mich nicht, den Mund aufzumachen und gegen ihre empörenden Kommentare zu protestieren, aber ich muss zu meiner Verteidigung sagen, hätte ich es getan, hätte ich mir schneller Feinde gemacht als Toby Young[26] in New York. Das ist das Hinterhältige an diesen blöden frauenfeindlichen Reden, die Männer unter sich oft führen – wer es wagt, dagegen zu protestieren, wird sofort als humorloser Gutmensch abgestempelt, der sowieso nicht die Bohne von Sex versteht, und wer das nicht riskieren will, ist zum Schweigen verdammt. Also musste ich stumm mit anhören, wie Brad prahlte, seine Frau könne „das Chrom von einer Radkappe saugen", seine Freundin jedoch „einen Golfball durch einen Gartenschlauch hindurch saugen". Dimitri stand dem in nichts nach. Er erzählte von einer Frau mit einer Scheide „tief wie der Ärmel eines Zaubermantels", und selbst mit seinem riesigen Ding habe es sich angefühlt, als wedele er mit seinem Schwanz in der Albert Hall herum. Ich saß daneben wie ein zugekokster Spion, der versucht, sich beim Feind einzuschmeicheln, und versuchte, meinerseits einen Schwank aus meinem Leben zum Besten zu geben. Leider ging meine Geschichte über mein Rendez-vous mit einer Rothaarigen, eine Bestätigung des alten Klischees „rostiges Dach, stinkende Garage", gründlich daneben. Diese Arschlöcher waren nicht mal höflich genug zu lachen. Ich beschloss, bis zur Landung die Klappe zu halten.

Am Flughafen von Ibiza wurden wir von einer Stretch-Limousine abgeholt, der Fahrer war ein sonnengebräunter, tätowierter Liverpooler namens Danny. Ich kapierte bald, dass Danny sich als diskreter Begleiter für stinkreiche Feiernde anheuern ließ. Wie eine Art moderner Fremdenführer zeigte er uns die Sehenswürdigkeiten und sorgte dafür, dass alles „glattlief". Anstatt einen Sonnenschirm über uns aufzuhalten und uns langweilige Vorträge über irgendeine alte Ruine zu halten, hielt er eine Schüssel mit Koks für

26) Journalist, der über New York das Enthüllungsbuch „High Snobiety" geschrieben hat (Anm. d. Übers.).

uns bereit und versorgte uns mit VIP-Karten für alle großen Nachtklubs der Insel. François hatte seine Dienste wohl schon des Öfteren in Anspruch genommen, denn sie begrüßten einander wie alte Freunde. Die Tatsache, dass meine Begleiter ihn mit Respekt behandelten, was sie sonst ja nicht taten, ließ mich vermuten, dass er etwas mit Leuten zu tun hatte, die „Geschäfte machen" – wahrscheinlich illegale, üble Geschäfte. Entweder das oder mein paranoides, vom Schnee vernebeltes Gehirn zählte zwei und zwei zusammen und bekam fünf heraus.

Ich hätte schwören können, ich hätte in der engen Toilette des Flugzeugs meine neuen Kameraden flüstern gehört, sie wollten mir etwas in den Drink kippen, aber ich war nicht mehr in der Lage, alles richtig zu interpretieren. Vielleicht war ich auch zu misstrauisch, wer weiß das schon, aber manchmal hat man ja Grund zu seinem Verfolgungswahn. Der misstrauische Blick, den ich nach der Rückkehr von der Toilette auf mein Champagnerglas warf, amüsierte meine netten Reisegefährten jedenfalls sichtlich.

Auf dem Flugplatz machten wir uns miteinander bekannt und gingen auf die langgezogene Limousine mit getönten Fensterscheiben und Bumerang hinten drauf zu. Nach einer kleinen, theatralischen Pause öffnete Danny die Seitentür und meinte mit breitem Grinsen: „Viel Spaß, meine Herren!"

Im dunklen Wageninneren konnte ich mit Mühe und Not die Silhouetten zweier nackter Frauen erkennen, die still auf der Rückbank saßen. Wie hungrige Löwen, die eine Herde Gazellen erspäht haben, kletterten meine Gefährten in den Wagen, während ich wie ein Trottel draußen stand. Der Anblick dieser nackten Schönheiten und die tiefe, düstere House-Musik, die aus dem Wageninneren kam, wirkten auf mich, als sei ich im Begriff, in die Hölle hinabzusteigen. Mir war das Ganze hier unheimlich und ich musste versuchen, die Kontrolle nicht zu verlieren.

Tausende von Fragen plagten mein bedröhntes Gehirn. Waren diese Frauen Prostituierte? Wollten die Kerle etwa hinten im Auto mit denen Sex haben, in Gegenwart aller anderen? Musste ich dabei womöglich mitmachen? Was war, wenn ich nicht mitmachen wollte? Würde ich dann als Spielverderber gelten? Wenn man bedenkt, was ich schon alles intus hatte, würde ich denn überhaupt noch einen hoch kriegen? Plötzlich wurde mir klar, dass ich durch mein Zögern nur meine Angst preisgab, und das sichtlich zugekokste asiatische Mädel neben der Tür krümmte schon den Zeigefinger, um mich hereinzulocken. Nervös ging ich auf die Limousine zu. Ungeschickt stieg ich ein. Im Dunkeln sah ich meine drei „Kollegen" sitzen, jeder von ihnen hatte eine neue Freundin neben sich. Sie waren gerade damit beschäftigt, sich

Kokain in die Nase zu ziehen, das unsere ach so fürsorglichen Gastgeber schon auf kleinen Spiegeln verteilt für jeden von uns vorbereitet hatte. Wie ein Idiot reichte ich der Dame neben mir die Hand und stotterte, steif wie ein Buchhalter aus den 50er-Jahren: „Äh, hallo ... mein Name ist Steve. Äh ... nett, Sie kennenzulernen." Das donnernde Gelächter, das mein schüchterner Auftritt auslöste, wird mich noch bis ans Totenbett verfolgen. Obwohl es im Wagen sehr dunkel war, konnte ich sehen, wie Richard seine Sonnenbrille aufsetzte, weil ihn mein knallroter Kopf blendete. Immerhin hatte ich mit meiner Ungeschicklichkeit das Eis gebrochen. Meine gleichfalls bedröhnten Kameraden waren wahrscheinlich froh, dass diese für uns alle ungewöhnliche Situation leichter erträglich wurde, nun, da der Dorfdepp sich zu erkennen gegeben hatte. Sie nahmen die Gelegenheit wahr, sich ihren Ladies in derselben gespreizten Art vorzustellen und lachten dabei lauthals los, während ich mich am liebsten in der ledernen Sitzfalte verkrochen hätte.

Als wir nach St. Raphael kamen, wurde ich ein bisschen ruhiger und dachte, so schlecht konnte das alles hier doch gar nicht sein. Sicherlich war ich von lauter Idioten umgeben, aber es war 30 Grad warm und ich war auf Ibiza. Gott sei Dank war es im Auto nicht zu heftig geworden. Es wurde hier und da ein bisschen Silikonbusen gegrapscht und eine Menge Blödsinn geredet, aber das war's auch schon. Ich bilde mir ein, beobachtet zu haben, wie Dimitri unten an einem der Mädchen rumfingerte, aber zum Glück behielten alle die Hosen an, was mir nur recht war, denn ich glaube, ich hätte bei dem Spiel nicht mitmachen können.

Wir fuhren durch ein prächtiges Tor hindurch auf ein großes Grundstück mit gepflegtem Rasen zu. Nach ungefähr 50 Metern ging es um die Ecke und ich sah ein Gebäude, bei dessen Anblick es mir die Sprache verschlug. Es war nicht nur die Pracht der Villa, die mich so beeindruckte. Nein, ich bekam es schlicht und ergreifend mit der Angst zu tun, wenn ich nur daran dachte, was ich hier wohl für fünf Tage Kost und Logis zahlen musste. Ich hatte den Fehler begangen, Richard schon im Flugzeug zu fragen, wie viel der Aufenthalt in der Villa jeden von uns kosten würde, und Dimitri hatte nur spöttisch gemeint: „Stiv, vielleicht kostet es mehr, als du dir leisten kannst, wenn du schon so fragst." Ohne es zu ahnen, hatte er wohl den Nagel auf den Kopf getroffen.

Die Villa lag auf einem Hügel und war drei Stockwerke hoch. Der Blick auf die umgebende Landschaft war wahrlich atemberaubend. Die Vorderseite, nach Süden gelegen, bestand nur aus Balkonen und Fenstern, die in der Mittagssonne glänzten. Vor der Villa befand sich ein schöner, herzförmiger

Swimmingpool, darum herum Liegestühle. Ein Butler stand stocksteif in traditioneller Kleidung in der Eingangstür, ein silbernes Tablett in der Hand. Wenn man den perfekten Ort für unverfälschten Hedonismus suchte – hier war er. Es war eindeutig der optimale Schauplatz für einen Schurken aus einem der James-Bond-Filme, obwohl ich so meine Zweifel habe, ob ein Blofeld sich so eine Location leisten könnte.

Wir und unsere Partyluder stolperten aus dem Wagen heraus und auf Jeeves zu – wie wir ihn nannten, obwohl er eigentlich Juan hieß. Falls dieser Jeeves überrascht war, vier kichernde nackte Mädels zu sehen, zeigte er es jedenfalls nicht. Einige der Girls sprangen gleich in den Pool, während Danny noch dabei war, uns über die Annehmlichkeiten des Hauses aufzuklären: „42-Zoll-Plasma-Bildschirm in jedem Zimmer, Sauna, Dampfbad" und so weiter. Jeder einzelne Punkt, den er aufzählte, klang in meinem Schädel nach wie das Klingeln einer Ladenkasse, und ich versuchte mir vorzustellen, was diese fünf Tage hier mich wohl kosten würden.

Als Danny zu Jeeves kam, demonstrierte er uns, dass er nichts von dem Redeschwall verlernt hatte, den er schon am Flughafen unter Beweis gestellt hatte. Als unser Butler die Haube vom Silbertablett nahm, hielt er einen Monolog, der eines Shakespeare würdig gewesen wäre (wenn auch nicht ganz so tiefsinnig): „Und hier, meine Herren, ist Ihr Nährstoffvorrat für die Woche. Ich habe Ihnen den besten Stoff beschafft, den es auf dieser Insel gibt, und glauben Sie mir, ich kenne mich da aus und weiß, wovon ich rede. Dieses Kokain hier ist eine echte Perle, direkt aus einer herrlichen kolumbianischen Blüte. Es wird wegen seiner prachtvollen Lichtreflexe Perlmutt genannt, und wenn Sie innerhalb von zwei Stunden, nachdem Sie es sich in die Nase gezogen haben, noch irgendeinen Teil ihres Gesichts spüren, bekommen Sie sofort und anstandslos Ihr Geld zurück. Ich habe 20 Gramm davon – für jeden von Ihnen vier. Das Ecstasy, das ich Ihnen besorgt habe, ist so einzigartig, dass es jeden Pepsi-Test bestehen würde – es ist echter Raketentreibstoff. Es wirkt so schnell, dass man es in der Autosendung ‚Top Gear' zeigen könnte, und es macht aus dem alten Jeremy Clarkson[27] einen aufgekratzten 16-jährigen Teenager. Hier sind zwölf Gramm davon. Ich habe außerdem noch 50 Viagra dabei, so als Dreingabe, aber ich würde an Ihrer Stelle beim Besten bleiben. Und die Kosten – der ganze Spaß kostet Sie nur läppische 2.000 Euro!"

27) Das britische Pendant zu Harald Schmidt (Anm. d. Übers.).

Donnerwetter! Ich hatte mich schon für einen erfahrenen Kokser gehalten, aber diese Jungs hier meinten es wirklich ernst. Ich nahm an, das meiste von dem Stoff würde dabei draufgehen, ein paar geile Frauen anzuwerben und mit Tabletten zu versorgen, auf jeden Fall war es eine gewaltige Menge Pharma-Zeug. Ich war alles andere als glücklich, 400 Euro ausspucken zu müssen, bevor wir auch nur einen Bissen gegessen oder irgendetwas besichtigt hatten, aber ich konnte nicht protestieren, sonst hätte ich vor meinen feinen Freunden das Gesicht verloren. Ich griff nach meiner Brieftasche, aber ich ließ sie stecken, als Dimitri Danny eine Rolle mit 40 50-Euro-Scheinen gab und mir sagte, ich solle mich nicht weiter darum kümmern. Ich konnte nur denken: „Es ist kostenlos für die, die es sich leisten können, und unbezahlbar für die, die es nicht können." Trotzdem kam mir diese Menge Drogen viel zu viel vor, zumal Richard gemeint hatte, er wolle am Montag und Dienstag auch noch etwas arbeiten. Ehrlich gesagt – ich hatte in meinem ganzen Leben noch nie so viele bewusstseinsverändernde Substanzen auf einem Haufen gesehen wie hier und dachte nur noch: „Na, hoffentlich überleben wir diesen Trip alle!" Soviel ich sehen konnte, würden wir das Zeug niemals aufbrauchen.

Von wegen – schon am dritten Tag gingen unsere Vorräte zur Neige. Die schiere Bauch und Bewusstsein gleichermaßen strapazierende Orgie eines Wochenendes, an dem wir nichts taten als tanzen, Drogen einwerfen und vögeln, war nicht zu unterschätzen. Ibiza ist eine Insel, gemacht von Lustmolchen für Lustmolche, und was man hier nicht übers Partymachen weiß, ist auch nicht wissenswert. Vielleicht ist Rom die spirituelle Hauptstadt Europas und Paris die Hauptstadt der Kunst, aber ganz ohne Zweifel ist Ibiza die Party-Hauptstadt Europas. Wie ein weiser Mann einst sagte: Wenn es Ibiza nicht gäbe, müsste man es erfinden. Aber es existiert und alle paar Jahre kommt eine neue Generation von europäischen Jugendlichen hier an und entdeckt die Freuden und Leiden nicht enden wollender Parties. Nennen Sie mich ruhig einen Heuchler, aber wenn ich mal Töchter habe, werde ich auf keinen Fall dulden, dass sie nach Ibiza gehen und hier abfeiern. Keine meiner Töchter dürfte hierher kommen und einen, wie ich es war, oder einen meiner zweifelhaften Freunde kennenlernen, es sei denn, sie wären alt und klug genug, um unseren nicht enden wollenden Bullshit zu durchschauen.

Welche Laster meine Kameraden auch hatten – und ehrlich gesagt, zusammengenommen hatten sie alle, die man nur haben kann –, sie wussten auf jeden Fall, wie man Parties feiert. Richard hatte schon früh gesagt: „Schlafen und essen, das kannst du vergessen", und er hielt Wort. Unser treuer Gefährte Danny fuhr uns in jeden Klub und wir brauchten nie Schlange zu stehen, denn das war, wie Dimitri es ausdrückte, „nur was fürs gemeine Volk". Es gab Champagner und Mädels am laufenden Band, kombiniert mit dem guten alten Feiern. Nachdem wir 36 Stunden lang im „Pasha", im „Space" und im „CD10" getanzt hatten, mit gelegentlichen Pausen in der Villa, war ich am Sonntagnachmittag körperlich und geistig ziemlich am Ende. Ungefähr um 16.00 Uhr versuchte ich einen letzten Tanz in der Sonne auf der Terrasse des „Space" – und klappte fast zusammen. Ich schwitzte wie ein Pädophiler in Disneyland und merkte erst, als meine Waden ihren Dienst versagten, dass ich nicht mehr konnte. Man musste mich buchstäblich in Dannys stets bereitstehende Limousine tragen, aber meine Behinderung hatte auch ihr Gutes, denn jetzt erlaubten meine ausdauernderen Kollegen mir heimzufahren. Sobald ich den Kopf auf mein luxuriöses französisches Doppelbett legte, schlief ich 19 Stunden lang, so erschöpft war ich.

Ich wachte erst am späten Montagnachmittag auf. Das erste, was ich hörte, war Richard, der mit seinem Handy auf der Terrasse geschäftliche Anrufe erledigte. Wie er das bloß schaffte, wenn er sich auch nur annähernd so schlecht fühlte wie ich? Ich lag einfach nur da und wagte es nicht, mich zu bewegen, denn ich wusste, dass meine nächtlichen Besucher mich sonst fast sicher quälen würden und dass jede noch so kleine Bewegung eine Folter, die sie sich für mich ausgedacht hatten, auslösen würde. Trotz meines belämmerten Zustands merkte ich, dass der gute Richard nichts Gutes im Schilde führte. Er sagte: „... was ist er? Ein junger Dachs aus dem Corporate Finance Department der Bank, der den Kauf tätigt, sagst du? Haben wir mit dem schon mal gearbeitet? Klingt wie ein Kurier. Wie viel will er? Was??? Der denkt wohl, wir sind aus Gold? Klar, sind wir, aber das braucht der ja nicht zu wissen. Okay, zahl ihm 50 Riesen – in bar – du weißt schon, von welchen Konten. Also, wenn am Freitag Übernahme ist, sollten wir mal langsam in die Puschen kommen. Wir steigen groß ein, aber vorsichtig – kleinere Einheiten, mit mehreren Brokern. Ich möchte, dass wir mindestens für 60 Millionen kaufen – nein, halt, das wirkt zu gierig, das weckt nur Verdacht. Kaufen wir für 40 Millionen. Wenn der Ausstiegspreis um 32 Prozent höher liegt als der derzeitige Preis, bringt uns das ungefähr zwölfeinhalb Riesen ein. Nicht schlecht für drei Tage Arbeit!"

Das war also sein Ding – Insiderhandel. Wenn es eines gibt, was die Leute uns Cityboys wirklich übel nehmen, ist es Insiderhandel. Es regt die normalen Sterblichen auf, dass ein paar Scherzkekse ihre ohnehin mehr als üppigen Gehaltspakete noch aufzubessern versuchen, indem sie illegal Informationen verhökern, die nur sie haben können. Es bestätigt auch den durchaus zutreffenden Verdacht, dass die ganze City eine einzige Vetternwirtschaft ist, mit dem einzigen Ziel, ihren Mitgliedern so schnell wie möglich so viel Geld wie möglich zu verschaffen. Ich nahm an, Richards „günstige Gelegenheit" würde ihm persönlich mindestens eine halbe Million Pfund netto einbringen. Cityboys geben einander oft nützliche Tipps, in welche Aktien es sich gerade lohnt zu investieren. Aber dies war das erste Mal, dass ich tatsächlich Ohrenzeuge des Verbrechens Insiderhandel wurde, obwohl ich schon seit Langem wusste, dass es in der City grassierte. Ich war nicht der Einzige, der das merkte. Im Juli 2007 sagte John Tiner, der ausscheidende Chef der Börsenaufsicht, in einem großen Interview in der *Financial Times*, Insiderhandel grassiere in der Square Mile. Im selben Interview wagte er die gleichermaßen umstrittenen Behauptungen, dass Bären ihren Darm manchmal im Wald entleeren und dass Dolly Parton in der Regel auf dem Rücken schläft. Das Problem ist, dass die Londoner Börse sich de facto selbst kontrolliert und zum Teil wegen ihrer relativ lockeren Bestimmungen blüht (im Unterschied, zum Beispiel, zur Wall Street). Daher war das Interessante an Tiners Aussage weniger der Inhalt, als die Tatsache, wer sie äußerte.

Aber ich brauchte dieses Interview nicht, um zu verstehen, dass etwas faul im Staate Dänemark war. Selbst in diesem frühen Stadium meiner Karriere hatte ich gesehen, dass viele Unternehmen gezwungen wurden, eine Erklärung abzugeben, derzufolge sie Gespräche führten, die „zu einem Angebot führen könnten, aber nicht müssen", und das, weil ihr Aktienkurs so plötzlich angestiegen war. In den Jahren 2004 bis 2007 taten dies allein fünf britische Versorgungsunternehmen (die Viridian Group, die Anglian Water Group, East Surrey Holdings, South Staffordshire und Kelda). In jedem einzelnen Fall war das Unternehmen gezwungen (in der Regel durch den Kontrollausschuss für Übernahmen), öffentlich bekannt zu geben, dass es eine „Anfrage" eines anderen Unternehmens erhalten habe, das es kaufen wollte. Die drastische Kurssteigerung, die diese Unternehmen zur Herausgabe einer solchen Erklärung veranlasst hatte, war die Folge ungewöhnlich hoher Aufkäufe innerhalb kurzer Zeit. Das heißt: Jedes Mal, wenn ein Unternehmen diese Art von Erklärung herausgibt (und das passiert relativ häufig), kann man stark davon ausgehen, dass hier ein Insiderhandel stattgefunden hat. Wenn es auf dieser Welt nur ein bisschen gerecht zuginge, dann müsste jede Einzelperson oder Firma, deren Kauf den Aktienkurs des betreffenden Unternehmens einen oder zwei Tage vor Veröffentlichung der Erklärung so in die Höhe getrieben hat, von der Finanzaufsichtsbehörde geprüft werden.

Allerdings gibt es große Probleme, Insidergeschäfte nachzuweisen, und so kommt es, dass man die Zahl der Verurteilungen an einer Hand abzählen kann. Selbst wenn die Finanzaufsichtsbehörde nachweisen könnte, dass sich ein bekanntermaßen offenherziger Manager eines Unternehmens, das in Übernahmeverhandlungen steckt, am Abend ein Candle-Light-Dinner mit einem gierigen Investor hatte, der dann umgehend ein großes Paket Aktien des Unternehmens kaufte, wäre es für die Behörde schwierig, eine Verurteilung zu erreichen. Wenn es keine Zeugen oder Tonbandaufzeichnungen gibt, wie kann man dann beweisen, dass sich die beiden nicht nur über die Karriere der Spice Girls oder sonstwas Harmloses unterhalten haben? Deshalb waren die Verurteilungen von Ivan Boesky, Michael Milken und Martha Stewart wegen Insiderhandels die berühmten Ausnahmen, die die Regel bestätigen, und deshalb können die meisten Insiderhändler ganz ruhig zu Hause sitzen und ihr illegal erworbenes Geld zählen – so unschuldig und glücklich wie O. J. Simpson.

Jeder in der City weiß, dass es Insiderhandel gibt und dass man so gut wie nichts dagegen tun kann. Das liegt daran, dass zu viele Leute an der Vorbereitung der Verbreitung nicht-öffentlicher, kurssensibler Informationen beteiligt sind. Eine ganz normale Firmenübernahme zum Beispiel bedarf wochenlanger Vorarbeiten vom Corporate Finance Department, der Buchhaltung, von Rechtsanwälten, PR-Fachleuten, Druckereien und so weiter, bevor sie verkündet werden kann. Und da sich die menschliche Natur nicht wesentlich geändert hat, seit Alexander Pope vor 300 Jahren feststellte, dass Irren menschlich ist, ist es nur natürlich, dass gierige, korrupte Menschen von ihrem Insiderwissen profitieren wollen und ihre lange vermisste Tante Martha oder einen entfernten Bekannten im Ausland bitten, Aktien der Firma zu kaufen, die übernommen werden soll. Da die Probleme der Beweisführung wohlbekannt sind, gibt es wenig Anlass, dieses üble Verhalten nicht zu praktizieren, und deswegen blüht es allenthalben. Ich persönlich zweifle auch nicht daran, dass es unter den aggressivsten Hedgefonds längst Absprachen gibt, einander zum gegenseitigen Nutzen Informationen zuzustecken. Das war, wie ich annahm, genau das, was meine vier Reisegefährten taten.

Manche Leute behaupten, Insiderhandel sei ein „Verbrechen ohne Opfer", aber das stimmt nicht. Denn jedes Mal, wenn irgendein Schurke sein Insiderwissen dazu nutzt, einen schnellen Dollar zu machen, indem er beispielsweise in eine Firma investiert, die übernommen werden soll, leidet der Typ, dem er die Aktien abgekauft hat, weil er die Aktien jetzt nicht mehr besitzt und daher nicht mehr von der Prämie profitieren kann, die der Initiator des Übernahmeversuchs für die Übernahme zu zahlen bereit ist. Da diese Gauner oft dieselben sind, die Ihren Rentenfonds oder Ihre Geldanlage verwalten, stehlen die Insiderhändler ganz direkt Ihr Geld. Außerdem schädigen diese faulen Äpfel den ohnehin schlechten Ruf der City dadurch noch mehr. Kein Wunder, dass ich als Cityboy auf manchen Dinnerparties so willkommen war wie ein Stück Scheiße im Swimmingpool – obwohl das alles, genau betrachtet, schon immer so war und nicht erst seit meinem Auftauchen in der City.

Unser lieber Richard war also ein böser Junge, aber das war noch nicht alles, was er auf dem Kerbholz hatte. Gleich danach fragte er seinen Gesprächspartner, offensichtlich ein Händler seines Fonds und sein Komplize, nach einem britischen Wasserversorger, in dessen Aktien er investiert hatte, obwohl ich ihm gesagt hatte, die Aktie sei zu teuer.

„Übrigens, John, wie sieht's mit United Utilities aus? Was, schon wieder so weit unten? Ich glaube, wir müssen mal ein bisschen was tun. Ich mache ein bisschen Reverse-Broking mit ein paar Verkäufern und du machst dasselbe mit ein paar von deinen Traderkollegen. Das Übliche, du weißt schon ... Gerüchte über eine anstehende Übernahme, 30 Prozent Prämie, ein großer amerikanischer Private-Equity-Fonds. Das sollte genügen. Mal sehen, ob Reuters und Bloomberg anbeißen, und wenn ja, gehen wir raus, sobald der Kurs um vier oder fünf Prozent gestiegen ist. Ist kein Problem für uns, was? Wir machen das schließlich nicht zum ersten Mal!"

Danach hörte ich, wie Richard mehrere Verkäufer und Analysten diverser Investmentbanken anrief; der Wortlaut der Gespräche war immer in etwa derselbe: „Hi, Tarquin, ich bin's, Richard. ... Super, bin gerade auf Ibiza und lass mir die Sonne auf den Bauch scheinen. Was ich sagen wollte: Was hört man da von UU? Hast du noch nichts mitgekriegt? Ich höre, ein großer Private-Equity-Fonds streckt seine Fühler nach ihnen aus. Angeblich ist die Rede von einem Ausgabepreis von 750 Pence. Könntest du dich mal für mich umhören? Prima – ich möchte nur wissen, ob da was dran ist oder nicht. Bitte ruf mich in ein paar Stunden zurück."

Der gute Richard ließ offensichtlich nichts anbrennen. Das war eine plausible Erklärung, warum die Performance seines Fonds so verdammt gut war. Er handelte also nicht nur mit Insiderinformationen, sondern streute obendrein noch falsche Gerüchte, gegen die Spielregeln der City – ein feines Früchtchen!

Warum streuen manche Hedgefondsmanager falsche Gerüchte? Aus demselben Grund, warum Hunde sich die Hoden lecken – weil sie es dürfen. Man muss kein Börsenexperte sein, um herauszufinden, dass das Verbreiten falscher Gerüchte zwar illegal, aber unter skrupellosen Hedgefonds-Verwaltern ziemlich üblich ist, denn die Risiken sind minimal, aber die Belohnung, die winkt, ist geradezu unanständig hoch. Vorausgesetzt das Gerücht, das man verbreiten möchte, ist auch nur einigermaßen glaubhaft, wird es sich wie ein Lauffeuer verbreiten, denn das tun selbst die weniger glaubhaften Gerüchte. Ich meine, wenn man sogar der englischen Königin vor Jahrzehnten geglaubt hat, Schwäne könnten einem Menschen mit ihrem Flügelschlag das Bein brechen, was sie verbreitete, um ihre Hauptnahrungsquelle zu schützen, dann kann man einander so einiges weismachen!

Das Ganze funktioniert so: Wenn ein raffinierter Hedgefondsmanager wie Richard Aktien von United Utilities kauft und ein paar leichtgläubigen Verkäufern erzählt, das Unternehmen stehe kurz vor der Übernahme, dann dauert es nicht lange und die einschlägigen Handys und Internetseiten bringen die Meldung weltweit. Wenn die Sache gut läuft, wird selbst der Erfinder des Gerüchts irgendwann von einem, der es erst verspätet mitgekriegt hat, informiert. Ich kann mir Richards hämisches Grinsen vorstellen, wenn er dann ganz trocken sagt: „Das habe ich mir doch fast schon gedacht!"

Da Hedgefonds auch Aktienpakete von anderen ausleihen können, können sich die Gerüchte, die sie verbreiten, auch auf Gewinnwarnungen oder andere Ereignisse beziehen, die sich negativ auf den Aktienkurs auswirken können. Das bedeutet, sie können Aktien schön- und schlechtreden und den Kurs nach oben oder unten bringen. So kam eines Tages fälschlicherweise das Gerücht auf, der Vorstandsvorsitzende von Centrica (dem Unternehmen, dem British Gas gehört) sei aus einer Sitzung mit zwei seiner Hauptinvestoren gestürmt und habe geschrien: „Ihr habt doch keine Ahnung von meiner Firma!" Mir genügten zwei Anrufe bei den einschlägigen verkäuferseitigen Analysten, um herauszufinden, dass alles nur ein Gerücht war, aber der Aktienkurs fiel bis dahin schon um vier Prozent. Ein anderes Gerücht besagte, die Veröffentlichung der US-Bilanz des Energieunternehmens Scottish Power erfolge wegen eines entdeckten Buchungsfehlers verspätet. Auch das erwies sich als totaler Unsinn, aber da dieses Gerücht zu einem Zeitpunkt gestreut wurde, da das Enron-Debakel gerade erst gezeigt hatte, wie verheerend Buchungsfehler sich auswirken können, war man sehr hellhörig und der Kurs fiel sofort um sieben Prozent, bevor er sich wieder erholte. Sie können Ihren letzten Dollar darauf verwetten, dass ein paar raffinierte Hedgefondsmanager beide Aktien in Short-Position hielten und sich mit hämischem Grinsen zur erfolgreichen List beglückwünschten.

Von falschen Gerüchten zu profitieren ist der älteste Trick von allen. Allerdings ist diese Masche im großen Stil erst in diesem Jahrzehnt aufgekommen und die Tatsache, dass dies zeitlich mit dem Boom der Hedgefonds zusammenfällt, ist meiner Meinung nach kein Zufall. Im Gegensatz zu konventionellen Fonds, die auf langfristige Erträge aus sind, sind viele Hedgefonds extrem kurzfristig orientiert. Obwohl manche Hedgefonds-Jungs (aber nur einige wenige) aus ethischen Gründen Skrupel haben, die Märkte zu manipulieren, gibt es nur sehr wenige, die das aus Angst, erwischt zu werden, nicht probieren würden. Der Grund ist, dass es ebenso unwahrscheinlich ist, jemandem nachzuweisen, dass ein böses Gerücht von ihm ausging, wie, dass John Prescott[28] in ein und demselben Jahr zum englischen Dichterfürsten ernannt und zum Mister Universum gekürt wird. Das Schöne an dem Trick ist, dass es so gut wie unmöglich ist zu beweisen, dass eine bestimmte Person das Gerücht zuerst in die Welt gesetzt hat. Der Aufstieg des Mediums Internet leistete dieser Masche noch mehr Vorschub und mittlerweile sind informelle Websites und Chatrooms häufig die ersten Anlaufstellen für Gerüchteköche. Der Schwindel funktioniert, wie immer, so auch in diesem Fall am besten, wenn man ihn zusammen mit ein paar Kumpeln plant und ausführt – und das war es auch, was Richard und seine Jungs höchstwahrscheinlich miteinander ausheckten: Sie füllten im Team ihre bereits zum Bersten gefüllten Brieftaschen auf.

Da lag ich nun und musste diese neuen Informationen über meinen besten Kunden erst mal verdauen. Richard war also ein Verbrecher. Es war auch so gut wie sicher, dass er seine Verbrechen zusammen mit seinen Kameraden ausheckte. Anscheinend vertraute er mir so sehr, dass er es nicht für nötig hielt, seine Schandtaten vor mir zu verstecken. Was tun? Egal was ich tat, ich würde meinen besten Kunden verlieren und meinen guten Ruf in der City auch. Dieses gierige, egoistische Verhalten war mir zuwider (zumindest damals noch), aber schließlich war es etwas anderes, als alten Damen die Handtasche zu entreißen. Auch ich konnte, selbst wenn ich wollte, Richard nichts nachweisen, im Fall des Falles würde Aussage gegen Aussage stehen. Er sprach mit seinem Trader bestimmt nur über Handy, sodass die Gespräche nicht aufgezeichnet wurden. Sollte es eine Anklage geben und der Fall vor Gericht kommen, würde ich nur Scherereien kriegen, und es würde trotzdem zu keiner Verurteilung kommen. Allein die Tatsache, dass mein Name im Zusammenhang mit so einem Gerichtsverfahren fiel, würde mich in der City vermutlich zum Geächteten abstempeln – und es würde wohl kaum noch ein Manager eines Hedgefonds mit mir zu tun haben wollen. Nach

28) Britischer Labour-Politiker, geboren 1938 (Anm. d. Übers.).

längerem Nachdenken beschloss ich: Das einzig Richtige ist, nichts zu unternehmen. Ich fand ganz und gar nicht richtig, was Richard da tat, aber wie Michael immer so schön sagte: „Wenn du dir nicht sicher bist, mach lieber erst mal gar nichts." Ich war mir der Tatsache bewusst, dass Nichtstun genauso verbrecherisch sein kann wie Handeln, und hatte mich immer gegen die Ausreden der Leute gesträubt, die tatenlos dabeigestanden und zugesehen hatten, wie die Nazis Juden zusammentrieben, um sie in die Konzentrationslager zu bringen, aber das hier war etwas anderes – hier ging es doch nur um ein paar Jungs, die illegal Geld auf die Seite brachten. Das ist alles, entschied ich – ich würde nichts unternehmen.

Das Einzige, was ich tat – ich versuchte vorsichtig aufzustehen. Aber sobald ich stand, bekam ich zu spüren, was sich meine nächtlichen Besucher alles für mich ausgedacht hatten. Ich schrie vor Schmerzen und fiel aufs Bett zurück – die kleinen Scheißer hatten mir wahrscheinlich die Nacht über irgendetwas in die Waden gespritzt – entweder das oder es war der Erfolg von beinahe pausenlosem Tanzen, kombiniert mit Nahrungs- und Flüssigkeitsmangel, da ich die ganze Zeit über dummerweise außer Drogen nichts zu mir genommen hatte. Es war wie immer – ich kam zum verständlicheren und weniger selbstkritischen Schluss, dass die mir schon bekannten Quälgeister mich mal wieder heimgesucht hatten.

Der Rest der fünf Tage verlief merklich ruhiger als die ersten zwei. Ich konnte kaum noch gehen, schaffte es aber gerade noch auszugehen und ein bisschen Party im „Jockey Club" oder im „Blue Marlin" zu machen, wo ich hauptsächlich herumsaß und mit schönen Menschen plauderte, deren Oberflächlichkeit allerdings nur noch von ihrer nichtssagenden Hohlköpfigkeit in den Schatten gestellt wurde. Auch meine neuen „Freunde" ließen es jetzt etwas ruhiger angehen und als wir wieder im Privatjet saßen und nach Hause flogen, spürten wir alle diese Ernüchterung, die einen alles hinterfragen lässt, was einem wichtig ist. Auf dem Rückflug waren wir alle sehr schweigsam. Das Einzige, was man von Zeit zu Zeit hörte, war das Schnarchen von Dimitri und Brad.

Meine Melancholie daheim in Blighty wurde nur getopt durch eine E-Mail von Richard – zwei Tage nach unserer Rückkehr –, die nüchtern feststellte, dass sich die Kosten meiner fünftägigen Orgie, inklusive Villa und Jet, auf 25.000 Pfund beliefen – ungefähr das Jahresgehalt eines Grundschullehrers! Ich hasste und bestaunte zugleich diese lächerlich hohe Rechnung, die den anderen Mitgliedern meiner Reisegesellschaft vermutlich ziemlich gleichgültig war, mir jedoch schier den Atem raubte. Die gewaltigen Kosten meines

Urlaubs sagten mir: „Du bist da, wo du hin wolltest", und ich erzählte es möglichst vielen alten Freunden, obwohl ich merkte, dass sie mich immer weniger nett fanden. Beim Abendessen, am Tisch meiner Eltern, beklagte sich mein Bruder, ich würde immer mehr zum „geldgeilen Klischee eines Cityboys" mutieren und er habe nicht gewusst, was für ein „Monster" er da auf die Menschheit losgelassen habe. Er hatte nämlich vor Kurzem seinen Job in der City aufgegeben und eine Ausbildung als Vikar angefangen, man konnte ihn also nicht gut als Heuchler bezeichnen. Angus, einer meiner alten Schulfreunde, fand, mein Ego gerate so langsam außer Kontrolle, und meine Exfreundin fragte mich, was aus dem Hippie geworden sei, den sie einst gekannt und geliebt hatte. Es war mir nicht wirklich wichtig, was sie alle von mir dachten. Ich hatte einen Auftrag zu erfüllen, und wenn sie mit meinem Erfolg nicht umgehen konnten, dann sollten sie eben bleiben, wo der Pfeffer wächst. Ich hatte mich gerade entschieden, weiterhin meinem Ziel treu zu bleiben, da erhielt ich einen Anruf. Ich wusste sofort, dass ich zusammen mit diesem Anrufer mein Ziel erreichen würde.

168

DER ANFÜHRER 6

In der City gibt es ein paar richtig fanatische Kerle, die arbeiten bis zum Gehtnichtmehr. Ich habe Männer – und es sind in der Hauptsache Männer – gesehen, die ihre Ehe, ihre Kinder und ihr eigenes Leben der Arbeit opfern, nur um in dieser seelenzerstörenden Branche Erfolg zu haben. Sie arbeiten fast pausenlos und manche von ihnen haben einen Schwung und eine Energie, die selbst einen James Brown verlegen machen würden – und der ist ja bekanntlich der fleißigste Mann im Showgeschäft. Aber verglichen mit Neil Jameson waren selbst diese Leute nur Teilzeitarbeiter und Möchtegerns – wenig engagierte Zeitverschwender, die nicht mit ganzem Herzen dabei waren. Wenn Neil im stalinistischen Russland gelebt hätte, wäre Aleksei Stakhanov[29] beiseite getreten und mein früherer Boss hätte ihm gezeigt, was Liebe zum Bergbau wirklich bedeutet.

Einen Tag nach meiner Rückkehr von Ibiza rief Neil mich an. Ich kannte ihn von seiner früheren Aufgabe als Leiter des Versorgerteams einer zweitklassigen französischen Bank. Ich wusste auch, dass er kürzlich zur Megashit-Bank gewechselt war, in deren Auftrag er ein neues, starkes Versorgerteam bilden sollte, nachdem die alte Mannschaft komplett zu einer hochklassigen US-Bank übergelaufen war. Kaum hatte ich seine Stimme am Telefon wiedererkannt, da wusste ich, dies war eine großartige Gelegenheit, zu einer Elite-Bank zu gehen, die gewillt war, richtig Geld in die Hand zu nehmen, um ein Top-Team

---

29) Sowjetischer Bergarbeiter und „Held der sozialistischen Arbeit" (1906–1977) (Anm. d. Übers.).

169

zu bilden. Sie hatten ihre eigenen Gründe für so eine sinnlose Aufgabe und ich hatte meine und die Tatsache, dass wir dieselben Interessen verfolgten, bedeutete für mich, dass ich alles in meiner Macht Stehende tun wollte, um mich selbst und Michael in Neils Team zu bekommen.

„Hallo Steve, hier ist Neil Jameson. Wir haben uns vor ein paar Monaten bei der Edison-Strom-Konferenz kennengelernt. Ich habe seitdem viel Gutes über Sie gehört. Vielleicht haben Sie schon gehört, dass ich gerade für Megashit ein neues Team zusammenstelle. Haben Sie Lust vorbeizukommen, damit wir in Ruhe darüber reden können?"

Und ob ich Lust hatte! Es war genau die Bank, für die ich arbeiten wollte! Sie hatte in der Branche einen hervorragenden Namen, eine schlagkräftige Verkaufsabteilung und sie bekam viele Firmendeals zugesprochen. Etliche ganz große Kunden waren der Ansicht, sie bräuchten sich die Meinung der Analysten einer mittleren Bank wie der Scheißebank nicht einmal anzuhören, aber das galt nicht für die Megashit-Bank. Ich wusste, Michael und ich würden dort das optimale Wirkungsfeld vorfinden. Mit Michaels Superhirn, meinem Weltklasse-Bullshit und dem Hintergrundpotenzial von Megashit waren die Möglichkeiten schier unendlich.

Obgleich mir vor Aufregung schier die Luft wegblieb, sagte ich so cool wie möglich: „Na ja, ehrlich gesagt bin ich da, wo ich jetzt bin, ganz zufrieden. Ich komme gerne mal auf einen Kaffee bei Ihnen vorbei, aber ich möchte gleich dazusagen, dass ich wenig Anlass habe zu wechseln. Mein Kollege Michael und ich sind in der Scheißebank recht erfolgreich und jede Unterbrechung unserer Erfolgssträhne kann uns viel Geld kosten." Wenn Neil auch nur drei intakte Gehirnzellen hatte, durchschaute er diesen Quatsch bestimmt sofort. Aber auch wenn dem so war, war er höflich genug, es sich nicht anmerken zu lassen. Er sagte: „Verstehe. Könnten Sie trotzdem am Freitag kommen?"

Bis Freitag hatte ich Zeit, mich von meiner Nervosität etwas zu erholen, die so stark war, dass es an ein Wunder grenzte, dass meine Handgelenke noch intakt waren. Die Tage und Nächte dazwischen hatte ich damit zugebracht, meine gesamte Persönlichkeit und meine Lebensumstände zu hinterfragen. Ich hatte über meinen unvermeidlichen Tod nachgegrübelt und über die Einsamkeit, die zur menschlichen Existenz gehört. Ich hatte mit dem durchdringenden Blick eines Vietnam-Veteranen meine Zukunft durchleuchtet und über die Grausamkeit und Bedeutungslosigkeit des Lebens nachgedacht. Kurz gesagt, meine Serotonin- und Dopaminvorräte waren ziemlich erschöpft. An jenem schicksalhaften Freitag sagte ich meinen Kollegen, ich hätte ein Mittagessen mit einem Kunden vom Morgan Stanley Asset Management, und fuhr mit der U-Bahn von der Bank zum Canary Wharf. Von dort aus ging ich zu Fuß zum riesigen, phallusförmigen Wolkenkratzer, in dem die geschätzte Megashit-Bank residierte. Ich versuchte, mich so gut ich konnte auf die Fragen vorzubereiten, die mein künftiger Boss mir wohl stellen würde.

„Hallo, Steve, schön, Sie wiederzusehen", begrüßte mich Neil und reichte mir die Hand. Sein Gesicht hatte den grauen, blassen Teint eines Mannes, der selten ans Tageslicht kommt, seine schon etwas zerknitterte, vorzeitig gealterte Haut zeigte die Spuren pausenloser Arbeit. Er war gerade erst 40 Jahre alt, aber ich nehme an, es war schon Jahrzehnte her, dass ein New Yorker Barmann ihn nach seinem Ausweis fragen musste (diese Witzbolde lassen sich immer zum Spaß die Ausweise zeigen). Trotzdem hatte er einen jugendlichen Glanz in seinen stahlblauen Augen, der auf einen extrem scharfen Verstand hindeutete.

Das Vorstellungsgespräch war kurz und effizient. Neil hielt sich nicht lange mit den üblichen Fragen auf. Ich weiß noch, dass ich insgeheim Gott dafür dankte, dass er mir nicht irgendeine blöde Rechenaufgabe stellte, zum Beispiel, wie man den Kapitalkostensatz berechnet oder so. Ich hatte diesen Kram inzwischen längst wieder vergessen und derlei Mathematisches lieber an das Genie delegiert. Ehrlich gesagt zählte für Neil allein die Tatsache, dass mein Team in den Umfragen Rang 4 belegte und ich selbst Rang 9 und alles andere erübrigte sich. Daher konnte Neil auf den üblichen formalen Kram verzichten. Unsere Unterredung dauerte eine Dreiviertelstunde. Sie hatte zum Ziel zu sehen, ob wir uns gut verstehen würden, und zu erfragen, ob meine jetzigen Kunden dieselben waren, auf die die Megashit-Bank es abgesehen hatte. Dieser letztere Teil der Übung war, wie ich fand, ziemlich sinnlos, denn so weit ich sehen konnte, jagte jede große Bank weltweit ungefähr denselben Dummköpfen hinterher – den konventionellen Häusern, die die größten Fonds verwalteten, und den Hedgefonds, die weniger Barvermögen verwalteten, aber flink wie die Derwische mit Aktien handelten.

Ich sah, dass das Gespräch für Neil sehr erfolgreich war, aber ich nehme an, das lag nicht an meinen brillanten Fähigkeiten. Die Leute von Megashit wollten ihr verloren gegangenes Team so schnell wie nur irgend möglich ersetzen und waren eindeutig auf ein Top-Team aus, das Höchstleistungen bieten konnte. Ich, oder ehrlich gesagt, das Genie hatte bereits die Liste der Kandidaten analysiert, unter denen Neil wählen konnte, und diese Liste war kleiner, als ich gedacht hatte, wenn man diejenigen abzog, die gerade erst die Stelle gewechselt hatten oder lieber bei ihrer Bank bleiben wollten. Das kam unserer Verhandlungsposition sehr zugute. Ich hatte Michael Bescheid gesagt, dass ich zu diesem Interview gehen würde, und ich hatte ihm gesagt, er könne mit mir zusammen zu dieser Bank wechseln. Ich tat so, als würde ich ihm damit einen Riesengefallen tun, dabei war mir natürlich klar, dass ich ohne ihn im Rücken sofort als intellektuelles Fliegengewicht entlarvt werden würde. Vor dem Ende unseres Gespräches musste ich noch einen Punkt für das Genie heimbringen, das weniger Showman war als ich und deshalb in der Branche noch nicht so bekannt war. Andererseits wiederum musste ich aufpassen, dass ich seine brillanten Fähigkeiten nicht zu enthusiastisch beschrieb, sonst würde er den größeren Teil des Kuchens bekommen, den Neil beziehungsweise Megashit zu vergeben hatte.

Ich sagte: „Neil, Sie brauchen nicht nur mich. Ich möchte Sie bitten, darüber nachzudenken, ob Sie nicht auch meinen Kollegen Michael mit ins Team nehmen könnten. Er ist ein kluger Bursche und hat durchaus Talent. Unter meiner Anleitung wird er bald einen prima Analysten abgeben. Um ehrlich zu sein, wir beide sind ein gutes Doppel und ich würde ihn nur ungern allein zurücklassen." „Wirklich? Ich habe schon Gutes von ihm gehört, aber bei den Kunden ist er noch nicht so bekannt wie Sie. Machen wir's so: Bitten Sie ihn doch, Anfang nächster Woche zu mir zu kommen, und dann sehen wir weiter. Wir wollen mit dem neuen Team sobald wie möglich loslegen, also sagen Sie ihm, er soll am Montag kommen."

Das Gespräch mit Michael verlief, wie nicht anders zu erwarten war, hervorragend und nach einer Reihe von Meetings mit den üblichen Verdächtigen bei Megashit rief mich Neil nur knapp eine Woche nach unserem letzten Treffen an. Diese Jungs meinten es wirklich ernst und es war die beste Nachricht, die ich mir nur wünschen konnte. Neil rief mich an einem Freitagnachmittag gegen 14.00 Uhr auf meinem Handy an und sagte, er wolle mit mir über meine Bezahlung sprechen. Ich sah mich misstrauisch nach meinen Kollegen um, die aber offensichtlich nichts ahnten, und bat ihn, mich in zehn Minuten wieder anzurufen. Ich griff nach meiner Jacke und schnappte mir Michael, wobei ich laut zu ihm sagte, sodass meine nichts ahnenden Kollegen es hören konnten: „Komm, Michael, sonst kommen wir noch zu spät zum Treffen mit ... John, du weißt schon, das ich heute Morgen ausgemacht habe. Komm, schnell!" Jeder im Team, der aufpasste, hätte merken können, dass hier etwas im Busch war. Verglichen mit meinen schlechten schauspielerischen Fähigkeiten, hätte selbst eine Liz Hurley noch wie eine Oscar-Preisträgerin ausgesehen. Aber zum Glück hatten meine Kollegen alle Hände voll damit zu tun, die Free-Cashflow-Rendite ihrer Unternehmen zu berechnen oder sonstwas Sinnloses zu tun. Nervös verließen wir beide das Büro der Scheißebank und versuchten verzweifelt, irgendeinen geeigneten Ort für die nun folgende Unterredung zu finden. Wir waren beide in einem Zustand ängstlicher Erwartung, obwohl wir uns beide bemühten, unsere Ängste voreinander zu verbergen, um nicht uncool auf den anderen zu wirken. Mit klopfenden Herzen gingen wir um die Cannon Street herum – da sahen wir die St.-Pauls-Kathedrale und stürmten beide, ohne ein Wort zu sagen, auf dieses mächtige Bauwerk der Christenheit los. Ausgerechnet im Garten dieser Kathedrale sollte unsere unheilige Unterredung stattfinden. Im Nachhinein kann ich sagen, der alte Sigmund Freud hätte seinen Spaß gehabt, meinen unterbewussten Drang zu analysieren, mich von religiöser Schuld zu reinigen, indem ich mich zum Haus Gottes hingezogen fühlte – aber zu meinem Pech war dieses pfeiferauchende Kokskopf jetzt nicht da, um seinen schlauen Kommentar abzugeben. Bevor wir das Tor erreicht hatten, instruierte ich Michael kurz, wie wir diese für uns beide höchst wichtige Unterredung führen sollten.

„Pass auf, Michael, gleich geht's um die Wurst. Gleich musst du neue Saiten aufziehen. Du musst jetzt als Sieger auftreten. Der Unterschied zwischen Gewinnen und Verlieren kann leicht 100 Riesen oder so ausmachen. Diese Typen brauchen uns dringend, und das schnell. Wenn Neil dich fragt, was für ein Gehalt du dir vorstellst, sag erst mal nichts Konkretes. Frag ihn, was er dir zahlen will. Wir wechseln nicht, wenn es nicht wenigstens zwei garantierte Boni und mindestens ein sechsstelliges Grundgehalt gibt. Was auch immer sie uns anbieten, du reagierst erst mal unzufrieden und verlangst mehr. Ich habe eine Zahl im Kopf, wie hoch die zwei Boni für mich sein sollten, und ich schlage vor, du überlegst es dir auch. Jetzt schlag noch mal 15 Prozent drauf und dann noch mal 20.000, und das ist die Zahl, die du dir vornimmst. Wir sprechen hier über Zahlen so lang wie Telefonnummern, mein Guter! Zeigen wir diesen Idioten, dass wir wissen, was wir wert sind und uns den Schneid nicht abkaufen lassen! Durch kluges Verhandeln schlagen wir nicht nur gutes Geld für uns raus, sondern wir geben ihnen auch zu verstehen, dass wir das alles nicht nur aus lauter Liebe zum Job machen. Nur wenn sie wissen, dass wir käuflich sind, werden sie auch später alles tun, um uns in ihrem Laden zu halten. Alles klar? Lass uns das jetzt bloß nicht vergeigen!"

In Wirklichkeit sagte ich das alles nicht nur Michael, sondern auch mir selbst. Ich hielt mein Handy in der Hand. Ich sollte der Erste sein. Als es plötzlich klingelte, fuhr ich vor Schreck zusammen, beinahe wäre es mir aus der Hand gefallen, so sehr zitterte ich. Wahrscheinlich dachte Michael gerade, was ich doch für ein Idiot sei, aber das war mir egal. Ich war jetzt in der „Zone" und alles um mich herum war mir unwichtig. Ich ging ein paar Schritte von Michael weg und hörte zu.

„Hi, Steve, ich bin's, Neil. Also, reden wir Tacheles. Wir bieten Ihnen ein Grundgehalt von 100.000 an plus zwei garantierte Boni zu je 250.000." Was für ein Witzbold! Was stimmt nicht mit diesen Idioten? Diese Loser schienen echt zu denken, ich wäre in den nächsten eineinhalb Jahren fast 700.000 Pfund wert! Solche Wahnsinnigen – und auf unseren Straße verhungern Kinder! Mein Vater verdient nur ein Bruchteil dessen, was sie mir anbieten, und er ist ein fleißiger, umsichtiger Mann, der sein ganzes Leben lang wirklich hart gearbeitet hat. Merken die denn nicht, dass ich nur ein meistens zugedröhnter Hippie bin, der verdammt viel Glück gehabt hat? Das waren die Gedanken, die mir kurzschlussartig durchs Hirn schossen. Aber ich musste mich zusammennehmen und mir eine andere Einstellung zulegen, wenn ich meinen eigenen Rat von vorhin befolgen wollte. Ich erwiderte: „Hmmm, äh, das klingt für den Anfang nicht übel. Aber um ganz ehrlich zu sein – das Grundgehalt ist nicht gerade riesig ... ich meine, das kriege ich ja jetzt schon!", log ich. „Na gut, dann sagen wir halt 120.000." „In Ordnung ... und die zwei Boni? Da hatte ich mir eigentlich etwas um die 300.000 vorgestellt." Im Grunde glaubte ich selbst nicht daran. Eher wirft Luzifer in der Hölle mit Schneebällen, als dass eine Bank einen Garantiebonus erhöht. Aber ehrlich, ich konnte die absurde Antwort meines künftigen Arbeitgebers kaum glauben und beendete das Gespräch stolz wie ein Schneekönig. Nachdem Michael seinen Part verdächtig schnell erledigt hatte, gingen wir beide in eine nahe gelegene Weinbar und begossen unseren Triumph standesgemäß mit einer Flasche Jahrgangs-Champagner zu 300 Pfund. Ich wusste nicht, warum uns diese komische Bank so viel zahlen wollte, was sie sich von uns alles erwartete, aber solange es uns nicht das Leben und die Gesundheit kosten würde, war mir alles andere schnurzpiepegal.

Der Vertrag kam zwei Tage später per Post und ich unterschrieb ihn ziemlich hastig. Mein Bruder hatte mir dringend geraten, den Vertrag zuerst einem Rechtsanwalt vorzulegen, bevor ich ihn unterschrieb, aber ich wollte den Deal so schnell wie möglich in trockene Tücher bekommen, bevor die von Megashit womöglich merkten, was sie da für einen Riesenbock geschossen hatten. Ich dachte auch an die drei Monate Übergangsgeld, die mich im Sommer erwarteten – an sich schon Anreiz genug, die Bank zu wechseln. Die Scheißebank zu verlassen fiel mir viel leichter als mein ziemlich trauriger Abschied von der Banque Inutile. Schließlich war ich noch nicht lange hier gewesen und hatte bislang noch mit niemandem Freundschaft geschlossen. Hier gab es keinen Tony und keinen David, die ich bei meinem Weggang mit schlechtem Gewissen bescheißen musste, und weil Michael mit mir im Boot blieb, fühlte ich mich in diesen schweren Zeiten sowieso nicht so einsam wie damals. Hans und der Abteilungsleiter für Kapitalanlagen der Scheißebank probierten die üblichen Tricks, um uns zum Bleiben zu bewegen, aber Michael und ich waren fest entschlossen und den beiden wurde rasch klar, wie wenig ihre Versuche fruchteten.

Nur zwei Wochen nach Neils erstem Anruf verließen wir beide die Scheißebank. Jeder von uns trug seine paar persönlichen Sachen in einem Schuhkarton hinaus. Theoretisch hätten wir all unsere Analysemodelle in der Bank lassen müssen, denn offiziell betrachtet waren sie Eigentum der Scheißebank. Natürlich hatten wir sie auf Diskette kopiert und sie schon einen Tag, bevor wir unsere Kündigung in der Personalabteilung abgaben, mit nach Hause genommen, wie es alle Analysten tun. Wir hatten keine Lust, die nächsten paar Monate damit zuzubringen, all dies Zeug neu zu berechnen und zu erstellen.

Am Tag, als wir unser Büro verließen, riefen wir Neil an und teilten ihm mit, dass die Scheißebank zu unserem großen Bedauern darauf bestehe, dass wir die nächsten drei Monate nicht für Megashit tätig sein dürften und dass diese rücksichtslosen Kerle doch tatsächlich darauf bestünden, dass wir diese drei Monate bezahlten Urlaub nähmen. Er hatte diese Übergangszeit schon vorhergesehen und uns optimistischerweise (oder naiverweise) ein paar Aufgaben für zu Hause aufgegeben, die wir erledigen sollten, bis wir wieder arbeiten „dürften". Sobald ich wieder zu Hause ankam, legte ich die Unterlagen in dem großen, runden Aktenschrank unter meiner Spüle in der Küche ab. Unser erster Tag bei Megashit würde, so war es besprochen, der 10. September 2001 sein, und ich wollte die Zeit bis dahin ausschließlich dazu nutzen, so viel Spaß wie nur möglich zu haben. Wenn ich mich richtig erinnere, fuhr Michael davon und tat irgendetwas Absurdes – ich glaube, er heiratete seine Sandkastenliebe. Ich weiß noch, dass ich mich fragte, ob sie überhaupt wusste, dass ihr Anteil im Falle einer späteren Scheidung von ihm ab heute wesentlich höher war als je zuvor …

Heute war der 21. Juni und ich konnte mich erst mal auf drei Monate ungetrübtes Vergnügen freuen. Die Freude über meine wiedergefundene Freiheit war grenzenlos, ich musste von einem Ohr zum anderen grinsen, als ich die Straße hinunter zu meinem Haus ging. Keine fünf Minuten später rief ich meinen alten Kumpel Sam an und teilte ihm die freudige Nachricht mit. Er war richtig neidisch und erzählte mir gleich, dass er und zwei Freunde in zwei Stunden zum Glastonbury-Festival in Somerset fahren würden und noch Platz im Auto für einen weiteren Verrückten hätten. Perfekt! Absolut perfekt! Besser geht's nicht!

Hastig trug ich mein Glastonbury-Überlebenskit zusammen – es bestand in der Hauptsache aus Zigarettenpapier, Zigaretten und Absolut-Wodka, den ich im örtlichen Schnapsladen gekauft hatte. Vermutlich packte ich auch ein paar Anziehsachen zusammen, aber die Erfahrung lehrte mich, dass diese Art organisierte Vorbereitung in der Regel Zeitverschwendung war. Die Anreise zum Festival verbrachten wir im Dunst einiger Joints und wie üblich gab es einen furchtbaren Stau um Shepton Mallet herum. Gegen 23.00 Uhr waren wir da und hatten das Vergnügen, uns im Schutz der Nacht illegal auf das Festivalgelände zu schleichen, was immer ein besonderer Spaß war. Keiner von uns hatte Eintrittskarten, aber noch konnten wir illegal rein, bevor die Organisatoren das Festivalgelände absperrten. Wir begannen gegen Mitternacht, den Zaun zu umkreisen. Wir bemühten uns darum, möglichst harmlos auszusehen, aber innerlich waren wir sehr aufgeregt. Ungefähr nach einer halben Stunde kamen wir an einem Ordner vorbei, der eine 15 Fuß lange Leiter trug. Für läppische zehn Pfund pro Nase ließ er uns über den Zaun klettern – das heißt, für nicht mehr als 40 Pfund waren wir alle drin und der Spaß konnte beginnen. Es heißt, in Glastonbury würden einige sehr ernst zu nehmende Bands auftreten, aber ich habe davon nichts mitgekriegt. Wir verbrachten die Zeit dort wie immer damit, uns zuzudröhnen, im Tanzzelt abzuhotten und durchs Nirwana zu schweben.

Am Sonntag gegen 9.00 Uhr – ich hatte die ganze Nacht damit verbracht, jedem Dummkopf, der blöd genug war, in meiner Nähe zu sein, irgendeinen Mist zu erzählen – passierte etwas Bizarres. Ich war gerade auf dem Weg zu den stinkenden, dreckigen Plumpsklos am Glade, um dort, wie es so schön heißt, „einen Braunen abzuseilen", da sah ich plötzlich Neil Jameson, der mit einem Mädchen am Arm auf mich zukam. Ich nahm natürlich zunächst an, es handele sich um eine Halluzination – wenn auch eine echtere als die, die mich in den letzten 24 Stunden heimgesucht hatten. Als die menschliche Gestalt jedoch immer näher kam, wurde mir klar, dass es entweder die realistischste aller Halluzinationen war, die ich jemals gesehen hatte – oder mein künftiger Boss machte sich tatsächlich hier in Glastonbury zusammen mit einem Mädel ein paar schöne Stunden! Es schien fast undenkbar, aber es war wahr. Während ich noch versuchte, diese Information zu verarbeiten, konnte ich sehen, wie Neils Augen vor Freude, mich wiederzuerkennen, leuchteten. Er ging geradewegs auf mich zu. Da es zu spät war, um wegzulaufen, tat ich das, was jeder andere vernünftige Drogenfreak getan hätte – ich setzte mir flugs die Sonnenbrille auf.

„Hallo, Steve", sagte Neil mit unverhohlener Überraschung in der Stimme. „Sie haben mir ja noch gar nicht erzählt, dass Sie ein Fan von Glastonbury sind!" Ach, du liebes Lieschen, wer konnte schon mit so was rechnen! Hier war ich, noch ziemlich stark auf dem Trip von ein paar extrem heftigen mexikanischen Zauberpilzen, seit zwei Tagen fast nonstop auf den Beinen und jetzt sollte ich auf einmal in dieser Verfassung mit meinem künftigen Boss – dem Vorstandschef einer großen Investmentbank – ernsthaft Konversation betreiben! Ich dachte nur: „Reiß dich zusammen, mein Sohn! Denk nach, bevor du was sagst. Rede möglichst in einfachen Sätzen und versuch, dich so schnell wie möglich aus dem Staub zu machen. Und, ganz wichtig, nimm um Himmels willen nie deine Sonnenbrille ab."

„Oh … hi, hi, Neil. Was machen Sie denn hier? Äh … ich bin gerade erst aufgewacht und hole mir was zum Frühstücken. Nein, ich war nicht die ganze Zeit wach. Ist ja auch blöd, diese Dauerorgien … damit sollte endlich Schluss sein. Äh … die Bands hier sind gut, nicht?" Ich wollte locker wirken, aber ich verpatzte alles und faselte herum wie ein Bekloppter. Mein Versuch, ruhig zu bleiben, wurde nicht gerade vereinfacht dadurch, dass Neils Gesicht mir gerade vor den Augen verschwamm. „Finde ich auch. Bei welchen Bands waren Sie denn schon?" O je! Ich hatte nicht die leiseste Ahnung, welche Bands überhaupt hier spielten. Jetzt hatte ich ein richtiges Problem! „Ach … ich weiß nicht mehr so genau, es waren so viele … Rock und Pop und alles mögliche … äh, die Manic Street Fighters, zum Beispiel …" – puh, mir war gerade noch eingefallen, dass ich gehört hatte, wie jemand letzte Nacht über diese Band sprach. Damit war ich, hoffentlich, aus dem Schneider. „Ach, Sie meinen wohl die Manic Street Preachers?" „Ja, genau, die meine ich … ich bin gerade aufgewacht, bin noch etwas müde, hab wohl zu viel getrunken letzte Nacht, falls Sie wissen, was ich meine …" „Komisch, dass Sie die schon gesehen haben … die spielen doch erst heute Abend!" „Ach was, tatsächlich? Äh …" Verdammt noch mal, reiß dich zusammen, Mann! „Dann war es eben eine kleine Vorab-Show, die sie gestern gespielt haben, nur für enge Freunde. Das muss es wohl gewesen sein …" Ich war wirklich arg am Rudern. Diese blöde Geschichte konnte das Aus für meine Karriere sein.

„Ja, wahrscheinlich", meinte er. Er sah nicht so aus, als ob er mir auch nur ein Wort von dem Blödsinn glaubte. „Übrigens, das hier ist meine Tochter Rachel. Wir wollten auch gerade frühstücken gehen. Lassen Sie uns doch zum Café da drüben gehen und noch ein bisschen miteinander ... plaudern." Oh je, das wurde ja immer schlimmer! Ich konnte schlecht Nein sagen, aber allein der Gedanke an Essen verursachte mir einen heftigen Brechreiz. Auch, wie er dieses „Plaudern" gesagt hatte, klang komisch – oder war das wieder einmal die Paranoia, die bei mir durchbrach?

Ich nickte zustimmend und watete langsam durch den Matsch auf das große gelb-rot gestreifte Zelt zu, aus dem es entsetzlich nach frittiertem Fett stank. Ich bestellte Spiegeleier mit Speck, allerdings ohne die ernste Absicht, auch nur einen einzigen Bissen davon zu essen, denn wenn ich es getan hätte, hätte ich vermutlich in allen Farben über den Tisch gekotzt ... Ich saß da, schob das Essen mit dem komischen Holzbesteck auf dem Teller hin und her und gab mir alle Mühe, mich nicht um Kopf und Kragen zu reden, während ich gute Laune heuchelte. Neil schwafelte über jede Band, die er und seine Tochter gesehen hatten, und darüber, dass er heute mit seiner Tochter hier sei, weil seine Frau nicht erlaubt habe, dass sie allein herkäme. Ich überlegte fieberhaft, wie ich aus dieser quälenden Situation wieder herauskäme. Ich entschuldigte mich und ging aufs Klo. Von dort rief ich meinen Kumpel Sam an und bat ihn, mich in fünf Minuten auf dem Handy anzurufen. Dann ging ich an unseren Tisch zurück, wobei ich trotz des wolkenverhangenen Himmels und des stetigen Regens die Sonnenbrille nicht abnahm. Mein Handy klingelte. Ich entschuldigte mich bei Neil und ging ran. Anschließend spielte ich die Szene, die ich mir ausgedacht und die ich in den letzten Minuten mehrfach im Kopf durchgespielt hatte.

„Was? Sie hat sich verletzt? Wirklich? Sie hat sich das Bein aufgerissen – an einem Nagel? Hör zu, ich habe Pflaster und ein Antiseptikum dabei – hier, in meiner Tasche. Ich komme sofort vorbei!" Ich weiß nicht, ob Neil und seine Tochter mir diesen Quatsch wirklich abnahmen, aber das war mir jetzt auch schon egal. Ich eilte davon und murmelte noch etwas von wegen „Tetanus" und „Wundstarrkrampf". Sobald ich außer Reichweite war, holte ich erst einmal tief Luft. Leider war der Rest meines Aufenthalts in Glastonbury etwas getrübt dadurch, dass ich in meinem Verfolgungswahn immer wieder die beiden, Vater und Tochter, vor mir sah. Bis Sonntag sah ich sie (oder ihr Bild, was wahrscheinlicher ist), das Einzige, was meine Laune auf diesem ansonsten perfekten Festival schmälerte.

Zu Hause angekommen fühlte ich mich, als hätte ich soeben eine Katastrophenschutzübung hinter mir. Ich ging ins Bad und stellte mich auf die Waage. Das Ergebnis zeigte mir deutlich, dass ich nicht aus dem Urlaub kam. Neun Pfund Gewichtsverlust in nur vier Tagen! Ich bin noch heute der Ansicht, Glastonbury sollte als Wellness-Kur beworben werden, wo die Leute Liebe tanken, Pfunde verlieren und ihre Körper für den Sommer und die Mittelmeerstrände fit machen können, damit sie dort ihre Brüder und Schwestern vom Festland beeindrucken können. Ich glaube, die „Glastonbury-Diät" könnte anschlagen. Ich würde sie den G-Plan nennen, wenn der Name nicht schon vergeben wäre.

Nach drei Stunden in der Badewanne – das Badewasser war ziemlich braun – sah ich die Post durch, die während meiner Abwesenheit gekommen war. Darunter war, wie ich sofort sah, auch ein Brief von der Megashit-Bank. Vorsichtig öffnete ich ihn. Ich war entsetzt, die Worte „Medizinische Untersuchung" ganz oben auf der Seite in großen Lettern zu lesen. Das Problem war, dass ich beabsichtigte, in ungefähr einer Woche für zwei Monate mit Alex nach Südamerika zu reisen – und jetzt wollten die Witzbolde, dass ich mich im Laufe der nächsten vier Wochen einer medizinischen Untersuchung unterzog. Da gab's nur noch eins – ich musste meinen Bruder anrufen. „Hi, John, hier ist dein Bruder Steve. Wie geht's dir? Hör mal – ich muss dich um einen Gefallen bitten. Bitte pinkel in ein Glas und schick es mir umgehend per Kurier zu." „Hä??? Was soll das? Willst du mich verarschen?" „Nein, es geht wirklich um deine Pisse, Mann. Hör zu, ich war in Glastonbury und jetzt habe ich so viele verschiedene Drogen in mir, dass jeder, der mit meiner Pisse in Berührung kommt, seine Gesundheit riskiert. Mein Urin ist im Moment so was wie ein Gefahrengut. Du hingegen machst doch gerade die Ausbildung zum Vikar und deine Pisse ist, wenn ich nicht ganz falschliege, so rein und unschuldig wie dein Lebenswandel. Ich brauche sie für einen medizinischen Test, auf den die Megashit besteht, und zwar bis Donnerstag. Bitte lass mich nicht hängen!"

Blut ist bekanntlich dicker als Wasser – und Pisse auch. Mein Bruder schickte mir das Gewünschte und innerhalb von zwei Tagen erhielt ich ein in Luftpolsterfolie eingewickeltes Glas mit dem feinsten und reinsten Urin diesseits des Vatikans. Besser noch – es war Urin von einem mir genetisch sehr ähnlichen Mann, der nur ein wenig älter war als ich, sodass die Wahrscheinlichkeit, dass man mich als Betrüger entlarven würde, äußerst gering war. Dass ich im Gegenzug versprechen musste, einer christlichen karitativen Organisation 500 Mäuse zu spenden, weil mein Bruder das zur Bedingung für seine

Mitwirkung an meinen fiesen Plan gemacht hatte, zeigte, dass er seinen Geschäftssinn nicht ganz verloren hatte, auch wenn er jetzt Vikar werden wollte. Er wusste immer noch, wie man clever verhandelt, obwohl seine Absichten jetzt zugegebenermaßen lauterer waren als früher, als er noch ein Kapitalist war, der ausschließlich an sich selbst dachte.

Am Donnerstag, bevor ich nach Lima flog, ging ich ins medizinische Zentrum in der Bishopsgate. Mein Gang war etwas unsicher. Mit einem Glas mit einem Viertelliter Urin herumzulaufen, das mit Klebeband innen an der Hüfte befestigt war, war gar nicht so einfach. Ich hatte im Internet gelesen, dass Pisse, die aus einem Glas stammte, sich verdächtig kühl anfühlte, was auffallen würde, falls der Arzt den Behälter bald, nachdem ich angeblich frisch uriniert hatte, anfasste. Deswegen band ich den Urin an meine Hüfte, denn dann konnte er in etwa Körpertemperatur annehmen.

Nachdem ich einen langen Fragebogen ausgefüllt und die üblichen Tests (Blutdruckmessung, Pulsmessung und so weiter) absolviert hatte, ließ man mich ein paar Minuten auf der Toilette allein, damit ich in ein Probenglas pinkeln konnte. Ich beglückwünschte mich zu meinem listigen Plan, nahm das Glas mit Pisse ab und füllte, so ähnlich wie in der Filmszene von „Withnail and I", etwas davon in einen Urinbecher ab, den man zu diesem Zweck auf ein Regal gestellt hatte. Aber im Gegensatz zu Withnail kam ich mit meinem Trick durch. Als die Jungs von Megashit meine Urinwerte lasen und die göttliche Reinheit meines Urins sahen, haben sie bestimmt gedacht, anstatt eines drogensüchtigen Beinahe-Alkoholikers wäre ein puritanischer Pfadfinder in ihre Firma gekommen.

Alex kehrte am Samstag aus Indien zurück und wir beide brachen schon am darauffolgenden Montag zu einer achtwöchigen Südamerika-Tour auf. Ich hatte ihn dazu überredet, indem ich ihm weismachte, verglichen mit diesem Trip sei unsere Fahrt nach Goa wie ein Kongress der Christlichen Union gewesen. Außerdem hatte ich ihm versprochen, seine Flüge zu bezahlen und ihm 2.000 Pfund Taschengeld für die Reise zu geben, denn er war blank, als ich ihn anrief und zur Reise einlud, und ich wollte ihn ja unbedingt dabeihaben. Solche Kleinigkeiten waren für mich nicht wichtig – nun, da wir uns aufmachten, einen neuen Kontinent zu erobern, den noch keiner von uns beiden gesehen hatte. Unsere Südamerikareise war atemberaubend und frustrierend zugleich. Im Gegensatz zu Asien, wo man jederzeit vom üblichen Touristenpfad abweichen und etwas Authentisches erleben kann, war das in Peru, Chile und Bolivien extrem schwierig. Alex und ich folgten brav dem „Gringo-Trail" und trafen immer auf dieselben Leute, sei es in den Nazca-

Linien, in Cuzco, am Machu Picchu oder am Salar de Uyuni. Es fühlte sich so an, als würden wir in einem überdimensionalen Freizeitpark von Attraktion zu Attraktion geschippert werden und zusammen mit allen anderen Leuten nur auf erprobten Strecken entlanggeführt. Unsere geringen Spanischkenntnisse, die nicht über „dos cervezas, por favor" hinausgingen, waren uns auch keine große Hilfe. Zwei Abenteuer jedoch sind mir in Erinnerung geblieben.

Das erste, wirklich merkwürdige Ereignis passierte, als wir das Gefängnis in La Paz besichtigten. In unserem „Lonely Planet"-Reiseführer stand aus irgendeinem seltsamen Grund, wenn man an einem Donnerstag vor dem Eingangstor zum Gefängnis stehe, dürfe man zum Gegenwert von fünf Pfund hinein und sich ansehen, wie ein echtes südamerikanisches Gefängnis von innen aussieht. Das erschien uns so interessant, dass wir es unbedingt probieren wollten. Als wir vor dem großen Tor standen, hörten wir plötzlich jemanden rufen: „Hey, Touristo, hierher!" Wir gaben Miguel, dem Fremdenführer des Gefängnisses, das Eintrittsgeld (einen Teil desselben gab er sofort an einen Wärter weiter) und machten uns zusammen mit einem Paar aus Deutschland und einem traurig aussehenden holländischen Hippie auf den Weg. Das Gefängnis San Pedro ist in sieben große Höfe unterteilt. Die Gefangenen müssen ihre Zellen selbst kaufen und, wenn sie entlassen werden, wieder verkaufen. Die „elegantesten" Zellen im Pinos-Viertel kosten um die 3.000 Dollar und sind innen luxuriös ausgestattet, mit Kabelfernsehen und Playstation, die ärmlichsten hingegen sind kaum bewohnbare, von Ratten wimmelnde Scheißlöcher und kosten um die 100 Dollar. Im Innenbereich des Gefängnisses sah man keine Wächter. Viele Verbrecher lebten hier zusammen mit ihren Frauen und Kindern. 80 Prozent der Gefangenen waren hier wegen Kokainhandel und wegen Beschaffungsdelikten. Miguel sagte, am Tag sei es hier drin recht friedlich, aber nachts könne es schon mal „un poco loco" werden. Das liege mit daran, dass sich viele mit dem heimlich hier drin gebrannten Schnaps namens „chicha" vollaufen ließen, und auch daran, dass das reinste Kokain Boliviens von den Häftlingen von San Pedro hergestellt werde. Wir hatten einen untersetzten Gefangenen, der mit Stichwunden übersät war, wegen eines Messerkampfs fünf Tage in Einzelhaft war und einen 1965er-Pilzkopf wie die Beatles trug, als Leibwächter und fühlten uns daher ziemlich sicher. Miguel erzählte uns, dass die Gefangenen oft Prostituierte mit hereinbrächten und die Nacht für 100 Dollar in Begleitung eines Wärters draußen verbringen durften. Da Geld hier drin sehr wichtig war, arbeiteten die meisten Insassen. Sie verkauften Lebensmittel, betätigten sich als Friseur, als Fremdenführer und so weiter. Eigentlich wirkte das Leben hier drin gar nicht so anders als draußen, in den bolivianischen Hüttensiedlungen, die wir um La Paz herum gesehen hatten, und ich fühlte mich während der Tour immer wieder an die anarchische Stadt erinnert, die man zu Beginn des Films „Mad Max 3" sieht.

Als man uns eine der 3.000-Dollar-Zellen zeigte, beging ich einen kindischen Fehler. Ich war mal wieder zu übermütig, denn als Miguels reicher Freund, dessen Zelle wir besichtigten, mich fragte, ob jemand von uns etwas „Coca" kaufen wolle, hob ich sofort die Hand. Er verkaufte mir zwei Gramm für ungefähr sieben Pfund und reichte mir eine CD-Hülle, damit ich darauf eine Line machen konnte. Ich legte zwei fette Lines, zog mir eine davon rein und, als ich sah, dass niemand sonst etwas wollte, gleich darauf noch die zweite. Innerhalb von nur drei Minuten verlor ich jegliches Gefühl in der unteren Gesichtshälfte, und schon nach sechs Minuten war ich high wie Kate Moss bei einer Modenschau. Plötzlich bat Miguel uns, vor einem Schuppen auf einem besonders heruntergekommenen Hof auf ihn zu warten – schon meldete sich mein alter Freund namens Verfolgungswahn wieder. Was war los? Warum bat er uns, hier anzuhalten? Wo war er überhaupt? Scheiße, hier stand ich mit zwei Gramm Koks intus, mutterseelenallein mitten in einem bolivianischen Knast! Diese Hurensöhne brauchten mich nicht mal mehr einzufangen, ich war ja schon drin! Wie heißt es so schön beim „Monopoly": „Gehe nicht über Los. Gehe direkt ins Gefängnis!" Und da war ich jetzt. Bestimmt alles ein übler Trick, um doofe Touristen wie mich auszunehmen. Wahrscheinlich holte er jetzt ein paar Wärter, die mich ausziehen und filzen würden. Vermutlich würde ich dann die nächsten fünf Jahre damit zubringen, von schwitzenden, bekoksten, chicha-besoffenen und AIDS-kranken Arschfickern belästigt zu werden. Ich dachte nur: „Herrgottnochmal, du doofer Wichser ... jetzt sitzt du aber mal richtig in der Scheiße. Wann kapierst du's endlich mal? Warum hast du die zwei Gramm nicht weggeschmissen? Andererseits, es war richtig guter Stoff, und vielleicht ist das alles ja nur in deinem Kopf ..."

Klar, es war nur mein armer alter Kopf. Miguel hatte sich nur kurz von uns entfernt, um zwei weitere Touristen abzuholen, die ans Tor gekommen waren, und gemeinsam setzten wir unsere Tour fort. Als Miguel wieder zu uns stieß, schwitzte ich wie ein Vergewaltiger in einer Warteschlange, und sein wissender Blick sagte mir, dass er genau wusste, was gerade in meinem armen, zugedröhnten, paranoiden kleinen Schädel vorgegangen war.

Das Interessanteste am Gefängnis von San Pedro war, abgesehen vom extrem reinen Nasenpulver, der hundertprozentige Kapitalismus, der hier, in dieser abgeschotteten Welt, herrschte. Miguel sagte uns, wenn man Geld besitze, könne man hier drin „wie ein König leben", aber ohne Geld „ist dein Leben keinen Pfifferling wert". In San Pedro konnte man sich mit Geld buchstäblich alles kaufen, aber wer keines hatte, wusste nicht, wo er schlafen sollte, und konnte sein erbärmliches Leben von einer Minute auf die andere verlieren. Das ganze Leben wurde von den ungezügelten Regeln des Marktes beherrscht. Hier gab es keinen Wohlfahrtsstaat, keine Krankenkasse, nur reinen Raubtier-Kapitalismus. Hier konnte man die Extremform des Kapitalismus besichtigen, wo nur noch das Gesetz des Dschungels galt ... es war einfach entsetzlich. Jeden Monat wurden durchschnittlich vier Menschen ermordet und wer kein Geld hatte, lebte in ständiger Angst um sein Leben. Aufstände der Massen wurden lediglich durch die dicken Mauern und die bewaffneten Wärter verhindert. Ich hatte den Eindruck, dass die Eliten der westlichen Gesellschaften klug dafür sorgten, dass unsere Staaten ein Minimum von sozialer Unterstützung anbieten, um Schlimmeres zu verhüten. Sie hatten es so organisiert, dass der Kapitalismus trotzdem blühte, dass sie weiterhin in Ruhe ihr privilegiertes Leben führen konnten, aber sie sorgten auch dafür, dass alles nicht zu ungerecht zuging, denn sonst gäbe es eine Unterschicht, die so wenige Perspektiven hat, dass sie sich gezwungen sähe, eine Revolution vom Zaun zu brechen. Diese cleveren Schweinehunde! Das zweite interessante Erlebnis, das mich veranlasste, über die Auswirkungen des Kapitalismus auf das Individuum nachzudenken, kam für mich überraschenderweise während einer neuntägigen Reise in den Dschungel des Amazonasgebiets. Unser Führer Pedro erzählte uns viel über den alltäglichen Kampf ums Überleben unter den Dschungelpflanzen. Der verzweifelte Drang nach Tageslicht, so sagte er, führe dazu, dass manche Bäume unglaublich schnell wuchsen und sogar andere Bäume, die dicht neben ihnen standen, angriffen. Wenn Bäume fielen und ein Loch im Baumwipfelhimmel aufrisse, würden sich die übrigen Bäume einen richtigen Überlebenskampf liefern, um ans Sonnenlicht zu gelangen – und sich dabei auch gegenseitig attackieren. Die Bäume fielen oft um, weil sie kurze Wurzeln hätten, eine Folge einer zu dünnen Oberschicht des Bodens. Pedro sagte auch, viele Bäume hätten Dornen mit Widerhaken, säurehaltige Blätter oder wären giftig. Sie hätten all diese Verteidigungsmechanismen entwickelt, um sich im nicht enden wollenden Kampf ums Überleben Vorteile zu verschaffen, und die Säuren und das Gift seien offenbar direkte Produkte des schlechten Bodens. Vielleicht lese ich zu viel hinein, aber die Parallelen zum Kampf der Armen gegen die Reichen ums schiere Überleben in den modernen kapitalistischen Gesellschaften drängten sich mir geradezu auf. Dieser nicht enden wollende Kampf, einer der wenigen sein zu wollen, die es schaffen, wo es doch so wenig Licht (beziehungsweise Hoffnung) gibt, und die Notwendigkeit, sich Waffen zuzulegen, um dieses Ziel zu erreichen, all das erinnerte mich doch sehr an ein Leben im Ghetto. Auch dass dieser Kampf um Leben und Tod oft zur Folge hat, dass einer der Kontrahenten vergiftet wird, kam mir nur allzu bekannt vor.

Vielleicht hatte ich auch nur zu viel vom einheimischen Produkt geraucht, als ich mich diesen Gedanken hingab. Ich muss ehrlich sagen, dass ich zu diesem Zeitpunkt der Reise einen starken Drang verspürte, zurück nach Blighty zu fahren und meine Karriere bei Megashit zu beginnen. Ich wollte sichergehen, dass ich die dreimonatige Probezeit bestand, und wollte aufhören, meine wertvolle Zeit mit dem ganzen Hippie-Kram zu verbringen. Ich hatte das Bedürfnis, wieder am Rad ums große Geld zu drehen und schleunigst dafür zu sorgen, dass der eitle Fatzke Hugo den Tag, an dem er auf diesen gottverlassenen Planeten Erde kam, bereute. Zum ersten Mal während meiner Reiselaufbahn bewegten mich Gedanken heimzufahren und endlich wieder Geld zu verdienen. Alex bemerkte diese seltsamen Anwandlungen natürlich, aber er war höflich genug, mich deswegen nicht ins Gebet zu nehmen. Ich dachte nur noch daran, dass es Zeit war heimzukehren, den Urlaub um ein paar Tage zu verkürzen und nach Hause zu fliegen, um die nächste Phase meiner Mission und meiner Laufbahn vorzubereiten. Vor allem war mir jetzt klar geworden, dass unser neues Team eine angenehme, relativ ruhige Zeit des gegenseitigen Kennenlernens brauchte, um die Beziehungen zu unseren wichtigsten Kunden wieder aufzunehmen und uns bei Megashit einen Namen zu machen. Am 10. September sollte es wieder losgehen.

Der erste Arbeitstag bei Megashit öffnete mir die Augen. Neil hatte ein verdammt gutes Team zusammengestellt. Eine Dame namens Nathalie betreute die französischen und deutschen Versorgungsbetriebe, ein Typ namens Diego kümmerte sich um die spanischen Aktien und ein gewisser Luigi um die italienischen. Neil betreute die Übrigen (das heißt, ein finnisches Unternehmen), leitete das Team und schrieb die wichtigsten Texte zu allgemeinen industriellen Themen. Es war von Anfang an spürbar, dass Megashit ganz anders war als jeder meiner früheren Arbeitsplätze. Hier herrschte eine klassische „Hire and fire"-Mentalität, jeder kleinste Fehler konnte das Aus bedeuten und man musste wirklich sehr, sehr hart arbeiten. Die Trader waren schon ab 6.00 Uhr da und ließen keine Gelegenheit aus, uns zu zeigen, was für aggressive Hunde sie waren. Auch die Verkäufer verstanden keinen Spaß und verlangten, dass man die Kunden traf, wann immer sie es wünschten. Meine Analysten-Kollegen kamen immer schon um 6.45 Uhr und gingen selten vor 19.30 Uhr. Selbst dann wandten sie den alten, bekannten Trick an und ließen ihr Jackett über der Stuhllehne hängen, sodass jeder dachte, sie wären noch im Haus. Die Leiter der Corporate Finance Departments der Unternehmen riefen einen manchmal noch spät abends oder auch am Wochenende zu Hause an, ohne auch nur zu fragen, ob sie störten. Von Freundschaft unter uns Kollegen war keine Rede. Es war klar, dass jeder von uns nur zu seinem eigenen Vorteil da saß. Einmal, ich glaube sogar schon an meinem ersten Arbeitstag, hörte ich, wie ein Trader einem Junior-Analysten das klassische Wall-Street-Zitat zurief: „He, wenn du einen Freund brauchst, dann kauf dir einen Hund!" Es war offensichtlich, dass die Chefs bei Megashit erfolgreich eine Unternehmenskultur eingeführt hatten, die auf unaufhörliche, freudlose Gewinnmaximierung ausgelegt war. Schon 37 Minuten nach meinem Arbeitsbeginn war mir klar, dass das hier kein Spaß war. Egal – wenn ich das ertragen musste, um der Beste zu werden und eines Tages Hugo zu schlagen, dann sei's drum. Die 400.000 Dollar pro Jahr würden mir die Maloche schon erträglicher machen.

Wurden mir an meinem ersten Arbeitstag bei Megashit schon die Augen geöffnet, so war bereits der zweite der absolute Horror. Gegen 15.30 Uhr erschienen die ersten Berichte bei Reuters, ein kleines Flugzeug sei ins World Trade Center geflogen. Bald wurden die flachen Bildschirme, die bei uns alle paar Meter auf dem Parkett standen, lauter gedreht, damit wir hören konnten, was zum Teufel da passierte. Als ich immer wieder die Bilder sah, wie die Flugzeuge in die scheinbar unzerstörbaren Türme krachten, die dann in sich zusammenbrachen, wusste ich, dies war ein besonderer historischer Augenblick und die Welt würde ab morgen auf jeden Fall eine andere sein. Ich erinnerte mich daran, dass ich mit 17 Jahren gesehen hatte, wie die Berliner Mauer abgerissen wurde und dass mein über lange Zeit leidender Vater mich darauf hinwies, wir seien jetzt Augenzeugen der Geschichte. Ich dachte damals nur: „Na schön, was soll's", und mir war wichtiger, in welchem Lokal ich mich mit meinen Freunden treffen sollte und ob Jane in mich verliebt war oder nicht. Diesmal wollte ich denselben Fehler nicht noch einmal begehen. Ich bemühte mich bewusst, die Tragweite dessen, was ich da sah, zu ermessen und sah in die geschockten Gesichter meiner Kollegen, die vor den Bildschirmen standen. Viele der Amerikaner in unserem

Büro versuchten verzweifelt, ihre Lieben in New York zu erreichen, aber dort ging kein Telefon mehr. Ein Mitglied eines unserer Teams hatte um 9.30 Uhr eine Sitzung mit dem Fiduciary Trust im 95. Stock des Südturms und die Sekretärin rief ihn pausenlos ohne Erfolg auf dem Handy an. Seine nahezu hysterische Frau rief ebenfalls alle fünf Minuten bei uns an und wir konnten sie nicht beruhigen. Später stellte sich heraus, dass das Meeting abgesagt worden war und dass der Mann um die 64. Straße herum in einem Taxi saß, als das Flugzeug in den Turm einschlug. Ich fragte mich damals, ob das Leben des Mannes jemals wieder so sein würde wie vorher, nachdem er erfahren hatte, dass er sein Überleben der Tatsache verdankte, dass seine Sitzung abgesagt worden war. Ich fragte mich, ob er diese ganze Hektik hier nicht zugunsten eines spirituellen Lebens auf dem Land aufgeben müsse, nun, da Gott ihm doch offensichtlich so einen deutlichen Fingerzeig gegeben hatte. Natürlich tat er nichts dergleichen. Er nahm es nur schulterzuckend als „glücklichen Zufall" zur Kenntnis, schuftete weiter und wurde ein erstklassiger Analyst. Nichts ist so seltsam wie wir Menschen – besonders die im Investmentbanking tätigen.

Als ich die besorgte Sekretärin sah, fiel mir ein, dass ich ja auch einige Kunden hatte, die im World Trade Center saßen. Daher fing ich in einem Anfall von Dummheit an, ihnen Telefonnachrichten auf Band zu sprechen, in denen ich – ich schäme mich, es zuzugeben – sie fragte, ob sie noch am Leben seien. Ich schrieb auch zwei E-Mails an Kunden mit folgendem Wortlaut: „Ich hoffe, Sie sind noch am Leben und gesund. Bitte um Antwort und Bestätigung." Ich dachte eigentlich, ich hätte meine fünf Sinne noch beisammen, als das Ganze ausbrach, aber die Tatsache, dass ich solche bescheuerten, beleidigenden Botschaften aufsetzte, lässt mich daran zweifeln, ob ich an jenem 11. September 2001 um 18.00 Uhr noch alle Tassen im Schrank hatte. Gegen Ende des Tages fühlten wir uns alle emotional ziemlich ausgelaugt und mein Team und einige andere gingen abends noch miteinander in einen Pub, um das Geschehen zu verarbeiten. Die Bars und Pubs waren alle zum Bersten voll – unter anderem auch deshalb, weil jeder aus allen höheren Gebäuden, auch dem Canary Wharf, evakuiert wurde. Es gab nichts, was wir tun konnten, und die Stimmung war sehr gedrückt. Irgendwann brachte ein Amerikaner einen Toast „auf alle gefallenen Kameraden" aus und selbst die Unsicheren, Zurückhaltenden unter uns hoben sofort ihr Glas, ohne sich dabei irgendwie befangen zu fühlen. Wenn es etwas gab, was mir zeigte, dass dieses Ereignis die Welt veränderte, war es das Wunder, dass Mittelklasse-Engländer es schafften, ihre angeborenen Ängste zu überwinden und ihre sonst tief verdrängten Gefühle auszudrücken.

Noch am nächsten Tag standen wir alle ziemlich unter Schock, aber das hielt Neil nicht davon ab, eine Team-Sitzung einzuberufen, um zu entscheiden, welche Strategie wir angesichts der „Schönen neuen Welt"[30] auf den Finanzmärkten verfolgen sollten. Wir setzten uns in ein Besprechungszimmer, das unsere Research-Assistentin Suzanne gebucht hatte.

Neil legte los: „Also, Leute, ich sehe die Sache folgendermaßen: Die Energieversorgersparte ist seit jeher defensiv, und das lässt klar darauf schließen, dass sie sich relativ überdurchschnittlich verhält, wenn es Tumult auf den Märkten gibt, was in den nächsten paar Monaten wohl unvermeidlich sein dürfte. Ich denke, der Teilbereich, den wir fördern sollten, ist der jener rechtlich regulierten Versorgungsbetriebe, die wenig an das Wachstum des Bruttoinlandsproduktes gebunden sind, denn das kann fallen, wenn das Vertrauen der Konsumenten schwankt oder nachlässt. Ich finde, wir sollten unseren Anlegern empfehlen, insbesondere solche Aktien zu kaufen, die hohe Renditen versprechen, denn das bedeutet, dass sie auch bei fehlendem Kapitalzuwachs immer noch Renditen abwerfen. Auch dann, wenn die Zinsen fallen, weil die Zentralbanken versuchen, die Wirtschaft über Wasser zu halten, was wahrscheinlich ist, dürften diese Beinahe-Obligationen die Hauptnutznießer der Entwicklung sein. Lasst uns also eine zweiseitige E-Mail aufsetzen, die zeigt, welchen Anteil der Unternehmenswert bezogen auf die regulierten Gewinne hat, und damit vergleichen, welche Papiere vermutlich die meisten Renditen abwerfen. Steve, es sieht mir ganz danach aus, als wären das UK Waters, National Grid und die Regulierten vom Kontinent, daher lege ich diese Aufgabe vertrauensvoll in deine Hände."

Wir alle stimmten zu und verließen den Raum. Ich oder, um ehrlich zu sein, das Genie, stellte die Vorlage zusammen und innerhalb von zwei Stunden hatten wir eine verdammt gute E-Mail geschrieben, die unseren Anlegern Empfehlungen an die Hand gab, was sie in einer Welt nach 9/11 in der Versorgersparte kaufen sollten. Ich zeigte Neil den Entwurf, er fand ihn okay und wir waren kurz davor, ihn an die Kunden zu senden, da unterbrach uns eine sichtlich nervöse Suzanne und meinte: „Ähem ... seid ihr sicher, dass wir das tun sollten? Ich meine, wirkt das nicht ein bisschen unsensibel? Der Ort der Katastrophe, Ground Zero qualmt noch, da kommt ihr schon und erzählt den

---

30) Titel eines Romans von Aldous Huxley (Anm. d. Übers.).

Leuten, wie sie vom Unglück profitieren können. Glaubt ihr nicht, dass die Familien derer, die dort ihr Leben lassen mussten, darüber sehr unglücklich sein werden? Glaubt ihr nicht, dass wir alle, wenn die Presse davon Wind bekommt, als herzlose Schweine dastehen? Entschuldigt meine Ausdrucksweise. Ich rate euch dringend, es euch noch einmal zu überlegen!" Es dauerte nur wenige Sekunden, da wusste jeder im Team, dass sie recht hatte. Es dauerte nur drei weitere Sekunden und mir wurde klar, dass ich schon so tief in dieser bescheuerten Finanzwelt steckte, dass ich mein Gefühl für menschlichen Anstand ganz verloren hatte. Wir wurden uns rasch einig, dass wir lieber nichts veröffentlichen sollten, um nicht der ganzen Welt zu zeigen, was für taktlose Idioten wir doch waren. Wir wollten lediglich unseren Klienten am Telefon sagen, was sie kaufen und was sie verkaufen sollten – wir wollten nicht, dass sich die Presse auf uns stürzte und uns als die herzlose Bande entlarvte, die wir im Grunde waren.

Seltsamerweise zeigten viele unserer Kollegen und Konkurrenten weniger Zurückhaltung als wir. Viele Verkäufer gaben an jenem 12. September hastig zusammengestellte E-Mails und Bloomberg-Mitteilungen heraus mit Empfehlungen an ihre Klienten, Aktien von Fluglinien und Versicherungen zu verkaufen und Aktien von Rüstungsbetrieben und Baufirmen zu kaufen. Man brauchte kein Genie zu sein, um herauszufinden, dass gerade solche Aktien von der neuesten „Entwicklung" besonders betroffen waren. Es kamen sogar Gerüchte auf, Osama Bin Laden selbst habe Aktien von Fluglinien und Versicherungen leer verkauft, kurz bevor die Flugzeuge einschlugen, da er wusste, dass die betreffenden Aktienkurse im Falle eines Gelingens der Attentate ins Bodenlose fallen würden. Wenn an der Story etwas dran sein sollte, dann wäre sie ein Musterbeispiel für Insiderinformationen. Vielleicht sollte die CIA aufhören, nach Herrn Bin Laden zu suchen, und die Suche lieber den ach so kreativen Jungs der Finanzaufsicht überlassen ... die haben zwar im letzten Jahrzehnt insgesamt höchstens drei Insiderhändler hinter Schloss und Riegel gebracht, aber es gibt ja für alles ein erstes Mal ...

Das Problem ist eben, dass der Markt nicht sentimental ist. Er kennt keine Gefühle außer Gier und Angst (welche, bezogen auf die Finanzmärkte, auch nur das Spiegelbild der Gier ist). Ich erinnere mich noch gut daran, dass manche Klienten nach dem 11. September behaupteten, der Dow Jones und der S&P 500 würden bei Wiedereröffnung der New Yorker Börse wegen „patriotischen Kaufverhaltens" raufgehen. Ich hatte mir gleich gedacht, dass das totaler Blödsinn war, und zwar schon beim ersten Mal, als irgendein Yank diese Theorie aussprach, denn leider kann man, wie Margaret Thatcher es so treffend aus-

188

drückte, „nicht gegen den Markt angehen". Sobald ein gutmütiger Trottel eine Aktie aus moralischen, patriotischen oder sozialen Gründen kaufen oder verkaufen möchte, gibt es da draußen genügend skrupellose Schweinehunde, die darin ein falsch bewertetes Wertobjekt sehen und aktiv werden, um einen Gewinn herauszuschlagen. Es ist eben eine unumstößliche Tatsache, dass man mit Gefühlen wie Patriotismus keine Hypotheken abbezahlen und keine tollen Autos kaufen kann.

Interessanterweise gibt es in der City eine ebenso lange wie unrühmliche Tradition, dass Leute vom Unglück anderer profitieren wollen. Waschechte Kapitalisten sind der Ansicht, dass das Mitleid mit den Opfern einer Tragödie einen nicht davon abhalten sollte, das große Geld zu verdienen. Eines der frühesten Beispiele, wo auf dem Rücken von Tausenden von Toten Reibach gemacht wurde, ist das der Familie Rothschild. Die „lieben" Rothschilds hielten sich damals Brieftauben, die in Rekordzeit zurück nach London flogen und die Nachricht übermittelten, dass Napoleon gerade die Schlacht von Waterloo (1815) verloren hatte. Einige Taugenichtse behaupten, dass die Rothschilds, als sie hörten, dass Großbritannien und seine Verbündeten gewonnen hatten, so taten, als habe Napoleon gesiegt, und während der darauffolgenden Schwäche der Börse jede Aktie kauften, die sie mit ihren gierigen Klauen nur kriegen konnten. Denn als dann die Nachricht durchsickerte, gingen die Aktienkurse britischer Unternehmen infolge der Erleichterung über den Sieg steil nach oben und bescherten den Rothschilds einen satten Gewinn. Manche meinen, mit dieser List sei der Grundstein für das Firmenimperium der Rothschilds gelegt worden, das im Laufe des 19. Jahrhunderts so eindrucksvoll wuchs.

Auch aus jüngerer Zeit gibt es jede Menge Beispiele für clevere Kerle, die sich bei ihren nicht enden wollenden Versuchen, ihre „Gewinne zu maximieren", nicht von Gefühlen beirren ließen. Da gibt es die (zweifelhafte) Geschichte vom Broker, der am Tag nach dem katastrophalen Orkan, der den Börsencrash im Oktober 1987 auslöste, ins Büro kam. Vermutlich hatte der Schlaumeier, als er morgens zur Arbeit fuhr, Hunderte von an die Küste getriebenen Booten bemerkt. Was tat er? Er investierte, so viel er nur konnte, in Aktien der einzigen börsennotierten britischen Boots- und Schiffsreparaturwerft – und verdiente sich auf diese Weise eine goldene Nase.

Ich muss zugeben, ich war nicht immer gleich am Ball, wenn es darum ging, auf Katastrophen prompt und richtig zu reagieren. Als ich zum Beispiel im Jahr 2006 das Gerücht vernahm, zwei Divisionen israelischer Fallschirmtruppen seien in Jordanien gelandet, war meine erste Reaktion nur:

189

„Das war sicher nur Spaß, aber trotzdem, die anderen werden ganz schön sauer sein!" Intelligentere Leute als ich erkannten jedoch schnell die potenziellen geopolitischen Auswirkungen eines Krieges im Nahen Osten und machten gleich ein paar Mäuse damit, dass sie Aktien der Unternehmen kauften, die vom höheren Ölpreis profitieren würden. Unsere Kunden wollen ganz einfach Geld verdienen und wer ihnen mit Patriotismus und anderem Quatsch kommt, der nichts mit Finanzen zu tun hat, erreicht damit höchstens, dass sie sich irgendwann von uns ab- und anderen, härter gesottenen Analysten zuwenden. Solange sich der menschliche Charakter nicht grundlegend ändert, gilt die Devise: „Geld regiert die Welt und Geld stinkt nicht!", und das bedeutet, wie ich leider feststellen muss, dass die Cityboys auf unabsehbare Zeit eine lange und ertragreiche Zukunft vor sich haben.

Die Tragödie vom 11. September 2001 fand zu einer Zeit statt, in der Osama Bin Laden die Finanzmärkte besonders empfindlich treffen konnte, falls das überhaupt seine finstere Absicht war. Warum? Ein Jahr zuvor, nämlich im Jahr 2000, war die Technologie-, Medien- und Telekommunikationsblase geplatzt, und zu Beginn des dritten Quartals 2001, direkt vor den Anschlägen, sah es schon nicht so gut für die Börse aus. Allerdings gab es da einen Mann, der noch weitaus entschlossener als Osama Bin Laden die Börsen und die Investmentfonds das Fürchten lehrte, und das war ein US-Staatsanwalt namens Eliot Spitzer.

Dieser Herr Spitzer hatte das Recht, radikal mit allen rechtlichen Mitteln gegen die unerhörten Exzesse der späten 1990er-Jahre vorzugehen, und ob ihn dabei politischer Ehrgeiz antrieb oder nicht, es war jedenfalls einiges faul in Amerikas Wirtschaft. In den Jahren 2001 und 2002 verging kaum eine Woche, ohne dass wir Analysten daran erinnert wurden, dass unser Geschäft ein schmutziges und hinterhältiges ist. Tagein, tagaus gingen einst hoch geschätzte Unternehmen pleite, wurden fehlerhafte Bilanzen entdeckt oder es wurde gegen eine Investmentbank wegen Betrugs ermittelt. Ab März 2000 hatten wir zeitweise das Gefühl, als würden wir aus einem außergewöhnlichen Traum erwachen. Endlich hatte jemand den Mut, darauf hinzuweisen, „dass der Kaiser nackt war", und wir saßen in den Bars herum und fragten uns, warum wir solche Narren gewesen waren und geglaubt hatten, dass Unternehmen, die gar keine Gewinne machten, Milliarden wert seien. Die absurde Situation war die, dass massiv überbewertete Aktien als Vergleichsmaßstab für den Wert anderer, zu analysierender Aktien herhielten, und so wurde eine Blase geschaffen, die der holländischen Tulpen-Hausse von 1636/37 oder der Südseeblase von 1720 ähnelte.

Viele Börsenmakler, darunter auch ich selbst, hatten im Jahr 1999 Wertpapiere dubioser Internetfirmen gekauft und uns die Hände gerieben, als die Kurse dieser Papiere zunächst steil anstiegen. Die meisten von uns kauften in der Annahme, es gäbe „noch einen größeren Narren" – die Aktien waren bereits wahnsinnig teuer, aber man nahm an, es würden sich genügend Idioten finden, die noch weit mehr dafür hinblättern würden als man selbst. Es war wie eine kranke Variante des Spiels „Reise nach Jerusalem", aber nur die Leute, die im ersten Quartal 2000 verkauften, sobald die Musik aufhörte, kamen noch gut aus der Sache raus. Der Börsengang von www.lastminute.com läutete das Ende der guten Zeiten ein und wir alle sahen zu, wie unsere Nominalgewinne wie Eis in der Sonne schmolzen und sich bald darauf in Riesenverluste verwandelten. Allein von Anfang 1999 bis März 2000 vervielfachte sich mein persönliches, privates Portfolio an überwiegend fragwürdigen Internetunternehmen von 50.000 Pfund auf nahezu 250.000 Pfund. Dann, im März 2000, lief es auf einmal schlechter. Plötzlich verlor ich zwischen 5.000 und 10.000 Pfund pro Tag, aber ich war so dumm, nur hie und da ein bisschen davon zu verkaufen, weil man nicht gern verkaufen möchte, wenn ein Papier um 20 Prozent einbüßt und nicht für möglich hält, dass der Sinkflug weiterhin anhält. Das Genie hatte es kommen sehen – es hatte mir schon Anfang 2000 empfohlen, alle meine Werte zu verkaufen und hatte sich selbst niemals an dem Irrsinn beteiligt.

Ich erinnere mich daran, was ich über die Unruhen im Mai 1968 in Paris gelesen hatte – und darüber, wie verdutzt und benommen die Teilnehmer dieser Unruhen nach den Ereignissen waren, hatten sie doch davon geträumt, die Welt ein Stückchen besser zu machen. Nun war die Blase der Technologie-, Medien- und Telekomwerte natürlich etwas ganz anderes als der humanitäre Optimismus von 1968, nämlich eine hässliche Geschichte von Gier und anschließender Enttäuschung. Aber jetzt war es auch uns klar, dass wir in ungewöhnlichen Zeiten lebten. Es wurde viel geredet von einem „neuen Paradigma" – einer neuen Welt mit niedriger Inflationsrate, hohem Wachstum und Wohlstand für alle, ermöglicht durch das neue Medium Internet. Im Jahr 2000 wurden Bücher veröffentlich, in denen behauptet wurde, der Dow Jones Industrial Average könne schon bald bei 20.000 Punkten liegen. Zu jener Zeit lag der Index bei circa 12.000 Punkten, aber kurz darauf kippte er und fiel in den nächsten drei Jahren um 40 Prozent! Wenn ich heute das Schlagwort „neues Paradigma" höre, greife ich, um es mit den Worten von Hermann Göring zu sagen, innerlich zum Gewehr. Der einzige Satz, der mich noch mehr nervt als dieser Ausdruck, ist: „Diesmal ist alles anders."

Zwischen 2000 und 2002 kam es zu einer Reihe von Ereignissen, die der Welt die hässliche Seite des ungezügelten Kapitalismus und des Investmentbankings zeigten. Es kam so weit, dass selbst die glühendsten Anhänger des freien Marktes sich gezwungen sahen, alles zu hinterfragen, was ihnen bis dahin lieb und teuer gewesen war. Es ist die Mühe wert, sich die Skandale näher anzuschauen, die die US-amerikanischen Aktiengesellschaften in diesen drei Jahren beutelten, denn sie sind ein Lehrstück dafür, wie abscheulich menschliches Verhalten werden kann, wenn die erwartete Belohnung ins Unermessliche steigt.

Enron war im Dezember 2000 der absolute Liebling der Börsen. Es war das siebtgrößte US-Unternehmen, was die Marktkapitalisierung anging, die Aktien wurden gerade leicht unter ihrem Allzeithoch von 95 Dollar gehandelt und das Unternehmen stand kurz davor, zum sechsten Mal hintereinander „Amerikas innovativstes Unternehmen des Jahres" zu werden. Innerhalb eines Jahres jedoch waren die Aktien wertlos und die Firma meldete Konkurs an (der Firma war so erlaubt, den laufenden Betrieb weiterzuführen, auch wenn sie vorläufig nicht mehr in der Lage war, ihre Schulden zu begleichen). Das Problem war: Das eigentlich Innovative an der Firma war, dass ihre Bilanzen und die Jahresberichte rein gar nichts mit der Realität zu tun hatten. Als sie dem Markt ihre Jahresabschlüsse zeigen mussten, konnte man den Herren der Geschäftsleitung „kreatives Denken" nicht mehr absprechen!

Um 1990 war Enron ein normales, langweiliges Unternehmen, das Pipelines besaß und sein Geld überwiegend damit verdiente, Benzin quer durch die USA zu transportieren. In nur zehn Jahren jedoch hatte es sich in eine Einheit mit wenigen Aktivposten verwandelt, die mit fast allen nur denkbaren Gütern handelte, auch mit ein paar neuen, die sie erfand, wie der „Bandbreite". Die Firma Enron beeinflusste die US-amerikanische Politik so lange, bis sie alle möglichen Märkte von Regeln befreite, sodass Enron gedeihen konnte, und es überrascht nicht zu hören, dass ihr Vorstandschef Kenneth Lay einer der größten Förderer von George W. Bush war. Lay war auch der einzige Boss eines Energieversorgers, der ein Tête-à-tête mit Dick Cheney hatte, als die Bush-Administration ihre Energiepolitik neu definierte – ein Beweis dafür, dass sich manchmal selbst die erfahrensten Politiker dem Einfluss großer Unternehmen nicht entziehen können.

Aber Enron befasste sich nicht nur damit, Einfluss auf Politiker auszuüben, damit diese ihre Strategie zu ihren Gunsten veränderten – Enron kaufte auch auf der ganzen Welt Unternehmen und Unternehmensanteile auf und verschuldete sich dabei immer mehr. Ich war damals ein richtiger Fan von ihnen, denn Enron hatte im Jahr 1998 Wessex Water zu einem absurd hohen Preis gekauft. Es kursierte das Gerücht, die Vertragsverhandlungen hätten volle vier Tage gedauert und seien hauptsächlich deswegen eingefädelt worden, damit ein paar Enron-Vorstandsmitglieder sich mit ihren Frauen einen netten Einkaufstrip in London gönnen konnten. Sie wussten offenbar gar nicht, was sie da kauften, aber das war mir egal, denn ich hatte zum Glück drei Wochen vor der Übernahme eine dicke Kaufempfehlung für Wessex abgegeben, und jetzt hielt man mich für sehr clever. Dabei war es doch nur verdammtes Glück gewesen. Es heißt ja immer, man selbst sei seines Glückes Schmied, aber manchmal kann man selbst gar nichts dafür.

Alles, was die Enron-Geschäftsleitung erreichen wollte, war, dass ihr Aktienkurs so schnell wie möglich in die Höhe schnellte, sodass ihre Aktienoptionen sie zu mehrfachen Multimillionären machten – bei dieser gottgegebenen Mission störten so lästige Dinge wie Buchhaltungsverordnungen nur. Der Trick, mit dem sie ihren Aktienkurs in die Höhe trieben, war, dass sie falsche Ertragszahlen angaben und verschwiegen, dass sie hoch verschuldet waren. Jeffrey Skilling, der damalige Geschäftsführer, und Andrew Fastow, der damalige Finanzchef der Firma, erreichten das, indem sie eine Reihe von privaten Partnerschaften gründeten, deren Bilanzen natürlich nicht in den Jahresberichten des Unternehmens auftauchten und so den Augen der Analysten verborgen blieben. Ich weiß noch, dass sich das Genie den Enron-Geschäftsbericht im Jahr 1999 einmal vorknöpfte und meinte, er würde die Aktie nicht mal mit der Kneifzange anfassen, weil er nicht erkennen könne, womit diese Firma ihr Geld verdiene. Ich glaube, er zitierte noch den uralten Börsianerspruch: „Wenn es wie eine Ente aussieht und wie eine Ente quakt, dann ist es auch eine Ente." Hätten die amerikanischen Analysten, von denen einige die Geschäfte der Firma über viele Jahre hinweg ständig im Auge behielten, auch nur ein Zehntel von Michaels Urteilsvermögen gehabt, dann hätten sie sehen müssen, dass das ein Papiertiger war, eine totale Illusion! Damals, im Jahr 2000, jedoch stand die Mehrzahl der Analysten der Aktie positiv gegenüber, und alle Zweifel wurden durch ihren stetig steigenden Kurs beseitigt. Der Enron-Konzern war auch für seine Aggressivität gegenüber jedem Analysten bekannt, der es wagte, kritische Fragen zu stellen. Die Analysten wurden so lange hin und her geschubst, bis ihr Urteil über das Unternehmen positiv ausfiel – ganz so, als hätten sie kein Rückgrat. Allerdings waren die Einschätzungen der Analysten damals nicht nur von Dummheit und Feigheit bestimmt. Es war auch einfach eine Tatsache, dass eine kaufinteressierte, innovative Firma wie Enron Investmentbanken mit Gebühren fütterte, als ginge es um alles. Die Finanzchefs der Wall-Street-Banken leckten sich jedes Mal die Finger, wenn die Jungs von Enron vorbeikamen, denn sie wussten, welche Preise die für Firmenkäufe bezahlten. In den 1990er-Jahren verdienten die Banken Milliarden an der Abwicklung von Firmenübernahmen, der Restrukturierung der Finanzen und der Ausstellung von Anleihen für dieses wundervolle Unternehmen. Schon ein einziger negativer Kommentar eines Bankanalysten konnte die Geschäftsbeziehung der Bank zu Enron gefährden, und so sorgten die Finanzleute der Banken dafür, dass ihre eigenen Analysten, die ja eigentlich ein unabhängiges Urteil abgeben sollten, nichts als gute Worte über Enron verloren. Das verstieß natürlich gegen die Vorschrift, dass Finanzabteilung und Research-Abteilung einer Bank strikt durch eine Informationsbarriere voneinander getrennt sein sollten, aber wer legt schon Wert darauf, Rentenfonds wirklich noch objektiv zu beraten, wenn man mit Enron an der Seite das große Geld verdienen kann? Später sagten die City-Leute: „So eine Informationsbarriere hat eben viele Löcher."

Leute wie Fastow und Skilling sorgten auch dafür, dass die Finanzabteilungen der Banken kapierten, dass andere als warme Empfehlungen ihrer Analysten zur Folge hatten, dass Enron seine Geschäfte mit anderen Banken als der ihren machte. Die 0,2 Prozent Provision, die die Banken aufgrund einer cleveren, kritischen Unternehmensanalyse aus Wertpapierkäufen und -verkäufen beziehen konnten, waren nichts im Vergleich zu den Summen, die Enron an sie ausschüttete. In den späten 1990er-Jahren gab es nur noch einen einzigen Analysten, der Enron kritisch gegenüberstand, John Olson, und der wurde 1998 von Merrill Lynch gefeuert, nachdem Fastow offensichtlich dahin gehenden Druck auf die Großbank ausgeübt hatte. Merrill erhielt daraufhin, was nur wenige überraschen dürfte, zwei größere Dienstleistungsaufträge im Wert von 50 Millionen Dollar. Nach diesem Skandal riefen einige Kommentatoren laut nach der Wiedereinführung des Glass-Stegall Acts von 1933, dem Gesetz, das die formale Trennung zwischen den einzelnen Geschäftstypen Handelsbank, Investmentbank und Broker festgeschrieben hatte und im Jahr 2000 aufgehoben worden war. Manche meinten, die Investmentbanken könnten ein Unternehmen nicht mit der nötigen Objektivität behandeln, wenn sie ihm gleichzeitig jede Menge Geld leihen sollten. Wie wahr, wie wahr.

Es passte ins Bild, dass die von Enron beauftragte Rechnungsprüfungsfirma Arthur Anderson, die für die Prüfung ihrer Finanzen verantwortlich war, sich den Vorwurf gefallen lassen musste, nicht so sorgfältig gearbeitet zu haben wie sonst üblich. Anderson hatte einen Unternehmensberatungszweig, der an der Beratung von Enron viele Millionen verdiente (und ein ganzes Stockwerk in Enrons Firmensitz in Houston, Texas, einnahm). Viele meinten damals, es sei besser, die finanziellen Verhältnisse von Enron nicht allzu genau unter die Lupe zu nehmen, wichtig sei doch nur, dass immer Geld hereinkam. Es war wohl ein Fall von: „Wer passt auf die Aufpasser auf?" Die Frage, ob man den Leuten trauen konnte, die dafür bezahlt wurden, die Bilanzen einer Firma zu prüfen, war außerordentlich brisant. Wenn man den Ertragszahlen nicht mehr trauen darf, die ja den Aktienkurs antreiben, auf welcher Basis soll man dann ein Unternehmen noch bewerten? Der Markt hasst Unsicherheit, aber welche Sicherheit gibt es überhaupt noch, wenn die Zahlen, die die Grundlage für die Kalkulation von Gewinn, Verlust und Wachstumsaussichten bilden, völlig an den Haaren herbeigezogen sind? Aus diesem Grund war der vermutliche Buchungsbetrug zu jener Zeit ein brisanter Vorwurf, der schnell und entschieden aus der Welt geschafft werden musste. Obwohl mehrere Anklagen gegen Anderson für nichtig erklärt wurden, führte das Enron-Debakel schließlich zum Zusammenbruch.

J. K. Galbraith stellt in seinem klassischen Text „The Great Crash"[31] über den Börsencrash an der Wall Street im Jahr 1929 fest, dass Betrug entsteht, wenn es den Leuten zu gut geht. Enron schaffte es, ein System zu etablieren, das allen Seiten Vorteile brachte, auf einer ganzen Reihe gewaltiger finanzieller Anreize und Belohnungen basierte und die Finanzchefs der Banken, die Analysten und Wirtschaftsprüfer in Sicherheit wiegte und einer Illusion aufsitzen ließ. Leider wurde, als die guten Zeiten endeten, plötzlich deutlich, dass Enrons Größe auf Sand gebaut war. Der Konzern hatte wenige Aktiva und hohe Schulden im Bereich „Spezialfahrzeuge", die in der Bilanz nicht näher erläutert wurden. Der Zusammenbruch von Enron hatte schreckliche Auswirkungen – besonders auch für die 21.000 Mitarbeiter, von denen viele ihre Stelle verloren.

Erschwerend kam hinzu, dass viele der Mitarbeiter Enron-Aktien als Hauptkomponente ihres Rentenplans hatten, wie es vom Vorstand angeregt worden war. Die Enron-Rentenempfänger verloren in der Folgezeit insgesamt über 1,2 Milliarden Dollar, was zur Folge hatte, dass ihre Altersversorgung weit weniger rosig ausfiel. Selbstverständlich verkauften Skilling und Lay

---

31) Auf Deutsch erschienen unter dem Titel „Der große Crash 1929: Ursachen, Verlauf, Folgen" (Anm. d. Übers.).

einen Großteil ihrer üppigen Anteile an Enron-Aktien Anfang 2000 noch zu einem guten Kurs, sobald sie ahnten, wie die Zeichen standen (und besserten ihr Gehalt damit um über eine Milliarde auf!). Die Analysten hatten mit ihrem gewohnten Scharfsinn diese verdächtige Entwicklung nicht kommen sehen.

Niemand kam aus dem Enron-Debakel wirklich unbeschadet heraus – besonders Lay nicht, der kurz vor seiner Verurteilung an einem Herzinfarkt starb, aber auch Skilling und Fastow nicht, die zu 24 beziehungsweise sechs Jahren Haft verurteilt wurden. John Dingall, ein Mitglied des Energieausschusses, fasste den blanken Horror des Geschehenen am besten zusammen. Er fragte: „Wo war die Börsenaufsichtsbehörde? Wo war der Kontrollausschuss für Bilanzvorschriften? Wo war Enrons Rechnungsprüfungsausschuss? Wo waren die Buchhalter, die Rechtsanwälte, die Investmentbanker, die Analysten? Und wo war der gesunde Menschenverstand?" Die Antwort, die auf die meisten zutraf, war natürlich, dass sie damit beschäftigt waren, ihr Geld zu zählen, und hofften, von keiner Untersuchung behelligt zu werden.

Zu dieser Zeit fühlten wir Analysten uns immer mehr von der Presse und unseren Kollegen an den Pranger gestellt. Während mich meine eher künstlerisch veranlagten (das heißt armen) Freunde früher nur als gierigen, geldgeilen Trunkenbold bezeichnet hatten, wurde ich jetzt zusätzlich als übler Betrüger abgestempelt, dessen Hauptauftrag es sei, arme Rentner um ihre Ersparnisse zu bringen, Politiker zu bestechen und dafür zu sorgen, dass hart arbeitende Menschen ihre Jobs verloren. Wie die meisten meiner Kollegen hatte ich ein dickes Fell, wir weinten auf dem Weg in die Bank. Aber die Banken, für die wir tätig waren, hatten nicht so viel Glück, denn Enron konnte die vielen Schulden, die gewährt worden waren, nie mehr zurückzahlen.

Dieser Enron-Skandal war nur einer von vielen, die auch dem letzten Durchschnittsbürger deutlich machten, dass am Ende des zweiten Jahrtausends nach der Geburt unseres Herrn Jesus Christus Gier und Korruption die Kontrolle über den weltweiten Kapitalismus übernommen hatten. Es gab anschließend noch genügend andere Skandale, die die Behauptung, diese zwei Genossen wären jetzt nicht mehr so einflussreich, Lügen straften. Es folgt eine kleine Liste einiger anderer Vorfälle, die Börsen-Amerika zu Beginn des 21. Jahrhunderts schüttelten, nämlich:

1. Worldcom: Bernie Ebbers war ein bärtiger, 1,95 Meter großer ehemaliger Rausschmeißer und „Born again"-Christ, der aus sehr bescheidenen Anfängen ein riesengroßes Telekommunikationsunternehmen mit einem Ge-

samtwert von 180 Milliarden Dollar (mehr als die gesamte Volkswirtschaft Griechenlands) geschaffen hatte. Um das zu bewerkstelligen, hatte er eine Menge Schulden aufgenommen, um andere Telekommunikationsunternehmen kaufen zu können, was in guten Zeiten kein Problem war, aber im Jahr 2000, als der ökonomische Abschwung einsetzte, nicht mehr so cool war. Ebbers war in seiner kleinen, spießigen Stadt Brookhaven, Mississippi, ein richtiger Held, weil er Teile der ortsansässigen Bevölkerung zu echten Millionären machte. Wenn er nicht gerade Bieterkriege gegen Riesen wie British Telecom führte, unterrichtete er Kinder in der Sonntagsschule der örtlichen kleinen Kirche. Wenn ihm Leute komplizierte Fragen zu seiner großen Firma stellten, verwies er sie nur auf den stetig steigenden Kurs seiner Aktie und sagte: „Die Anleger interessieren sich nur dafür, dass der Kurs steigt."

Leider war Bernie einer jener guten alten Jungs, die schlechte Nachrichten nicht mögen. Als die Gewinne nicht mehr so sprudelten, fing sein Finanzchef Scott Sullivan an, die Bücher zu fälschen, und brachte sich selbst und seinen Boss damit in Teufels Küche.

Im Wesentlichen wurden circa vier Milliarden Pfund an operativen Kosten, die den angegebenen Gewinn stark geschmälert hätten, zu Anlagekosten, das heißt Investitionen umdefiniert. Eine routinemäßige interne Rechnungsprüfung deckte diese „kreative Buchführung" im Juni 2002 auf und das Vertrauen der amerikanischen Aktienwelt wurde so stark erschüttert, dass selbst die Erträge erstklassiger US-amerikanischer Firmen wie General Electric kritisch hinterfragt wurden. Die hoch verschuldete Firma Worldcom musste Konkurs anmelden und der arme alte Bernie wurde zu 25 Jahren Gefängnis verurteilt (und Sullivan kam mit fünf Jahren davon).

Wieder einmal erwiesen wir gescheiten Analysten uns bei dem ganzen Debakel als so nützlich wie ein Schokoladendildo in der Wüste. Der bekannteste Bullen-Vertreter unserer Zunft war ein Clown namens Jack Grubman. Er arbeitete bei Solomon Smith Barney. Er war bekannt dafür, sehr engen Kontakt zum Management der von ihm betreuten Firmen zu halten, und er wurde in den 1980er-Jahren ein enger Freund von Bernie. Offensichtlich dachte der gute alte Jack, die Informationsbarriere zwischen Unternehmen, Finanzabteilung der Banken und Analysten wäre nur etwas für Loser und erzählte der *Business Week* im Jahr 2000, „was früher ein Konflikt war, ist nun ein Synergieeffekt geworden". Weiterhin meinte er, „die Vorstellung, die Distanz würde einen objektiver urteilen lassen, ist absurd ... Objektiv? Dafür gibt es ein anderes Wort – uninformiert." Jack empfahl Investoren noch, Worldcom-Aktien zu erwerben, als das Unternehmen schon zusammenbrach. Natürlich hatten die vielen Provisionen, die Worldcom seiner Bank bezahlte, damit nicht das Geringste zu tun.

Jack empfahl auch den amerikanischen Telekom-Giganten AT&T im November 1999, nachdem Solomons Aufsichtsratsvorsitzender Sandy Weill ihn angeblich gebeten hatte, „sich die Sache noch einmal anzusehen".

Kurz nach Jacks plötzlichem Sinneswandel erkor AT&T Solomon Smith Barney dazu aus, den riesigen Börsengang ihrer Abteilung für drahtlose Kommunikation zu organisieren, was der Bank eine fantastische Provision bescherte. Nachdem das Geschäft beendet war, kehrte Jack zu seiner früheren negativen Haltung dem Papier gegenüber zurück. Witzigerweise stieß der Staatsanwalt Spitzer, als er Wall-Street-Manipulationen verfolgte, auf eine E-Mail, in der Jack andeutete, dass er AT&T nur deshalb positiv beurteilte, weil er wollte, dass Sandy Weill seinen Einfluss geltend machen solle, um sicherzustellen, dass seine Kinder in die Vorschule in der 92. Straße kämen, was „schwieriger ist, als nach Harvard zu kommen". Einfach unglaublich! Jack musste schließlich eine Geldstrafe in Höhe von 15 Millionen Dollar bezahlen, wahrscheinlich Peanuts, verglichen mit dem, was er im Laufe seiner Karriere so verdient hatte.

2. Tyco: Dennis Kozlowski war der fette, kahlköpfige Chef des US-Konzerns Tyco International. Im Jahr 2002 sickerte durch, dass er Steuern hinterzogen und ungefähr 400 Millionen Dollar Firmenvermögen unterschlagen hatte. Außerdem klagte man ihn an, den Kurs der Unternehmensaktie künstlich aufzublähen, während er einige seiner Anteile verkaufte. Während des Prozesses war sein exzessiver Lebenswandel, der wohl von Tycos armen (und bald noch ärmeren) Aktionären finanziert wurde, für die Presse ein gefundenes Fressen. So kam die Firma für Dennis' 18 Millionen Dollar teures Appartement in Manhattan auf (allein die Duschvorhänge darin kosteten 6.000 Dollar!), ohne es in ihren Bilanzen auszuweisen, und sie bezahlte die Hälfte der zwei Millionen Dollar teuren Geburtstagsparty seiner Frau auf Sardinien, denn er behauptete, es habe sich dabei um eine geschäftliche Feier gehandelt. Dennis gelobte seine Unschuld und erklärte, er werde nur deshalb verfolgt, weil sein „Gehaltspaket ... fast peinlich hoch" sei. Der Richter sagte ihm, er solle wieder auf den Boden der Tatsachen zurückkehren und gab dem Schuft acht Jahre Gefängnis. Seine Extra-

vaganz war so atemberaubend, dass selbst die Boys von der Wall Street aufhorchten, und das heißt schon etwas.

3. Henry Blodget (ein Name, so verrückt wie der Typ, der ihn trägt) arbeitete für Merrill Lynch und war während der Internetblase die Nummer 1 der Analysten der Internetfirmen. Angeblich schrieb er zu jener Zeit Vermerke, in denen er dafür warb, Aktien verschiedener Internetgesellschaften zu kaufen, um Aufträge für seine Bank zu akquirieren. Leider bezeichnete er in E-Mails an befreundete Kunden bestimmte armselige Internetfirmen, deren Aktie er offiziell zum Kauf empfahl, als „Mist" oder „Schrott" und lehnte sie als „ein Stück Scheiße" ab. Mit anderen Worten: Der gute Henry war anscheinend glücklich damit, irgendwelchen blöden Fondsmanagern Papiere mit beschissenen Ertragsaussichten ans Herz legen zu können, nur um seine weit offenen Taschen und die seiner Kollegen mit Provisionen auf Aktiengeschäfte zu füllen. Schließlich musste Blodget eine hohe Geldstrafe zahlen und durfte fortan nicht mehr im Anlagegeschäft tätig sein.

Natürlich machte sich nicht jeder US-Cityboy, dem man zu jener Zeit Manipulationen unterstellte, auch tatsächlich schuldig. Ein anderer berühmter Skandal damals betraf einen gewissen Frank Quattrone – obwohl er 2004 zu einer Haftstrafe verurteilt wurde, stellte sich später heraus, dass er unschuldig war. Der „böse" Frank war Leiter eines Teams der Bank Crédit Suisse First Boston, das während des Tech-Booms in den 1990er-Jahren tagein, tagaus neue Technologieunternehmen auf den Markt brachte. Er wurde von seinesgleichen beneidet, und das nicht nur wegen seines imposanten Schnurrbarts, sondern auch wegen der 80 Millionen Dollar, die er seinerzeit scheffelte. Frankieboy wurde wegen Vorteilsgewährung angeklagt, das heißt, weil er Freunden der Bank die Erstausgaben der „heißesten" Aktien zuschanzte, um sie sich gewogen zu machen. Einfacher gesagt: Wenn eine Aktie, die eben erst an die Börse gekommen war, ein sehr hohes Gewinnpotenzial hatte, sodass die glücklichen Besitzer sie gleich wieder mit hohem Gewinn verkaufen konnten, sorgte Frankieboy dafür, dass Vorstandsmitglieder bestimmter Unternehmen diese Aktien sofort bekamen, und sie gaben seiner Bank später im Gegenzug dafür den Zuschlag für Handelsgeschäfte. Als die Räume der Crédit Suisse First Boston daraufhin untersucht wurden, soll Frankie seine Kollegen gebeten haben, alle belastenden E-Mails sofort zu löschen. Er stand vor Gericht, wurde aus Mangel an Beweisen wieder freigelassen und schließlich im Mai 2004 zu 18 Monaten Haft verurteilt. Nur zwei Jahre später jedoch wurde das Urteil gegen ihn aufgehoben und Frank Quattrone kann heute erhobenen Hauptes herumlaufen, denn er wurde freigesprochen. Möglicherweise war er das unschuldige Opfer der Säuberungen des Wall-Street-Staatsanwalts Eliot Spitzer, aber ich persönlich bezweifle nicht, dass diese Vorteilsgewährung seinerzeit bei bestimmten amerikanischen Banken gang und gäbe war.

Es gibt noch zahlreiche andere Beispiele für illegale Machenschaften von Unternehmen und Investmentbanken aus jener Zeit. Jeder, der in den 1990er-Jahren und etwas später in einer Investmentbank arbeitete, weiß, dass die Finanzvorstände der Unternehmen damals das Sagen hatten und ehrliche, objektive Ratschläge an Fondsmanager eher selten waren. Der Druck war manchmal lediglich subtil, manchmal auch mit Händen zu greifen, aber wenn man da nicht mitspielte, bekam man es am eigenen Bonus zu spüren, zuweilen wurde man sogar entlassen. In der Regel lief das so ab, dass der Finanzchef einer Firma einen anrief und dazu „überredete", einen Vermerk über ein bestimmtes Unternehmen zu schreiben, und dabei deutlich machte, die Aktie habe „wirklich gute Gewinnaussichten". Man musste kein Genie sein, um zu kapieren, was von einem verlangt wurde – nämlich eine positive Beurteilung, die es der Bank erleichterte, zu neuen Provisionen für Handelsgeschäfte zu kommen, denn das war das, woran die Banken damals am meisten verdienten.

Es musste also dringend etwas geschehen, um dem Durchschnittsamerikaner sein Vertrauen in die Unternehmen und Investmentbanken zurückzugeben. Man muss bedenken, dass prozentual viel mehr Amerikaner als Europäer Aktien besaßen und dass die Technologie-Blase dazu führte, dass sich viele Amerikaner im Stich gelassen fühlten und beträchtlich ärmer waren als zuvor. Als durchsickerte, dass ihre Ratgeber, die Analysten, zum großen Teil nichts als gierige, korrupte Säcke waren, die nur an ihrem nächsten Bonus interessiert waren, musste etwas geschehen.

Das allgemeine Unbehagen führte zu zwei wichtigen Ergebnissen. Erstens erreichte der gute alte Eliot Spitzer im Jahr 2002 eine sogenannte „globale Abfindung", an der zehn Investmentbanken beteiligt waren. Diese wurden gezwungen, 1,4 Milliarden Dollar an Entschädigung und Geldbußen zu zahlen. Obwohl die Tatsache, dass er mit einem Prostituiertenring in Verbindung gebracht wurde, an seinem sorgfältig kultivierten Ruf als Saubermann kratzte, gebührt Herrn Spitzer das Verdienst, dafür gesorgt zu haben, dass es sich die Banken seither zweimal überlegen, ob sie die Anleger prellen wollen, wie sie es in den späten 1990er-Jahren taten. Zweitens wurde am 20. Juli

2002 ein US-Bundesgesetz erlassen, der Sarbanes-Oxley Act, auch SOX oder Sarbox genannt, das als Reaktion auf Bilanzskandale von Unternehmen, Wirtschaftsprüfern und Banken in den späten 1990er-Jahren zu verstehen ist. So wurden Unternehmen dazu gezwungen, ihre finanzielle Rechnungslegung zu verbessern, Mitglieder der Geschäftsführung mussten persönlich für Gesetzesverstöße haften, die Informationsbarriere zwischen der Investmentabteilung und dem Vermögensmanagement derselben Bank sowie die Unabhängigkeit der Wirtschaftsprüfer wurden gestärkt und Maßnahmen gegen Betrug ergriffen. Alle diese Veränderungen wurden mit härteren Strafen bei Verstößen unterfüttert.

Es ist nach wie vor umstritten, ob diese Maßnahmen genügen, um die Banken auf den Pfad der Tugend zurückzuführen – auf jeden Fall haben sich die Verhältnisse seither schon gebessert. Trotzdem sagt mir meine eigene Berufserfahrung im Investmentbanking, dass das System anfällig ist und bleibt, denn wir Analysten wissen genau, wo am meisten Geld zu holen ist. Daher wollen wir lieber den Finanzchefs der Unternehmen zu Gefallen sein, im Wissen, dass es gut für unseren persönlichen Bonus ist (auch wenn dieser Zusammenhang offiziell bestritten wird), als unseren unabhängigen, objektiven Rat abzugeben, was sich für uns oft weit weniger lohnt. So habe ich festgestellt, dass, wann immer die Aussicht besteht, dass eine Regierung eine Tranche Aktien eines börsennotierten Versorgers einträgt, es plötzlich eine ganze Reihe von Kaufempfehlungen zu überzogenen angestrebten Preisen gibt – manchmal auch von bisher negativ eingestellten Analysten, wenn sie für eine Investmentbank tätig sind, die hofft, den Auftrag für die Organisation des Verkaufs zu erhalten. Ich habe dieses Phänomen bei etlichen Unternehmen der Energieversorgersparte erlebt, zum Beispiel bei Enel, Électricité de France, British Energy und Endesa, und ich bin sicher, dass es auch in allen anderen Sparten so zugeht. Obwohl sich die Lage seit den wüsten alten Zeiten verbessert hat, wird das gesamte System nach wie vor von kranken, gierigen Hundesöhnen bestimmt, die nur am schnellen Geld interessiert sind. Manchmal hatte ich schon den Eindruck, man habe dem Serienkiller Harold Shipman die Leitung eines Altenheims anvertraut.

Der Sarbanes-Oxley Act in den USA hatte übrigens eine amüsante, nicht vorhersehbare Auswirkung – London begann, New York als Finanzhauptstadt der Welt abzulösen. Die meisten Skandale waren in Amerika passiert, und deshalb sahen wir hier in Europa wenig Veranlassung, unsere Gesetze und Bestimmungen schärfer zu fassen. Bis 2007 wurden unzählige Artikel verfasst, die behaupteten, London sei viel größer und viel schlimmer als

New York, und der SOX wurde oft für diese Entwicklung verantwortlich gemacht, im Positiven wie im Negativen. Zum Beispiel hieß es, die immer schärferen Auflagen für Unternehmen und die immer härteren Geldstrafen infolge des Gesetzes machten das weit tolerantere London für einen Börsenstart attraktiver. Daher entschied sich irgendeine windige russische Ölgesellschaft, die sich überlegte, von wo sie ihre Aktivitäten starten sollte, im Zweifelsfall lieber für die „liberalere" Londoner Börse. So erklärt sich, dass nur einer der 24 größten internationalen Börsengänge des Jahres 2005 in New York stattfand. Das legt den Verdacht nahe, dass wir in Großbritannien uns weniger dafür interessieren, ob eine Gesellschaft „koscher" ist oder nicht, und man kann sich beinahe schon denken, dass der nächste große Börsenskandal zur Abwechslung mal ein britischer sein wird.

Inzwischen übertrifft London New York bereits, wenn es um den Devisenhandel, den Handel mit ausländischen Dividendenwerten und den mit nicht börsengehandelten Derivaten geht, und London holt auf beim Rentenhandel, im Private-Equity-Finanzbereich und bei der Verbriefung von Verbindlichkeiten. Das erklärt auch, warum es heute in London so viele unglaublich reiche Cityboys gibt. Die Tatsache, dass unsere Steuergesetze vorsehen, dass Ausländer, die in Großbritannien leben, ihren ersten Wohnsitz aber woanders haben, nur ihr in Großbritannien erzieltes, aber nicht ihr sonstiges weltweites Einkommen versteuern müssen (im Unterschied zu vielen anderen Ländern), macht London noch attraktiver. Bestimmt ist es nicht das schöne Wetter, das Leute wie Roman Abramowitsch[32] an unsere schönen Strände gespült hat. In New York ist man über diese Entwicklung dermaßen besorgt, dass manche nach einer Rücknahme des SOX rufen und der New Yorker Bürgermeister Bloomberg die Unternehmensberatung McKinsey beauftragt hat, eine Studie über das Problem zu verfassen. Auch der seit dem 11. September zu beobachtende, zunehmende US-amerikanische Nationalismus hilft da nicht weiter, genauso wenig wie das Problem, dass seitdem jeder, der auch nur ein bisschen braun aussieht, stundenlang Schlange stehen muss, bevor er das „Land der Freiheit" betreten darf.

Als Ergebnis der geplatzten Technologie-, Medien- und Kommunikationsblase, des 11. September und der Gesetzesverstöße von Unternehmen, von Spitzer und SOX war die Stimmung an den Märkten im Jahr 2002 ein bisschen gedrückt. Ehrlich gesagt dachte ich bei all dem Quatsch, der da vor sich

---

32) Russischer Öl- und Gas-Tycoon, Besitzer des Fußballvereins FC Chelsea (Anm. d. Übers.).

ging, nur: „Gott sei Dank habe ich zwei Boni vereinbart!" Auf alle Fälle fielen die Boni für meine Broker-Kollegen zwischen 2001 und 2003 nicht so eindrucksvoll wie zuvor aus (aber immer noch ungefähr zehnmal so hoch wie das durchschnittliche Gehalt eines Briten), und an allen Ecken und Enden gingen Arbeitsplätze verloren. Michael und ich machten einfach weiter mit dem, was wir am besten konnten. Er kam mit innovativen, interessanten und provozierenden Anlageideen ... und ich nahm meine Kunden mit in Rolling-Stones-Konzerte und Strip-Lokale. Das war das Schöne an meiner persönlichen Kundenbindungsstrategie – sie war zeitlos, denn so gut wie jeder in England mag einen Drink, egal ob es nun darum geht, zu feiern oder seine Probleme im Alkohol zu ertränken. Es fiel uns allerdings schon auf, dass unsere Kundschaft immer zynischer wurde und unsere weisen Worte mit zunehmender Skepsis bedachte. Glücklicherweise schafften wir es dennoch, die meisten unserer Kunden davon zu überzeugen, dass wir nicht wie die bösen Analysten von der Wall Street waren, die nur erzählten, was ihnen die Corporate Finance Departments der Unternehmen einimpften. Diese Deppen!

Neil reagierte auf die schweren Zeiten, indem er noch härter als bisher arbeitete. Ich zweifle nicht daran, dass auch er mindestens einen garantierten Bonus bekam, und wenn ich ein Fan von Wetten wäre (was ich natürlich bin), würde ich diesen Bonus auf über eine Million schätzen. Aber die Tatsache, dass seine Vergütung festgeschrieben war, bremste seinen Elan keineswegs. Neil war stets früher im Büro als ich, obwohl er in einem gottverlassenen Dorf im Börsengürtel wohnte, und oft blieb er bis nach 22.00 Uhr. Ich sah E-Mails von ihm in meinem Eingangsfach, die gegen Mitternacht hereinkamen. Eine Zeit lang nahm ich an, er hätte nur sein Microsoft Outlook so programmiert, dass er zeitverzögert senden konnte, nur um mich zu beeindrucken und zur Nachahmung anzuregen, aber dann belehrten mich einige späte Besuche im Büro (nachts, nach dem Pub-Besuch, weil ich was liegen gelassen hatte) eines Besseren. Der Mann war ein wahrer Roboter.

Die Frage war: Was trieb ihn und manch anderen an, jede Stunde, die er wach war, der Arbeit zu opfern, wo das Leben doch so kurz ist, es sowieso kein Spaziergang ist und man, wenn man Pech hat, schon morgen von einem Bus überfahren werden kann? Soweit ich weiß, hat kein Mensch jemals auf seinem Totenbett gesagt, er wünschte, er hätte in seinem Leben mehr gearbeitet. Manche haben gesagt, sie wünschten, sie hätten mehr Frauen geliebt, intensiver oder bewusster gelebt oder so. Ich erinnere mich deutlich daran, dass der Dichterfürst Sir John Betjeman in einem Werbespot dem erstaunten Interviewer die Antwort gab, er bedaure, „im Leben nicht mehr Sex gehabt zu haben". Neil hatte genug Geld verdient, um sich zur Ruhe zu setzen und sich ein schönes Leben zu machen, wenn er wollte; stattdessen zog er es vor, langweilige Spreadsheets zu verfassen, mit nervigen, arroganten Kunden zu sprechen und die ganze ermüdende Büroorganisation zu machen – alles Sachen, die er schon seit über 20 Jahren machte! Was stimmt nur mit diesen Idioten nicht? Obwohl Cityboys härter arbeiten als die meisten anderen Leute, scheinen nur sehr wenige von ihnen ihre Arbeit wirklich zu lieben, die meisten machen eher einen gestressten, unglücklichen Eindruck. Daher bleibt die Frage: Warum verbringen sie bis zu 70 Prozent ihrer wachen Zeit mit Arbeit? Ich war so verwirrt von dieser Beobachtung, dass ich die besonders hart arbeitenden City-Leute um mich herum studierte und eine Liste von sieben Gründen aufstellte, die ihr bizarres Verhalten vielleicht erklären konnten. Ich nannte sie „die sieben Gewohnheiten von Menschen mit groben Mängeln":

1. Persönliche Unsicherheit: Ich hatte einmal ein ausgiebiges Trinkgelage mit einem altgedienten und schwerreichen Analysten von Megashit. Ich fragte diesen vernünftigen und selbstkritischen Mann, warum er sich so abschufte, wo er doch wisse, wie kurz das Leben und wie unvermeidlich der Tod sei. Er nippte an seinem doppelten Whisky (Single Malt zu 30 Pfund das Glas), sah mir gerade in die Augen und sagte mit weinerlicher Stimme, wobei er gerade noch die Tränen zurückhalten konnte: „Meine Mutter hat meinen Bruder immer mehr geliebt als mich." Sein Wunsch nach Liebe und Bestätigung durch die Eltern hatte dazu geführt, dass er sein Leben weggeworfen hatte, und er wusste es.

2. Lust am Wettbewerb: Dieses Motiv geht selbstverständlich mit persönlicher Unsicherheit Hand in Hand. Ein Geschäftspartner von mir, der für einen größeren Londoner Hedgefonds arbeitet und fast ein Jahrzehnt lang 10 bis 20 Millionen jährlich verdient hat, ist nicht besonders extravagant und hat schon lange aufgehört, sich um sein Geld zu sorgen. Er investiert das meiste davon in seinen eigenen Fonds, der eine hervorragende Performance hat. Er möchte lediglich, dass der Markt (also seine Konkurrenten) seine Fähigkeiten anerkennt, und bringt allein aus diesem Grund Jahr für Jahr immer bessere Ergebnisse hervor. Ich kann darüber nicht klagen, denn ich habe 2003 selbst 50.000 Pfund in seinem Fonds angelegt und er hat erreicht, dass sich dieser Betrag inzwischen beinahe verdreifacht hat.

Auch Neil war zweifellos sehr wettbewerbsorientiert und sein Siegeswille war eine seiner treibenden Kräfte. Ich erinnere mich noch gut daran, wie ich Mitte des Jahres 2002 einmal gegen ihn Squash spielte und mir nicht so sicher war, ob ich wirklich alles geben sollte oder lieber nicht, denn seinen eigenen Chef zu besiegen war vielleicht keine so gute Idee. Aber ich bin ja selbst auch als ehrgeizig bekannt, und meinen angeborenen Siegeswillen zu bremsen, fiel mir nicht leicht. Es war eine echte „No-win-Situation" – wie man's anstellt, man kann nicht gewinnen. Ich ließ ihn jedenfalls knapp gewinnen, tat so, als wäre ich geknickt und reichte ihm die Hand. Und er? Sobald er wieder Luft bekam, schrie er frech: „Na bitte! Wer sagt's denn?", klopfte mir auf die Schulter und sagte: „Nicht schlecht für 'nen alten Mann, was?" Jetzt verstand ich, dass es ihm um Größeres ging, und als er mir dann noch die rhetorische Frage stellte: „Na, der alte Knacker hat immer noch ganz schön Mumm in den Knochen, was?", war klar, dass dieses Squashspiel für meinen Boss auch eine Gelegenheit war, seine sexuelle Potenz unter Beweis zu stellen. Ich glaube, es verging danach kein fröhlicher Umtrunk im Kreis der Kollegen mehr, ohne dass mein Boss die Partie im Detail beschrieb und ein paar gönnerhafte Bemerkungen über meine „Niederlage" machte.

3. Elterliche Erziehung: Die protestantische Arbeitsethik, die der Soziologe Max Weber vor über 100 Jahren beschrieb, ist im Börsenviertel so lebendig wie eh und je. Es gibt auch kulturell unterschiedliche Varianten davon, wobei manche extrem fleißigen Chinesen und Inder, die in der zweiten Generation hier leben, jetzt den finanziellen Dienstleistungen ihren Stempel aufdrücken. Diese Leute, die immer noch den Erfolgsdruck ihrer Eltern verspüren, wissen vielleicht nicht genau, warum sie ihr ganzes Leben im Büro zubringen, aber soweit ich es verstehe, ist es ein geschickt eingeimpftes Schuldgefühl, von wegen: „Du weißt ja gar nicht, wie viel Glück du hast!" Ich glaube, es war Freud, der mal gesagt hat, das Beste, was ein Vater tun könne, sei zu sterben, solange sein Sohn noch ein Teenager ist. Das war bei vielen Machthabern auf der Welt der Fall und auch meinem Vater ging es so. Es sorgte dafür, dass er sehr schnell zu einem verantwortungsbewussten, hart arbeitenden Erwachsenen heranreifte … etwas, was ich selbst mir ernsthaft vornehme, aber immer noch nicht so ganz geschafft habe.

4. Lebensverzicht: Die meisten Menschen jenseits der 20 sollten eigentlich verstanden haben, dass das Leben, wie es Thomas Hobbes im 17. Jahrhundert so treffend sagte, „einsam, arm, hässlich, grausam und zu kurz ist".

Nun, seit den Tagen, in denen die Pest und das große Feuer von London wüteten, mag es ja inzwischen erträglicher sein, aber auch heute ist das Leben, wie wohl kaum jemand bestreiten wird, eine komplizierte und reichlich chaotische Sache. Eine Möglichkeit, dieser chaotischen Absurdität zu entgehen und etwas mehr Kontrolle in die Angelegenheit zu bekommen, ist, vor allem für uns Männer, die wir immer etwas Autistisches an uns haben, uns mit Haut und Haaren irgendeiner Leidenschaft hinzugeben. Arbeitssüchtig zu sein ist etwas Ähnliches, wie ein Alkoholiker oder ein Junkie zu sein, mit dem Unterschied, dass die Arbeit anstelle von Alkohol oder Drogen dafür herhalten muss, den Schmerz zu betäuben, der dadurch entsteht, dass wir immer wissen, dass unser Leben bald zu Ende sein kann. Wie sagt der französische Dichter Baudelaire, dessen Leben tatsächlich sehr kurz war, so schön: „Man sollte stets betrunken sein. Das ist alles, was zählt. Das ist unser einziges, unbedingtes Bedürfnis. Damit wir nicht die schreckliche Last der Zeiten spüren, die uns die Schultern beugt und uns in die Knie zwingt, müssen wir stets betrunken sein. Aber womit? Mit Wein, mit Dichtkunst oder Tugend – wie ihr wollt. Auf jeden Fall betrunken sein."

5. Angst: Investmentbanken sind Experten in Sachen Angst – sie lassen einen nie vergessen, dass man entlassen wird, wenn man die nötige Performance nicht bringt. Entlassungen waren in den ersten Jahren des neuen Jahrtausends an der Tagesordnung, und wer nur für ganz wenige andere Berufe infrage kommt, setzt so ziemlich alles daran, seinen Arbeitsplatz zu behalten – auch wenn das bedeutet, dass man die besten Jahre seines Lebens wegwerfen muss. Diese Angst, keine Alternative mehr zu haben, wird intensiver, wenn man sich einmal an einen bestimmten Lebensstil und an den Status eines „Mitglieds der City" gewöhnt hat. Enorm hohe Hypotheken für Wohneigentum, verwöhnte Gattinnen (und Ex-Gattinnen) und teure Schulgebühren können schnell dazu führen, dass man sich überanstrengt und zum Hamster wird, der nur noch am Rad dreht. Geld dient auch dazu, uns vor einigen der schlimmsten Dinge auf diesem Planeten zu bewahren. Ein Banker hat einmal zu mir gesagt: „Das Leben ist ein mit Scheiße bestrichenes Sandwich. Je mehr Brot man bekommt, umso weniger Scheiße muss man essen."

6. Gier: Manchmal ist es einfach die Liebe zum Dollar, die alles erklärt. Ich habe oft mit meinen Kollegen diskutiert, wie viel Geld man braucht, um sich bequem zur Ruhe setzen zu können. Mit Mitte 20 haben wir uns noch auf einen Betrag von 2,5 Millionen Pfund geeinigt, aber im Laufe der Zeit

konte ich sehen, dass viele der Kollegen, als sie diese Zahl erreicht hatten, sich neue, höhere Ziele steckten. Die attraktiven Goldgräber wurden umso wählerischer, je mehr Londons Wohlstand wuchs, und die ständig erzählten Geschichten über die Gehälter von Kollegen, über die man nur noch staunen konnte, trieben die Gier nach dem großen Geld noch mehr an. Traurig, aber so war es nun mal.

7. Die Familie: Ich meine damit nicht, dass man für seine ganze Familie arbeitet, obwohl auch das in der City gelegentlich vorkommt, da bin ich mir sicher. Nein, im Gegenteil, ich spreche von den Tausenden Cityboys, die ihr Familienleben so lästig und langweilig finden, dass sie lieber irgendwelche doofen Analysen schreiben, die dann womöglich niemand liest, und lieber uninteressierten Fondsmanagern irgendwelchen Unsinn vortragen. Enttäuschte Frauen, die sowieso sauer sind, weil sie ihren Mann fast nicht mehr zu Gesicht kriegen, und ständig nervende, verzogene Kinder können durchaus ein guter Anreiz für Überstunden am Arbeitsplatz sein. Die Arbeit kann eine Art Bestrafung für sie sein, über die sie sich nicht beschweren können, denn wie soll man sonst die teure 9-Zimmer-Wohnung in Sevenoaks bezahlen, wenn nicht mithilfe möglichst zahlreicher Überstunden? Ein Kollege von mir, Vater von vier Kindern, bezeichnete seine Arbeitszeit als Freizeit und viele andere Kollegen nahmen nicht mal ihren Urlaub zur Gänze in Anspruch, was ich immer besonders bescheuert fand. Interessant war auch zu beobachten, dass Broker um die 40, kurz nach der ersten Scheidung, lieber im Büro blieben, als sich am Abend die Hundertste Pizza zu bestellen und den Abend allein vor der Glotze zu verbringen.

Hätte Neil einen Fragebogen beantworten müssen, um herauszufinden, warum er so wahnsinnig hart arbeitete, dann hätte er wahrscheinlich das Kästchen „aus allen genannten Gründen" angekreuzt – auch in diesem Sinn war er wohl der typische Börsenmakler. Rastlos betrieb er weltweites Marketing, schrieb gedankenreiche Analysen und machte Firmenbesuche, um Einblick ins Unternehmen zu bekommen.

Daher war es nicht überraschend, dass Neil einer der ersten Cityboys war, die das hatten, was ich die schlimmste Erfindung des letzten Jahrhunderts nennen möchte – einen Blackberry oder „Crackberry", wie einige Witzbolde das Ding nannten, weil es abhängig macht wie Crack. Zugegeben, auch Atomwaffen, das Uzi-9-mm-Maschinengewehr und Senfgas sind schreckliche Erfindungen, aber ich glaube, dieses scheinbar harmlose Teil ist schädlicher für unsere Gesellschaft als die genannten zusammen. Na ja, vielleicht ist das ja ein bisschen übertrieben, aber Sie verstehen, was ich meine ...

Ich glaube, es war Ende 2002, da spazierte Neil eines Tages mit einem breiten Grinsen ins Büro und zeigte jedem sein neuestes Spielzeug. Es dauerte kein Jahr, da hatte jeder Idiot in der City so ein Teil. Ich weigerte mich strikt, mir so ein heimtückisches Ding zuzulegen, und kann mit heimlichem Stolz von mir sagen, dass ich Ende 2003 der einzige Analyst der Megashit-Bank war, der keines besaß. Warum sollte ich damit einverstanden sein, dass man mir ständig arbeitsrelevante Nachrichten an meine Büro-Mail-Adresse schicken konnte, egal wo ich mich gerade aufhielt? Ich kann mir nur wenig vorstellen, was schlimmer ist. Was das doofe Ding für mich noch ärgerlicher machte, war, wie es auf das Verhalten der Verkäufer wirkte, wenn sie mich zu Präsentationen bei Kunden begleiteten. Eines Tages fuhr ich einen von ihnen während einer eintägigen Marketingreise zu Kunden nach Edinburgh an: „Wenn du das verdammte Ding jetzt noch mal anfasst, kannst du es dir gleich aus dem Hintern operieren lassen!"

Ich muss zugeben, die Heftigkeit meines Ausbruchs überraschte mich damals selbst, aber weit mehr überraschte sie den Verkäufer, an den ich meine Worte richtete, und den Kunden, mit dem wir sprechen wollten. Aber verdient hatte der blöde Kerl die Worte schon, weil er es nicht lassen konnte, an seinem Blackberry herumzuspielen, während ich mein Bestes gab, um den gelangweilten Rentenfondsmanager für meinen Aktienbereich zu interessieren. Mein Wutausbruch geschah während des vierten Vortrags vor schottischen Klienten. Der junge Verkäufer, der mich begleitete, hatte bis dahin jede Besprechung damit verbracht, seine E-Mails zu kontrollieren und zu beantworten. Vielleicht fiel meine Reaktion tatsächlich etwas übertrieben aus – der junge Verkäufer sah mich so geschockt an, als hätte er mich gerade bei einer Nummer mit seiner Schwester erwischt. Ein schüchternes „Entschuldigung" war alles, was er herausbrachte, aber mein Wutausbruch hatte die gewünschte Wirkung – er ließ von dem Ding ab und die Chirurgen des nächst gelegenen Krankenhauses konnten aufatmen, dass ihnen die hochkomplizierte Operation erspart blieb.

Ich weiß bis heute nicht, welcher gerissene Schweinehund den süchtig machenden „Crackberry" erfunden hat, aber sollte ich ihn jemals erwischen, bekommt er von mir einen Denkzettel, im Vergleich zu dem ein Gehirntumor ein freundliches Geburtstagsgeschenk wäre. Bis zum Jahr 2004 hatte jeder Front-Office-Mitarbeiter jeder Investmentbank eine dieser schrecklichen Erfindungen, und weil sie uns zugleich als Mobiltelefon dienten, nahmen die meisten von uns sie jederzeit überall mit hin. Das bedeutet, dass Börsenmakler überall, wo sie sind, ständig arbeitsbezogene E-Mails bekommen können. Auch freie Tage sind nicht mehr wirklich erholsam, denn wir vernachlässigen lebensbejahende Dinge, wie mit unserer besseren Hälfte zu schlafen oder mit unseren Kindern zu spielen, und sind bald nur noch für die blöde Arbeit da. Ich bin der festen Überzeugung, dass dieses entsetzliche Gerät zu mehr Scheidungen und vernachlässigten Kindern führen wird als jede andere moderne Erfindung.

Cityboys arbeiten oft 60 bis 70 Stunden pro Woche. Wenn ich nur daran denke, dass jemand so abgefeimt war, dafür zu sorgen, dass sie noch härter arbeiten müssen und praktisch gar nicht mehr vom Schreibtisch wegkommen, werde ich stinksauer. Die meisten City-Arbeiter laufen sowieso wie die Schlafwandler herum, so kaputt sind sie, und der Blackberry ist für sie nur ein Grund mehr, sich dem realen Leben nicht mehr hinzugeben, denn er überzeugt sie davon, dass sie am besten rund um die Uhr arbeiten sollten – ihre Kollegen tun es doch auch. Was für ein Haufen Hornochsen!

So, das musste ich mal loswerden – sorry für den Wutanfall, aber bei so was platzt mir echt der Kragen. Neil jedenfalls liebte seinen Blackberry und ließ ihn nur liegen, wenn er ihn nicht brauchte, weil er vor dem Computer saß. Er hatte seine eigenen Gründe (sieben an der Zahl, siehe weiter oben), aus unserem Team das Bestmögliche zu machen, aber ich hatte einen ganz persönlichen Grund: Hugo Bentley. Just in dem Moment, als sein blasiertes Benehmen und alles, wofür er stand, anfingen, mich weniger als früher zu nerven, lief er mir wieder über den Weg.

Passenderweise traf ich Hugo das nächste Mal bei der Zeremonie der Bekanntgabe der Extel-Umfrage im Rathaus der Stadt London im Juni 2002. Ungefähr 20 runde Tische standen dicht gedrängt in der kirchenähnlichen Halle, an jedem saßen mindestens zehn Analysten. Das mittelmäßige Essen passte zur ebenfalls mittelmäßigen Ansprache, die ein kleinerer Politiker nach dem Mittagessen vor uns hielt. Wir alle saßen herum und fragten uns, wann diese langweilige Rede endlich aufhörte und wir endlich unsere Ergebnisse erfuhren – aber leider mussten wir noch ein paar mehr oder weniger geistreiche Bemerkungen über John Maynard Keynes über uns ergehen lassen, bevor wir unser Schicksal erfahren durften.

Vielleicht sollte ich zugeben, dass meine Kokserei mittlerweile zur echten Sucht geworden war. Ich kam gerade aus der Toilette zurück, wo ich meine Nasenlöcher gepudert hatte, und der Redner schwafelte noch, als ich plötzlich den Kerl, der, wahrscheinlich ohne es zu ahnen, mein Leben bestimmte,

direkt vor mir sah. „Hallo, Steve, na, hast du dir gerade die Nase gepudert?", fragte Hugo und grinste, während er seine Krawatte vor dem Spiegel zurechtrückte. „Wenn du damit andeuten willst, ich hätte gerade Kokain genommen, musst du verrückt sein. Ich fürchte, deine Frage sagt mehr über dein kaputtes Leben aus als über meines", antwortete ich zähneknirschend. „Nun, wie auch immer – was glaubst du, wie schneidest du und dein süßes kleines Team heute ab?" „Diesmal wird es wohl noch nicht reichen, dich zu schlagen, aber du kannst deinen verdammten Arsch darauf verwetten, dass wir's nächstes oder spätestens übernächstes Jahr schaffen werden... apropos wetten, denk daran, Hugo, wir haben ausgemacht, dass das Umfrageergebnis 2004 zeigen wird, wer von uns beiden der Boss ist." „Ach, du verblendeter Vollidiot! Glaubst du wirklich, du und dein armseliges Team könnt mich eines Tages schlagen? Scheiße bleibt Scheiße, da hilft alles Putzen nichts, mein Bester!" „Ach komm, geh dahin zurück, wo du herkommst, und wart's ab, bis du deine Niederlage schriftlich kriegst!" „Niederlage? Ich kenne dich mittlerweile gut genug seit damals, als wir gegeneinander Golf gespielt haben. Wenn's um alles geht, knickst du ein. Du bist dem Druck nicht gewachsen. Du bist ein Loser und du wirst immer einer bleiben. Mann, du bist so doof, dass du selbst im Schweinebraten 'ne Gräte findest!"
Mit diesen Worten verließ er den Waschraum. Auf seinem fetten, dummen Gesicht lag ein selbstzufriedenes Grinsen. Ich war so wütend, dass ich zurück in die Toilette ging und noch eine Prise Koks nahm, um mich zu beruhigen. Leider hatte das nicht den erwünschten Effekt. Stocksteif ging ich zu meinem Platz zurück und setzte mich schäumend vor Wut hin. „... und die Nummer 1 in der Energieversorgersparte ist ... die Mighty Yank Bank und die meisten Einzelstimmen bekam Hugo Bentley!" Hugo schritt zackig und voll Selbstvertrauen aufs Podium zu, als habe er nicht eine Sekunde daran gezweifelt, dass sein Team gewinnen würde. Er schüttelte dem Politiker die Hand, schnappte sich die kleine durchsichtige, wie ein Obelisk geformte Trophäe und röhrte selbstsicher ein „Dankeschön!" ins Mikrofon. Ich wusste, dass er und seine Jungs gewonnen hatten, aber ich brannte darauf zu erfahren, wie wir im Vergleich zu ihnen abgeschnitten hatten, schnappte mir eins der Heftchen, in denen alle Ergebnisse zur Energieversorgersparte standen, und verließ das Gebäude. Hier die Ergebnisse der Energieversorgersparte für ganz Europa:

1. Platz: Mighty Yank Bank – 27,2 %
2. Platz: Merde-Bank – 24,4 %
3. Platz: Megashit – 21,1 %

Okay, das bedeutete, dass wir langsam, aber sicher diese Einfaltspinsel einholten. Ich selbst erreichte unter den Analysten meiner Sparte immerhin den sechsten Platz. Soweit es nach mir ging, konnten wir sie schlagen – vielleicht schon nächstes Jahr, aber wenn nicht, dann bestimmt im übernächsten Jahr. Es war nur noch die Frage, wann, nicht ob überhaupt. Hugo tat so, als mache er sich keine Sorgen, aber ich konnte seine Angst schon riechen. Alles lief nach Plan. Ich musste nur weiterhin konzentriert mein Ziel verfolgen und durfte mich dabei möglichst durch nichts ablenken lassen. Aber es dauerte nicht lange, da tauchte sie auf.

DAS FLITTCHEN 7

Sie war ein feuchter Traum – und doch ein Mensch aus echtem Fleisch und Blut. Sie war purer Sex. Sie war die personifizierte Lüsternheit. Jane Carter war all das – und noch viel mehr. Es gibt nicht viele Frauen im Investmentbanking, und unter diesen wenigen gibt es noch viel weniger, die gut aussehen. Ein einziger Blick von Jane hatte die Kraft, einen daran zu erinnern, wie wunderbar das Leben sein kann. Sie war Charlotte Rampling, Julie Christie und Kristin Scott Thomas[33] in einem. Sie war eine englische Jessica Rabbit, aber mit dem unschätzbaren Vorteil, dass sie keine Comicfigur, sondern aus Fleisch und Blut war. Sie war leidenschaftlich und beherrscht zugleich, umwerfend sexy und doch zurückhaltend, stark und verletzlich. Sie hatte eine melancholische Ausstrahlung, die mich anzog wie ein Magnet, sodass ich ihr nur noch nachsehen wollte, als ich sie das erste Mal sah … aber ich wollte, dass sie mir auch hinterhersah. Sie war offensichtlich sehr intelligent und wusste mit Männern umzugehen, was erfolgreiche Börsenmaklerinnen von den Möchtegerns unterscheidet. Sie hatte an der Universität von Edinburgh Wirtschaft studiert und war ein Jahr jünger als ich. Und, was vielleicht das Wichtigste war – sie hatte eine Wahnsinnsfigur und einen traumhaften Hintern.

Als sie im August 2002 als Verkäuferin in unsere Bank eintrat, nachdem sie drei Jahre lang als Verkäuferin für eine Schweizer Bank tätig gewesen war,

33) Britische Schauspielerinnen (Anm. d. Übers.).

und als man uns einander vorstellte, konnte ich ihr kaum in die Augen blicken. Sie hatte langes, kräftiges kastanienbraunes Haar, eine perfekte Haut wie eine Porzellanpuppe, eine edle, eckige Nase und die faszinierendsten grünen Katzenaugen, die ich jemals gesehen hatte. Bei unserer ersten Begegnung lief ich so rot an, dass alle um uns herum verlegen wurden und lieber miteinander sprachen, als uns zuzuhören. Als wir uns über unsere jeweiligen Kunden und Kaufempfehlungen austauschten, war es, als wäre alles um uns herum still, und ich hatte eine Art außerkörperliches Erlebnis. Ich hörte nichts mehr außer ihrer schönen, sanften Stimme und gelegentlich meiner eigenen, aber ich weiß nicht mehr, was ich sagte. Es war alles wie ein Traum. Ein Teil von mir wollte, dass sie ging, denn ich hatte ein bisschen Angst vor dem, was da passierte, andererseits wollte ich am liebsten nur noch ihr betörend schönes Gesicht anschauen. Sie nahm mich nicht erst vom ersten Wort an gefangen, sondern schon, ehe sie überhaupt den Mund aufmachte.

Bevor ich weitererzähle, sollte ich vielleicht erwähnen, dass ich mich ungefähr acht Monate, bevor Jane in mein Leben trat, in ein wunderschönes Mädchen verliebt hatte. Ich hatte Claire bei einer mehrtägigen Party auf dem Landsitz Notting Hill Gate kennengelernt und es hatte zwischen uns beiden gleich gefunkt. Ich glaube, ich eroberte sie mit meiner oft wiederholten und gefühlvollen Art nach dem Motto „lass uns das jetzt gleich klarstellen", und bevor ich recht wusste, was los war, zog sie schon in mein Haus in Shepherd's Bush ein. Obwohl meine immer stärkere Liebe zur „weißen Lady" sie störte, kann man unsere Beziehung nur als sehr harmonisch beschreiben. Wir hatten viel Spaß miteinander, wir teilten den gleichen Sinn für Humor, wir schliefen dauernd miteinander und hatten so eine instinktive, animalische Verbindung, dass es sich so anfühlte, als wären wir wirklich seelenverwandt. Es fühlte sich sehr eng an, so als würde alles auf ein liebevolles, harmonisches, zärtliches und, ich wage es zu sagen, reifes, erwachsenes Zusammenleben hinauslaufen. Wir waren beide zum ersten Mal verliebt und die erste Liebe ist etwas, was man so niemals wiederholen kann. Ich war überglücklich und Claire war es auch. Leider dauerte es nicht lange und ich machte alles kaputt.

„Regel Nummer 1: Lass dich nicht erwischen." Das waren David Flynns Worte gewesen, als wir zu Beginn meiner Börsenkarriere bei ein paar Bier über das Für und Wider einer Büroaffäre geredet hatten. Zuvor hatte er schon gesagt, es sei nicht klug, „sein Ding ins Tintenfass der Firma zu tauchen". An dieser Stelle hatte der gute alte Tony sich eingeschaltet und mit seinem besonderen Charme die Weisheit zum Besten gegeben: „Piss nicht auf deinen eigenen Acker!" Trotz all dieser Weisheiten sind Affären in der City nichts Ungewöhnliches, denn City-Leute arbeiten so viel und haben so wenig Gelegenheit, ihr reichliches Einkommen auszugeben, dass sie manchmal einfach spüren, dass ihnen das Leben zwischen den Fingern zerrinnt. Wahrscheinlich brauchen wir manchmal eine geile, freche Nummer, damit wir wieder spüren, dass wir nicht nur auf Karriere programmierte Roboter sind, die darauf warten, dass Gevatter Sensenmann sie eines Tages niedermäht. Jedenfalls schaffte ich es sechs Jahre lang, die weisen Worte meiner Mentoren zu beherzigen ... bis Jane kam. Regeln sind gut und schön, aber manchmal muss man sie brechen. Das Problem ist nur, es gibt sehr gute Argumente gegen eine Liebesaffäre in einer Investmentbank. Solche Affären enden oft in Tränen, und wenn das passiert, kann es unter Umständen auch mit der Karriere vorbei sein. Wenn die Frau, mit der man Sex hat, mit dem halben Büro schläft, sind deine Chancen, den Job zu behalten, etwa so groß wie die von Gary Glitter[34], als Grundschullehrer eingestellt zu werden. Investmentbanken (oder bin's bloß ich?) haben eine wahrhaft paranoide Angst vor Klagen wegen sexueller Belästigung, und man weiß nie, ob die Lady, mit der man sich auf ein Techtelmechtel einlässt, nicht auf einmal meint, einen verklagen zu müssen – wenn, dann gute Nacht, Karriere.

Das Verbrechen geschah während einer Abschiedsfeier im November 2002 in einer üblen Broker-Spelunke im Canary Wharf. Abschiedsfeiern waren zu jener Jahreszeit häufig, denn viele Banken, darunter auch Megashit, reagierten auf die schwachen Märkte, indem sie sich von den weniger erfolgreichen Brokern trennten (beziehungsweise von denen, die es nicht verstanden, den richtigen Kunden Honig um den Bart zu schmieren). Diese Zeit wählten die Banken, weil die Boni kurz bevorstanden, was bedeutete, dass die Bank die harte Arbeit derer, die sie entlassen wollte, jetzt noch zu einem möglichst günstigen Preis bekam. Diese List sorgte auch dafür, dass sich weniger Leute den Bonus-Pool teilen mussten, und da 2002 und 2003 keine guten Jahre für Banker waren, war jeder Trick willkommen, der half, den Bonus, der für die Besten zur Verfügung stand, zu erhöhen. Es war ganz bestimmt kein schöner Trick, aber wer ihn überlebte, profitierte letztlich davon, und so erwarteten wir die Zeit der Abschiedsdrinks mit gemischten Gefühlen, denn wir wussten, dass der Abschied der Loser – ich meine, derer, die gehen mussten – sich gut

---

34) Britischer Musiker, der wegen Kindsmissbrauchs verurteilt wurde (Anm. d. Übers.).

auf unsere Vergütung auswirken würde. Natürlich brauchte ich selbst im Gegensatz zu vielen meiner Kollegen zum Jahresende hin nichts zu fürchten, denn mein Bonus war garantiert. Ich musste nicht bangen, eines Tages in das Büro des Research-Leiters gebeten zu werden und den Satz hören zu müssen: „Tut mir leid, es hat nicht so geklappt, wie es sollte" – selbst meinen Bonus für 2003 hatte ich schon in der Tasche.

Es gab in diesen zwei Jahren so viele Entlassungen, dass die Entlassenen sich zusammentun konnten, um zu mehreren eine Abschiedsfeier zu geben. Das geschah zum Teil sicher auch deshalb, weil die Kosten von circa 500 Pfund nach der City-Tradition, die die Abschiednehmenden zwingt, alles zu bezahlen, plötzlich von den Betroffenen als größere Belastung empfunden wurden, wussten sie doch nicht, ob sie nicht in die Arbeitslosigkeit entlassen wurden. Die Abschiedsfeiern waren deshalb auch nicht mehr so gemütlich wie früher und wurden nicht selten von weniger Leuten besucht, als es die Betroffenen, wenn sie beliebt waren, verdient hätten. Ich glaube, es lag daran, dass die Leute nicht mit den „Losern" in Verbindung gebracht werden wollten, die es nicht fertig brachten, ihren Job zu behalten. Die traurige Wahrheit war: Sobald man nicht mehr als erfolgreich galt und damit auch nicht als nützlich für die Karriere der Kollegen, behandelten einen manche Leute plötzlich wie einen Aussätzigen.

Zurück zu unserer Geschichte: In der Bar gab es einen Billardtisch und Jane forderte mich zu einem Spielchen auf. Seit sie zur Firma gestoßen war, hatten wir nur wenig Kontakt gehabt. Ich war ein paarmal zu ihr aufs Handelsparkett gegangen, um mit ihr über einen bestimmten Kunden oder eine Anlageidee zu sprechen, war aber jedes Mal rot geworden und stand stumm wie ein Fisch herum. Diese Göttin musste mich schon, so nahm ich an, für einen sprachbehinderten Idioten mit permanentem Scharlach halten. Und was noch schlimmer war: Für mich gehörten Jane und Herzklopfen bereits so zusammen, dass es schon losging, wenn sie auch nur in meine Nähe kam oder wenn ein Kollege ihren Namen nannte. Es war ein Teufelskreis, dem ich nur entrinnen konnte, indem ich jede nur mögliche Ausrede suchte, nicht mit ihr zu reden, denn wenn ich es versuchte, machte ich mich sowieso nur lächerlich. Ich kam gar nicht auf die Idee, dass auch sie sich für mich interessieren könnte. Ehrlich gesagt spielte sie für mich in einer anderen Liga und solange ich nicht zufällig im Lotto gewann oder mich einer Schönheitsoperation unterzog, sodass ich wie Brad Pitt aussah oder einen Crashkurs in Sachen Coolness bei Samuel L. Jackson nahm, war alles für mich nur ein unerfüllbarer Traum – dachte ich. Doch da lag ich falsch.

Wir spielten Billard und ich flirtete, von ein paar Gläsern Bier mutig geworden, mit ihr beim Spielen. Ich war ein verdammt guter Billardspieler (zumindest, wenn mein Alkoholpegel stimmte, und das tat er gerade), und obwohl auch sie nicht übel spielte, zeigte ich ihr, wo's langging. Während des zweiten Spiels fing ich an, ein bisschen auf Show zu machen wie Tom Cruise im Film „Die Farbe des Geldes". Das heißt, ich machte Stöße hinter dem Rücken, Stöße, bei denen ich nur in ihre Augen sah, ich ließ sogar – ich schäme mich, es zu sagen – das Queue wirbeln wie ein Tambourmajor seinen Stock. Ich führte mich wie ein eitler Gockel auf und wurde immer mutiger. Daher war ich ein bisschen überrascht, als Jane meinte: „Lass uns auf eine Zigarette rausgehen" und zu unseren feiernden Kollegen sagte: „Ist mir zu voll, nicht genug Platz." Noch überraschter jedoch war ich, als sie mich, bevor ich ein Wort sagen konnte, in eine Seitenstraße zog und dort wie ein Raubtier über mich herfiel.

Ich konnte es erst gar nicht glauben! Ich fühlte mich wie ein König. Ich dachte: Die muss mein Geplauder am Billardtisch ja ziemlich toll gefunden haben, oder … sie hat mich mit jemandem verwechselt. Oder sie ist richtig blau. Oder eine Nymphomanin. Was auch immer der Grund war, ich wollte die Situation nicht ungenützt verstreichen lassen. Während wir noch miteinander knutschten, sah ich ein freies Taxi um die Ecke biegen, hielt es an und schlug ihr vor, zu ihr zu fahren. Zu meiner großen Überraschung war sie einverstanden und ich schubste sie energisch ins Taxi, ehe sie es sich womöglich anders überlegte. Ich war so erregt, dass jeder, der mich jetzt gesehen hätte, gedacht hätte, ich wollte ein Kanu in der Hose schmuggeln.

Während der Taxifahrt zu ihrer Wohnung in Chelsea fiel mir ein kleines, aber nicht unbedeutendes Detail ein, das ich beinahe vergessen hätte: Bei mir zu Hause saß jetzt meine hübsche Freundin und wartete auf mich – meine Freundin, die ich so sehr liebte, dass ich sie sogar heiraten wollte. Aber das hier war Jane Carter! Für einen Rückzieher war es schon zu spät – unter Blinden ist der Einäugige König. Mein Kleinhirn diktierte meinem Großhirn, was zu tun war. Bevor ich viel nachdenken konnte, waren wir schon vor ihrer Wohnung angelangt. Ausgelassen wie zwei Kinder rissen wir einander die Kleider vom Leib. Als wir die oberste Stufe erreicht hatten, waren wir bereits nackt, und … kurz und gut, es war einfach wunderschön.

Ich glaube, der amerikanische Romanautor Jay McInerney hatte recht, wenn er sagte, es gäbe „zwei Arten von Menschen – die, die andere betrügen, und die, die sich hinterher schuldig fühlen". Ich gehörte eindeutig zu den Letzteren und ich fühlte mich bereits mies, als ich die erste Zigarette danach rauchte. McInerney wusste auch, warum Männer wie ich eine wunderbare, liebevolle Beziehung für ein schnelles Abenteuer aufs Spiel setzen. Er wusste, dass wir lustbetonten, moralisch labilen Männer vier Grundbedürfnisse haben: „ein Dach überm Kopf, Essen, eine Muschi und eine fremde Muschi" (ich vermute, er meinte die einer Fremden, keine fremdartig geformte oder so). Es ist traurig, dass unsere triebhafte Natur uns so oft Dinge tun lässt, die ganz eindeutig unserem längerfristigen Glück zuwiderlaufen.

Wie auch immer – ich musste so bald wie möglich Janes Appartement verlassen, aber ich wollte es auf eine Art tun, die es mir ermöglichte, das Gesicht zu wahren, und sie sollte auch nicht unbedingt wissen, dass ich schon eine Freundin hatte. Ich dachte gerade über eine gute Ausrede nach, warum ich schon jetzt nach Hause gehen müsse, da kam sie mir schon zuvor. Sie sagte: „Danke, Liebling, es war sehr schön mit dir. Wir sollten wirklich irgendwann mal ein Rückspiel einplanen. Aber vielleicht gehst du jetzt besser zurück zu deiner Freundin." Ich war perplex. Sie wusste also von Claire. Und sie wollte es noch mal mit mir treiben, irgendwann. Jetzt wurde es kompliziert ... aber vielleicht weniger für Claire als für meine so schwer kontrollierbare Libido. Bevor jemand „erbärmlicher Betrüger und Wichser" sagen konnte, machte ich mich schon davon, schnell wie die Ratte auf der Dachrinne. Ich kam heim und meine arme, wunderschöne Freundin ahnte nicht, was passiert war – nicht einmal, als ich um Mitternacht noch duschte, was für mich sehr ungewöhnlich war.

So nahm unsere Affäre ihren Lauf. Jane war, wie sich herausstellte, auch ein Fan des weißen Pulvers und unsere Rendez-vous wurden immer schmutziger, mit Champagner, Kokain und Hotelzimmer zur Mittagszeit. David Flynn hatte mir einmal erzählt, man könne im Great Eastern Hotel bei der U-Bahn-Haltestelle Liverpool Street stundenweise Zimmer anmieten, aber das war jetzt, 2002, zum Leidwesen meiner Brieftasche nicht mehr möglich. Jane mochte die Spannung, wenn sie uns beide als Mr. und Mrs. Smith anmeldete, und ich musste die 300 Pfund pro Nacht berappen, auch wenn wir das Zimmer nur für ein paar Minuten – sorry, natürlich meine ich, ein paar Stunden – Spaß brauchten. Ich erfand irgendwelche Geschäftsreisen, damit meine arme Freundin nicht merkte, was los war, aber es quälten mich starke Schuldgefühle. Ich bin nicht gerade ein As im Lügen, außer ich habe einen Polizisten oder einen meiner Klienten vor mir. Ich wurde schon rot und wich ihrem Blick aus, wenn Claire mir nach meiner Rückkehr ohne Hintergedanken ganz normale Fragen stellte, wie: „Na, wie war's in Edinburgh?" Ihre Liebe und ihr Vertrauen zu mir waren so grenzenlos, dass selbst diese unfreiwilligen Beweise meiner Unehrlichkeit sie nicht stutzig machten. Die Dinge entwickelten sich noch extremer, als Jane mir den Vorschlag machte, ob ich nicht mit ihr zusammen auf eine Sexparty gehen wollte, die Anfang 2003 in Chelsea stattfinden sollte und von einer Firma namens „Passion" veranstaltet wurde. Es war an einem Samstag und wie es das Schicksal haben wollte, war es das Wochenende, an dem Claire ihre Eltern in Devon besuchte. Ich hatte so etwas nie zuvor getan, aber ich habe immer nach der alten Devise gelebt: „Man sollte alles mal probiert haben – außer Inzest und schottischem Volkstanz." Seltsamerweise musste ich Jane ein digitalisiertes Foto von mir mailen, denn die Organisation „Passion" war sehr wählerisch, was die Auswahl ihrer Teilnehmer anbelangte. Was noch erstaunlicher war: Obwohl ich das Foto von mir aus dem Firmen-Intranet verwendet hatte, auf dem ich wie ein selbstzufriedener Nazi auf Drogen aussah, hielt mich die Jury für attraktiv genug, für die lächerliche Summe von 75 Pfund an der Sause teilzunehmen.

Der Tag kam. Ich war nervös und unsicher. Ich hatte nicht nur Schmetterlinge im Bauch, nein, da flatterten riesige Motten in alle Richtungen. Jane und ich trafen uns in einer Bar um die Ecke vom Penthouse-Apartment in Chelsea Harbour, wo die Party stattfinden sollte. Ich hatte eine schwarze Krawatte an, wie Jane es mir gesagt hatte. Jane sah einfach hinreißend aus in ihrem kurzen, sexy roten Yves-Saint-Laurent-Kleid. Sie hatte gefährlich schöne Beine und sie scheute sich nicht, sie zu benutzen.

Bevor wir uns an jenem Abend trafen, hatte ich schon ein bisschen Pulver geschnupft, um meine armen Nerven zu beruhigen, und war bereits mehrfach auf der Toilette gewesen (ohne gehen zu müssen). Meine Nerven und die Droge ließen mich stark schwitzen und die besorgte Jane fühlte sich verpflichtet, mir eine kleine Predigt zu halten, um mich zu beruhigen und zu verhindern, dass ich einen totalen Affen aus mir machte. Sie sagte: „Hör mal, reg dich nicht auf und nimm nicht so viel Koks. Ich war schon auf einigen dieser Parties – ich bin sogar auf ihrer ,Goldenen Liste', und das bedeutet, dass ich zu jeder ihrer Parties eingeladen werde. Alles ist ganz einfach. Entweder sind es Paare oder einzelne Frauen, die kommen. Es gibt also immer mehr Frauen als Männer. Wir kommen an, stehen erst mal ein bis zwei Stunden in einem Raum herum und trinken Champagner. Diese Gelegenheit solltest du nutzen, um mit den Damen ins Gespräch zu kommen, zu denen du dich hingezogen fühlst. Die meisten Leute, die zu solchen Veranstaltungen kommen, sind zwischen 30 und 40. Leuten über 40 ist die Teilnahme sogar streng verboten. Es gibt einen sehr hohen Anteil von Idioten vom Kontinent und du wirst sehen, dass viele Leute aus der ganzen Welt extra zu dieser Party kommen. Die Frauen haben das Sagen und viele von ihnen suchen sich andere Frauen aus – viele sind nur aus diesem Grund hier. Gegen 23.00 Uhr sagt jemand an, dass jetzt der Spaß beginnt, und alle verteilen sich auf die sogenannten Spielzimmer und du kannst mitmischen, wo du magst. Manche Gäste nehmen nur ein Mädchen zusätzlich zu ihrer Partnerin oder ihrem Partner, andere machen bei Gruppenorgien mit und wieder andere sehen einfach nur zu. Manche Frauen sind nur hier, um mehrere Partner zu haben. Die meisten Gäste nehmen regelmäßig teil. Mach nichts Perverses, übe keine Gewalt aus, entspanne dich und genieße es einfach. Ich bin absolut einverstanden, wenn du dir jemand anderen suchst, und du solltest auch nichts dagegen haben, wenn ich dasselbe tue."

Und ob ich was dagegen hatte! Ich hatte noch gar nicht darüber nachgedacht, dass ich wahrscheinlich geduldig dabei zusehen musste, wie meine Geliebte von ein paar schwitzenden, ekligen Kontinentalratten gebürstet wurde. Nicht, dass ich in sie verliebt war, aber unsere Beziehung bestand bei Weitem nicht nur aus Sex. Zumindest ich war mir ziemlich sicher, dass da noch etwas anderes war, obwohl ich es beim besten Willen nicht näher beschreiben konnte. Jedenfalls bekam ich allmählich richtig kalte Füße, aber ich wusste, dass ich wie ein Idiot aussah, wenn ich jetzt kniff. Also trank ich mein Bier leer, knallte cool das Glas auf den Tisch und sagte mit geheucheltem Mut: „Komm, gehen wir! Es ist Zeit, dass du mal von ein paar Itakern rangenommen wirst!"

Wir betraten die geräumige Penthouse-Suite. Eine attraktive Frau nahm uns die Mäntel ab. Sobald wir in den Hauptraum kamen, wurde ich, oder genauer gesagt, Jane von fast allen Anwesenden beäugt, und es wurde merklich leiser, als die Männer und Frauen ihre Schönheit bewunderten. Vielleicht bildete ich es mir nur ein, aber ich fühlte, dass meine sonnengebräunten potenziellen Gespielinnen sich wunderten, was zum Teufel so ein Sahnetörtchen mit einem Durchschnittstypen wie mir wollte. Ich fühlte mich unsicher und ging schnellen Schrittes auf den Tisch zu, der als Bar diente. Ich holte zwei Gläser Schampus für Jane und mich. Plötzlich fühlte ich, wie mir jemand auf die Schulter tippte.

„Alles klar, mein Freund, wie geht's? Was machst du denn hier? Na, ich weiß, was du hier machst, du alter Lustmolch. Wer hätte das gedacht! Ich hab dich noch nie bei so einer Veranstaltung gesehen. Bist du mit der tollen Rothaarigen hier? Meine Güte – Respekt, Respekt, Alter!" Es war niemand anderes als Tony Player. Ich konnte es nicht glauben. Ich hatte ihn seit ungefähr einem Jahr nicht mehr gesehen. Das Letzte, was ich sehen wollte, war, wie mein früherer Traderkollege meine Geliebte bestieg – oder auch irgendeine andere Frau. Was zum Teufel wollte ich hier? Ich versuchte krampfhaft, irgendetwas zu sagen, von wegen, „ist doch alles ganz normal" oder so. Tony brach das Schweigen und meinte: „Wenn ich mir deine Mieze so ansehe – Kompliment, du scheinst es ja drauf zu haben. Die ist echt geil, mit großem ‚G'. Ich glaube, ich geh mal rüber und spreche ein paar Takte mit ihr." „Äh … Tony", sagte ich und versuchte verzweifelt zu verhindern, dass meine schreckliche Vision Wirklichkeit wurde, dass mein Traderkollege es vor meinen Augen mit Jane trieb, „sag mal, ist das da hinten in der Ecke nicht der Claude vom Bergbau-Team der Banque Inutile?"

„Kumpel, wenn du genau hinschaust, siehst du hier eine Menge Cityboys. Ist 'ne großartige Gelegenheit, Kontakte zu knüpfen. Es ist schwierig, keine Provision von jemandem zu kriegen, von dem du weißt, dass er mit deiner Frau gebumst hat, verstehst du. Das ist natürlich der einzige Grund für mich, zu derlei anrüchigen Parties zu kommen!" Tony grinste. „Aha, verstehe. Entschuldige mich … ich muss mal eben aufs Klo."

Der Abend verlief genauso, wie Jane es mir beschrieben hatte. Bevor ich bis drei zählen konnte, lag ich schon nackt, wie Gott mich schuf, auf einem großen Bett, umgeben von lauter gebildeten, ebenfalls splitternackten Perversen. Allerdings gab es da ein Problem. Das Problem war, um es vorsichtig auszudrücken, dass ich keinen hoch bekam. Ich konnte es selbst nicht fassen, aber Koks, Alkohol und die ganze Aufregung hinderten mich daran, mein Bestes zu geben. Nicht nur das, sondern das ganze Drumherum führte dazu, dass mein Schwanz auf ein enttäuschendes Maß schrumpfte. Sonst bin ich bei passender Gelegenheit ein Mann mit „großem Wachstumspotenzial" (der auch schon mal im Freundeskreis kräftig damit angibt), aber ehrlich gesagt hatte das Kokain die Wirkung, dass ich eher einem 12-Jährigen ähnlich sah als einem Mann … bestenfalls. Vergeblich versuchte ich, mich zu erregen, indem ich mit einer Brünetten herummachte, mit der ich zuvor bei ein paar Drinks geplaudert hatte, aber es war, als wollte man eine Auster durch einen Münzschlitz zwängen. Sie gab es bald auf mit mir und sagte zum nächsten erregten Mann neben mir, so laut, dass ich es hören konnte: „Puuuh, es ist schwer, einen Mann mit Stehvermögen zu finden!" Ich fühlte, dass meine Kollegen den Blickkontakt mit mir mieden, da ich es offensichtlich nicht brachte. Mittlerweile hatte ich auch Jane aus den Augen verloren und ich fühlte mich hier sehr, sehr fremd. Wahrscheinlich bildete ich es mir nur ein, aber ich meinte unten auf der Straße einen Fußballfan singen zu hören: „Ihr punktet nicht mal im Bordell!" Bevor ich mich noch weiter erniedrigt sah, stand ich auf, zog meine Boxershorts an, holte mir meine Klamotten wieder, zog sie an und ging in Richtung Ausgang (wie ich dachte). Denkste! In meinem bedröhnten Zustand kam ich in einen Raum, den ich zuvor noch nicht gesehen hatte. Im Halbdunkel lagen da ungefähr neun nackte Körper, alle eng umschlungen. Ich starrte mit trunkenem Blick um mich, da erblickte ich Jane, unschwer zu erkennen an ihrem kastanienbraunen Haar, an einem Ende des Bettes. Sie kauerte auf allen Vieren, auf ihre Hände und Knie gestützt, und wurde gerade von irgendeinem verschwitzten, schlaksigen Kerl, der wie ein Schwein grunzte und schnaufte, von hinten genommen. Etwas an dem Kerl kam mir vertraut vor ... o Gott, war das möglich? ... Was hatte ich bloß getan, um so etwas zu verdienen? Es war Hugo. Natürlich war er's. Mir wurde speiübel, es würgte mich fast. Dieser perverse kleine Sack bekam ausgerechnet jetzt, wo ich zur Tür hereinschaute, einen Orgasmus. Ich sah in seine Augen und er fing meinen Blick auf, und dann stieß er einen unersättlichen Schrei aus – eine Art primitives Kriegsgeschrei zügelloser Ekstase. Mit einem animalischen, zufriedenen Blick grinste er mich an und wischte sich mit dem Arm die Spucke vom schäumenden Mund. Am liebsten wäre ich sofort auf ihn losgegangen und hätte mit einem rosafarbenen Vibrator, der in der Ecke lag, auf seinen Kopf eingedroschen, aber ich wusste, das ein solches Verhalten bei dieser Art Veranstaltung nicht gern gesehen war (wie auch bei anderen Veranstaltungen nicht). Ich stierte weiterhin ungläubig auf die Szene, die sich mir darbot. Langsam, aber sicher wurde mir klar, dass meine paranoide Einbildungskraft meinem drogengeschwängerten Gehirn einen Streich gespielt hatte – es war gar nicht Hugo, der da vor mir lag, sondern irgendein anderer lüsterner Vollidiot. Ich schloss die Tür hinter mir und versuchte, alles in meiner Macht Stehende zu tun, um die hässliche, lüsterne Grimasse dieses verschwitzten, blasierten Affen für immer aus meinem Gedächtnis zu tilgen – allein, es half nichts. Ich wusste, dieses ekelhafte Bild würde mich für den Rest meiner Tage verfolgen. Ich taumelte in die grausame, kalte Winternacht hinaus und fühlte mich reif für den Leichenbestatter.

Nach meinem unwürdigen Auftritt bei der Party wurde meine Beziehung zu Jane zusehends schlechter. Ich habe ihr nie erzählt, dass ich sie dort in Aktion gesehen habe, auch nichts von meiner paranoiden Halluzination. Das letzte Mal schliefen wir im Februar 2002 miteinander, es war vollkommen ungeplant – wieder nach einer Abschiedsfeier. Es war das, was wir beide unter uns unseren „Wochenmittesport" nannten, und wir konnten es bei mir zu Hause machen, denn Claire war an diesem Abend bei ihrer Mutter. Dass das Ganze ungeplant und in betrunkenem Zustand stattfand, hatte zur Folge, dass Jane am nächsten Morgen mit Alkoholfahne und in ihren Klamotten von gestern ins Büro gehen und sich den gefürchteten Blicken und Worten der Kollegen unterziehen musste.

Wie wir alle wissen, ist Sex „das Frühstück der Champions", aber wenn man eine Frau ist und in der Männerdomäne Investmentbank arbeitet, kann einem dieses Frühstück ganz schön schwer im Magen liegen. Das Spießrutenlaufen vom Lift bis hin zum eigenen Schreibtisch ist so unangenehm, dass das „Dschungelcamp" dagegen der reinste Spaziergang ist. Die Reaktionen der männlichen Broker, die in direkter Umgebung von Jane ihren Schreibtisch hatten, ähnelten denen von Schulkindern. Es begann mit verschwörerischen Augenzwinkern und Kichern, steigerte sich in ein Crescendo von Flüstern und Fingerzeigen, bis schließlich irgendein Depp meinte, bemerken zu müssen: „Gute Nacht gehabt, Jane?", woraufhin jeder in zehn Metern Entfernung laut losprustete und die arme Jane so rot anlief, dass die Firma Dulux ihr zu Ehren eine neue Farbe hätte kreieren können – vielleicht „Scarlet Lady"...

Wenn man sieht, wie unterschiedlich ein Mann und eine Frau in derlei Situationen von ihren Kollegen behandelt werden, weiß man, wie sexistisch es im Investmentbanking immer noch zugeht. Es kam in meiner beruflichen Laufbahn einige Male vor, dass ich aus spontanem Anlass in den Klamotten vom Vortag erscheinen musste. Wenn das vorkam, glich mein Weg vom Lift zum Schreibtisch einem Siegeszug. Anstatt zu versuchen, mein schlechtes Benehmen zu kaschieren, ging ich hoch erhobenen Hauptes mit kräftigen Schritten an den Schreibtischen meiner Kollegen vorüber, und der eine oder andere gab mir sogar noch alle Fünfe, wenn ich dicht an ihm vorbeiging. Einmal, als durchsickerte, dass ich mit einer kleinen Berühmtheit aus gewesen war, erhielt ich sogar spontan stehenden Beifall von meinen männlichen Kollegen und antwortete mit einem Knicks und mit ausladendem Arm wie im Theater ...

Mein Eindruck ist, dass im Investmentbanking ein Mann, der es mit vielen Frauen treibt, als toller Hecht bewundert wird, während eine Frau, die sich mit mehreren Männern einlässt, als Schlampe bezeichnet und scheel angesehen wird. Besonders weibliche Börsenmakler stehen unter großem Druck, nicht als Flittchen zu gelten, denn dieses Image passt nicht zum seriösen Berufsbild. Diese Art von Sexismus hat mich immer sehr geärgert ... nicht, weil ich etwa ein militanter Feminist wäre, sondern weil sie meine Kolleginnen zu einem nach außen hin sehr keuschen Lebensstil zwang, was mich wiederum ärgerte, wenn ich als Single unterwegs war.

Am Nachmittag jenes schicksalhaften Tages kam ein Kollege zu mir und erzählte mir, welchen Spießrutenlauf Jane auf dem Parkett hatte mitmachen müssen. Ich war verwirrt und wollte ein kleines Spiel spielen, das mich wie einen Don Juan aussehen lassen sollte. Ich brauche nicht zu sagen, dass der Schuss nach hinten losging.

„Ich wüsste zu gern, wer der Glückliche war, der Jane letzte Nacht gevögelt hat", sagte ich in der Hoffnung, mein Kollege würde ein paar Komplimente über Janes schönes Äußeres loslassen, die meinem Ego guttun würden. „Welcher Glückliche? Was weiß ich. Die lässt sich doch von jedem hier besteigen. Eine Reiterin der alten Schule, kann ich dir sagen. Die hat schon mehr Pfeile im Köcher als jede Dartscheibe. Ich kenne ungefähr neun Männer hier, die schon mit ihr geschlafen haben. Mit mir hat sie's auch schon mal probiert – sie hat irgendwas gesagt von wegen: ‚Heute Abend steigt eine Party bei mir. Komm doch zu mir nach Hause!' Was für eine Schlampe! Sie weiß genau, dass ich verheiratet bin, aber das ist ihr egal – im Gegenteil, sie mag Männer, die 'ne Frau oder Freundin haben, von denen kommt sie leichter wieder los, um sich auf den Nächstbesten zu stürzen! Man sagt schon, sie verteilt ein Geschenk, das man nicht wieder los wird ... du weißt schon, was ich meine – Herpes oder so."

Hätte mein lieber Kollege darauf geachtet, dann hätte er merken müssen, dass ich plötzlich sehr blass wurde. Hätte er genau hingehört, hätte er hören können, wie mein Ego wie eine Seifenblase zerplatzte. Hastig entschuldigte ich mich und stolperte zur Toilette, wo ich mich auf der Stelle übergeben musste, was mir angesichts meines Katers von gestern nicht schwerfiel. Das war also ihre verdammte Masche – einen verrückt machen, dann vögeln und aus. Ich war ein schöner Idiot, dass ich darauf hereingefallen war, und wer weiß, vielleicht hatte ich mir schon eine hässliche (und womöglich unheilbare) Krankheit zugezogen, da wir beim Gebrauch von Kondomen etwas schlampig gewesen waren. Scheiße, vielleicht hatte ich sogar bereits Claire damit angesteckt! Wieder musste ich kotzen. Und noch einmal.

Im Nachhinein betrachtet vermute ich, dass mein lieber Kollege mich nur aufziehen wollte. Wahrscheinlich wusste er, dass Jane die Nacht zuvor mit mir verbracht hatte, und nutzte die Gelegenheit, um mir ordentlich eins auszuwischen. Es ist die Art Scherz, die Cityboys einander bei jeder sich bietenden Gelegenheit antun. Trotzdem war mir dieser Gedanke damals kein Trost – vor allem danach nicht, als ich in der Ambulanz des Saint Mary

Hospitals saß und auf das Ergebnis meines AIDS-Tests wartete. Gott sei Dank war ich gesund. Aber leider verpasste Jane mir ein anderes Abschiedsgeschenk, das noch weitreichendere Folgen haben sollte.

„Verdammt noch mal, was soll das?", schrie Claire, mein Mobiltelefon in der Hand. Ich nahm gerade ein warmes Bad und las die farbige Beilage der Sonntagszeitung (nach einem exzessiven Wochenende), als mich ihre Frage völlig unvorbereitet traf. O je! Sie hatte meine SMS gelesen. So ein Mist, dachte ich – ich hatte doch glatt vergessen, Janes letzte SMS zu löschen, die sich auf unseren letzten „Wochenmittesport" bezog. Oh Scheiße! In ihrer letzten SMS war Jane sehr deutlich gewesen, was die Natur unserer Beziehung betraf: „Steve, jedes Mal wenn du mit mir schläfst, ist es schöner. Wir sollten auch mal wieder auf eine Sexparty gehen, aber diesmal weniger koksen! Jane xxx."

Ich bin kein Rechtsanwalt, aber mir war klar, diesmal war es so weit. Aus der Nummer würde ich nicht mehr herauskommen. Ich wusste, ich war dreifach entlarvt: Untreue, Drogenmissbrauch und Teilnahme an Sexorgien. Da war nichts mehr zu kitten. Ich wusste nicht, was ich sagen sollte. Ich brauchte auch nichts mehr zu sagen. Mein Gesicht sprach Bände. Claire reagierte prompt. Sie warf mir mein Handy mit solcher Wucht an den Kopf, dass es hinter mir an die Wand flog und zersplitterte. Plastiksplitter trafen mein verdutztes Gesicht.

Der Rest ist schell erzählt. Claire und ich trennten uns und ich fiel in ein so tiefes Loch der Verzweiflung, dass es mir unsagbar schwerfiel, überhaupt einigermaßen zu funktionieren. Monatelang war jeden Morgen nach dem Aufwachen mein erster Gedanke: „Verdammt, es war kein böser Traum. Ich bin nicht mehr mit Claire zusammen!" Es gab einzelne Augenblicke des Glücks, aber jedes Mal verfiel ich gleich darauf wieder in eine tiefe Depression, denn irgendetwas, eine Erinnerung oder eine Assoziation, riss mich wieder hinunter. Wenn ich an einem Pub vorbeikam, wo wir beide einmal ganz verliebt einen Drink genommen hatten, konnte ich die Tränen nicht mehr zurückhalten. Ähnlich ging es mir, wenn jemand einen Filmtitel erwähnte und ich daran denken musste, wie ich den Film mit Claire zusammen gesehen hatte. Immer wenn ich etwas von ihr fand, das sie bei mir im Haus liegengelassen hatte, einen Ohrring oder einen Schal oder so, starrte ich das Ding an und sah sofort wieder ihr liebes Gesicht vor mir. Stundenlang saß ich im Bad und hörte den Sender „Magisches Radio" mit Balladen über Liebe und Liebeskummer. Ich benannte ihn in „Tragisches Radio" um und bestrafte mich selbst, indem ich mir Tag für Tag dieselben deprimierenden

Schnulzen anhörte. Es war eine Art Therapie für mich, aber auch eine selbst auferlegte Bestrafung. Plötzlich erschien mir das ganze Leben so sinnlos, die Zukunft sah nur noch düster aus. Liebe ist alles – alles andere ist nur eitler Schnickschnack. Diese Erkenntnis löste so eine gewaltige Abwärtsspirale in mir aus, dass sie mich fast das Leben kostete. Aber jetzt greife ich schon zu sehr vor – erst einmal passierte noch einiges, und nicht alles war schlecht.

„Es ist eine allgemein akzeptierte Wahrheit, dass ein vermögender Junggeselle eine Frau braucht." Schön und gut, liebe Jane Austen, das mag zu deiner Zeit richtig gewesen sein, aber wir standen zu Beginn des neuen Jahrtausends und ich war sehr gut im Geschäft. Ich sah nicht gerade wie Quasimodo aus, war fähig, ein paar zusammenhängende Sätze zu sprechen, und hatte ein paar Piepen beiseite gelegt. Das genügte, um sich in einer Stadt wie London, wo Zustände wie in Sodom und Gomorrah herrschten, jedes Wochenende ein schönes Leben zu machen. Ich fühlte mich schuldig und hatte Depressionen, denn ich war so dumm gewesen, eine nahezu perfekte Beziehung für ein Abenteuer zu zerstören, und das bloß, weil ich mir selbst irgendetwas beweisen wollte. Aber schon bald entschied ich mich für die Spaß-Option und tat, was jeder vernünftige, wieder Single gewordene, reiche und junge Mann an meiner Stelle auch getan hätte – ich schraubte meinen Alkohol- und Drogenkonsum hoch und ging wieder auf die Jagd – auf Goldgräberinnen.

Goldgräberinnen sind in der Welt der Börsenmakler wie in der der Profi-Fußballer keine Seltenheit, eher eine Art Berufsrisiko. Ich erinnere mich, eine Umfrage der englischen Bank National Savings and Investments aus dem Jahr 2006 gelesen zu haben, derzufolge 45 Prozent der befragten britischen Frauen angegeben haben, ein solides Bankguthaben sei ihnen bei der Partnersuche wichtiger als körperliche Attraktivität. Das kam natürlich vielen Cityboys gelegen, denn wir waren sowieso an der Gehaltsspitze. Auch die Hässlichen unter uns mussten keine Angst haben, immer leer auszugehen. Oft waren gerade diejenigen, die ein Gesicht wie eine Bulldogge hatten, die Ehrgeizigsten, wenn es um Fraueneroberungen ging. Es gab eine schweigende Übereinkunft unter den hässlicheren Cityboys, dass man Frauen auch mit Geld ködern könne. Eigentlich hätte das im Umkehrschluss bedeuten müssen, dass ich nicht besonders hart zu arbeiten brauchte, aber das stimmte nicht, denn meine Besessenheit, Hugo eines Tages zu besiegen, trieb meinen Siegeswillen an.

Die ganze City lebt im Grunde von der Gier der Menschen und von ihrer Annahme, man könne sich mit Geld alles kaufen. Man mag mich ruhig altmodisch nennen, aber ich sehe es wie früher die Beatles, als sie sangen: „Mit Geld kann man sich keine Liebe kaufen!"[35] Leider sehen das viele junge Single-Cityboys heute anders und lassen sich mit Mädchen ein, die nicht deshalb mit ihnen gehen, weil sie der Meinung sind, dass man sich so toll mit ihnen unterhalten kann. Ihre Erfahrungen im Umgang mit dem anderen Geschlecht haben diese Cityboys gelehrt, dass sie Geld brauchen, um eine Frau zu bekommen, und so reißen sie sich von früh bis spät den Arsch auf, weil sie wissen, dass man mit einem Ferrari und einer Rolex bestimmte, stets solariumgebräunte und verwöhnte Frauen anzieht wie Scheiße die Fliegen – eine Analogie, die in mehrfacher Hinsicht stimmt, wie mir scheint. Manchmal hatte ich den Eindruck, die Dinge hätten sich seit der Zeit Jane Austens nicht sehr geändert – und warum auch? Wenn ich eine junge Frau wäre und die Wahl hätte, mich entweder bei irgendeiner Drecksarbeit tagein, tagaus abzurackern oder einen reichen Kerl zu heiraten, der mir für den Rest meines Lebens finanzielle Sicherheit garantiert, auch dann, wenn die Beziehung in die Brüche geht, wüsste ich, was ich wählen würde. Wenn Sie obendrein eine attraktive Frau sind, denn das Aussehen ist für die meisten oberflächlichen Cityboys sehr wichtig, dann erscheint diese Entscheidung nur logisch. Natürlich sollte es im Grunde um Liebe gehen und um nichts anderes, aber manche Frauen können sich selbst leicht vormachen, dass sie selbst am besten wissen, in wen sie sich verlieben wollen. Es ist nicht einfach, kann aber durchaus funktionieren.

Eine bestimmte Sorte Frauen, die auf jeden Fall dieser Ansicht sind, stammen aus New York. Ich nehme an, ihre ehrgeizigen Mütter haben ihnen schon Jane Austens Roman „Stolz und Vorurteil" zu lesen gegeben, sobald sie überhaupt lesen konnten. Ich hatte einmal ein Blind Date im „Nobu"-Restaurant in New York mit einer Lady aus Manhattan. Ungefähr zehn Minuten, nachdem ich gekommen war, führte der Kellner eine freche, super gekleidete New Yorker Dame an meinen Tisch. Ich dachte: Das lässt sich ja gut an – bis sie den Mund aufmachte.

Unser Treffen– ein Rendez-vous kann man so etwas nicht nennen – dauerte noch keine fünf Minuten, da verfluchte ich schon den Kollegen, der sich in seinem kranken Gehirn tatsächlich gedacht hatte, ich könnte mit diesem hübschen Drachen etwas anfangen. Sicher, ich hatte in einem Anfall von Schwäche und mangels Alternativen diesem Blind Date zugestimmt, aber

---

35) Ein Zitat aus dem Beatles-Song „Can't Buy Me Love" (Anm.d. Übers.).

bald stellte sich heraus, dass es schrecklich und reine Zeitverschwendung war. Vielleicht hätte ich bestimmte Warnsignale besser beachten sollen. Mein Kumpel hatte mich mit der Begründung zu der Verabredung überredet, ich sei der perfekte Mann für die Dame, denn – ich zitiere – „sie mag Männer und Sahne – beide üppig und reich." Ich fand das witzig und dachte, es sei ein Scherz – war es aber nicht.

Was bei unserem Date geschah, kann man am besten als einen Kampf der Kulturen bezeichnen. Ihre Eröffnung bestand darin, mir weismachen zu wollen, „das ganze Leben besteht aus Verhandlungen", und schon nach zwei Minuten wusste ich, dass ich lieber Glasscherben essen wollte, als diesen Unsinn fortzusetzen. Mir war sofort klar, dass dies hier keine harmlose, unverbindliche Verabredung war, sondern mein Bewerbungsgespräch um die Position als Ehemann dieser Frau – ein Job, den ich nur wenig besser fand, als sämtliche schmutzigen Unterleibspanzer des englischen Rugby-Nationalteams mit der Zunge sauber zu lecken. Sie feuerte all ihre Fragen ab – zu meinem Job, meinen Karriereaussichten, meinem Haus und so weiter und während das Verhör andauerte, war für Witze und Humor kein Platz. Ich selbst war natürlich sowieso nur an einem Quickie interessiert. Daher stand ich auf und ging, sobald es mir mit Anstand möglich war.

Ich kann verstehen, dass Single-Frauen Mitte 30, die beruflich viel zu tun haben, nicht lange um den heißen Brei herumreden wollen, wenn sie Männer abchecken, aber ich finde, man sollte doch immer noch ein bisschen subtil vorgehen, wenn man auf Beute aus ist. Diese New Yorker Erfahrung lehrte mich, dass es zwar auch in London sogenannte Goldgräberinnen gibt, dass diese aber im Vergleich zu ihren Schwestern in New York harmlose Amateurinnen sind.

Während meiner verrückten Zeit als Single fand ich heraus, dass wir City-boys auch ganz andere Reaktionen von Seiten einer anderen Sorte Frau zu spüren bekommen, die genauso extrem, aber noch weniger angenehm sind. Kurz nach meiner Trennung von Claire überredete mich mein Künstlerfreund Jim, eine Galerieeröffnung in Shoreditch zu besuchen, und dort stieß ich auf das heftigste Vorurteil gegen Broker, das ich je erleben musste. Die Szene, die sich mir in der überfüllten Galerie bot, während ich an einem lauwarmen Glas Chardonnay nippte, hat mir die Augen geöffnet. Hier gab es keine teuren Modefrisuren, keine Designerklamotten und keine Solariumbräune, an die ich mich seit meiner Trennung von Claire als Single gewöhnt hatte. Stattdessen sah es eher so aus, als hätten sich die meisten Gäste im Dunkeln angezogen oder sich unausgesprochen zu einem Wettbewerb um das lächerlichste Outfit verabredet. Ich fühlte mich in meinem Ozwald-Boateng-Maßanzug ziemlich deplaziert, bemühte mich aber nichtsdestotrotz um ein Gespräch mit diesen Boheme-Typen.

Leider muss ich sagen, dass ich in Shoreditch gar nicht gut ankam – außer bei denjenigen, die mit Kunst handelten und mein Geld riechen konnten. Kaum angekommen wurde ich auch schon von drei Mädchen zugetextet, die aussahen, als kämen sie aus dem Konzert einer Gothic-Band. Die Damen gaben mir die Schuld an der globalen Armut, an Tierversuchen, am Irak-Krieg und, noch schlimmer, an „phallozentrischen Sozialstrukturen", was auch immer sie damit meinten. Ich wollte protestieren, ich sei doch ein linker Hippie, musste aber feststellen, dass ich als solcher bei näherem Hinsehen jede Glaubwürdigkeit verloren hatte. Schließlich arbeitete ich in der City, fuhr einen Porsche, trieb mich mit anderen Single-Cityboys herum und gab irgendwelchen Goldgräberinnen Champagner aus in der Hoffnung, dass sie mit mir ins Bett gingen. So gesehen hatten die Damen mit ihrer Einschätzung gar nicht so unrecht. Langsam, aber sicher verwandelte ich mich tatsächlich in das Arschloch, das ich noch vor fünf Jahren ausgelacht hätte!

Meine Begegnung mit den drei hässlichen Schwestern machte mir schnell klar, dass ich das Opfer bestimmter Vorurteile war, die mit meiner Berufswahl zu tun hatten. Die bloße Tatsache, dass ich in der City arbeitete und nichts mit Kunst zu tun hatte, genügte den Schnepfen schon, um zu denken, ich sei ein geldgeiler, Sex-besessener Spießer. Nun gut, so falsch lagen sie damit gar nicht, wenn man von meinem damaligen Lebensstil ausgeht, aber ich fand ihr Urteil trotzdem zu einseitig und ungerecht. Ich unterbrach sie, bevor sie mich noch mehr verletzen konnten, sagte, ich bräuchte noch ein Glas Wein, um mehr Beleidigungen auszuhalten, und verließ die Galerie. Ich rief ein Taxi und grübelte auf dem Heimweg über das Los der einsamen Cityboys nach. Die einen Frauen waren anscheinend an unsereinem nur interessiert, weil sie wussten, dass wir Geld hatten, viele andere wiederum wollten nichts von uns wissen und würden uns im Notfall lieber verbluten lassen, als den Notarzt zu rufen, weil sie voller Vorurteile gegen uns waren. Ich fand das schrecklich deprimierend.

Aber ich war nicht der Einzige, der zu Beginn des Jahres 2003 einen Durchhänger hatte. Auch die Märkte waren schon seit fast drei Jahren in einem traurigen Zustand und die Kombination von Entlassungen und niedrig ausfallenden Boni schlug jedem aufs Gemüt. Viele meiner Kollegen redeten davon, mit dem Börsenhandel aufzuhören und etwas Sinnvolleres mit ihrem Leben anzustellen, aber kaum einer hatte die Courage, es zu tun. Kaum ein

Monat ging vorbei, ohne dass es innerhalb eines Tages einen rasanten Kurssturz gab, und jedes Mal, wenn das passierte, seufzten meine Kollegen, die keine garantierten Boni bekamen, laut vernehmbar und fragten sich, warum sie all die Stunden gearbeitet hatten, wenn es dafür keine anständige Belohnung gab. Sie hörten auf, damit anzugeben, wie hoch ihr Bonus ausfallen würde, und konzentrierten sich darauf, der Kundschaft in den Hintern zu kriechen, um ihren Job nicht zu verlieren. Obwohl es also nicht gerade die besten Zeiten für diese verwöhnten Burschen waren, brauchte man sie noch lange nicht zu bemitleiden. Sie klagten auf recht hohem Niveau, bekamen sie doch 150.000 bis 250.000 Pfund Bonus zusätzlich zu ihrem Grundgehalt von 100.000 Pfund, anstelle der 400.000 Pfund in den „guten alten Zeiten". Dabei lag im Jahr 2007 das Durchschnittsgehalt in Großbritannien bei 24.000 Pfund im Jahr und 90 Prozent der Bevölkerung verdiente weniger als 46.000 Pfund jährlich. Dabei berichtete der Fernsehsender Discovery Channel, ungefähr ein Drittel der Weltbevölkerung lebe unterhalb der Armutsgrenze ...

Jedes Mal, wenn die Zahlen auf unseren Reuters-Bildschirmen blutrot wurden, was für fallende Kurse stand, war es amüsant, die Reaktionen meiner Kollegen zu beobachten, die mir einen tiefen Einblick in ihre unterschiedlichen Persönlichkeiten erlaubten. Die alten Hasen auf dem Handelsparkett taten immer recht cool, von wegen „alles schon mal da gewesen". Sie klangen ungefähr so überzeugend wie Corporal Jones in „Dad's Army"[36]; sie liefen unter den wenigen, die ihnen überhaupt Beachtung schenkten, herum und verkündeten: „Keine Panik!", beherzigten aber offensichtlich ihren eigenen Ratschlag nicht. Wenn sie es wagten, uns mit Erinnerungen an den großen Börsencrash von 1987 zu langweilen, brachten einige der jüngeren, frechen Broker sie zum Schweigen, indem sie Onkel Alberts Tiraden „... ja, ja, damals im Krieg ..." aus der Sitcom „Only Fools and Horses" parodierten. Die jungen Universitätsabsolventen verfielen sofort in nervöse Aufregung, so als hätte jemand während der Rede des Direktors den Feueralarm betätigt. Vielleicht wären sie nicht ganz so aufgeregt gewesen, hätten sie gewusst, wie viele Junior-Leute ihren Job direkt nach dem '87er Crash tatsächlich verloren hatten. Die Methode „zuletzt eingestellt, zuerst entlassen" kommt wieder zur Anwendung, sobald die schlechten Zeiten kommen, denn es sind die erfolgreichen Trader (die sogenannten Deal-Maker), auf die die Banken auch in Krisenzei-

---

36) Britische Sitcom, Rundfunkserie und Kinofilm über die Bürgerwehr während des Zweiten Weltkriegs (Anm. d. Übers.).

ten nicht verzichten wollen. Die Kollegen, die Mitte 30 sind, junge Familien gegründet und hohe Raten fürs Haus abzuzahlen haben, machen ein sorgenvolles Gesicht, denn sie wissen, wenn die kleine „Anomalie" zur „Korrektur" wird, wird der Bonus dieses Jahr niedrig ausfallen und die Villa in der Toskana wird noch mindestens ein Jahr länger ein unerfüllbarer Traum bleiben. Jedermann weiß, dass die Profite der Investmentbanken eng an die Performance der Märkte gekoppelt sind, daher ist jeder Abschwung so willkommen wie ein Macho bei einem Feministinnenkongress.

Ein Gefühl, das uns alle bei einem Abschwung verbindet, ist das der totalen Ohnmacht. Wir starren dann wie hypnotisiert auf unsere Reuters-Bildschirme, sitzen wie das Kaninchen vor der Schlange und fühlen uns binnen weniger Minuten vom „Master of the Universe" zur Marionette degradiert. Es ist, als wären die großen Sexprotze ins Eiswasser gesprungen und ihre Schwänze wären so zusammengeschrumpft, dass ihre Existenz infrage gestellt werden kann. Das war einer der Gründe, warum ich solche Ereignisse eigentlich mochte: Sie erinnerten die arroganten City-Helden daran, dass es auch so etwas wie Demut gibt – ein Begriff, den einige von ihnen nie gehört und viele schon verdrängt hatten, darunter auch ich selbst.

Die Mutter aller Kurskorrekturen der letzten Jahrzehnte war natürlich der sogenannte Schwarze Montag, der 19. Oktober 1987, als der Dow Jones um über 500 Punkte einbrach (der Tag kommt gleich nach der Großen Depression von 1929 in New York, dem schwärzesten Tag überhaupt). Dieser Tag ist es wert, dass wir ihn uns näher ansehen, denn er ist immer noch ein wichtiges Datum für alle Börsenmakler – zumindest für alle über 40. Ich glaube, es war Mahatma Gandhi, der einmal gesagt hat: „Die Geschichte lehrt die Menschen, dass die Geschichte die Menschen nichts lehrt." Wenn er heute noch lebte und den „Schwarzen Montag" analysieren könnte, würde er bestimmt zu keiner anderen Ansicht kommen. Obwohl seit jenem Montag zwei Jahrzehnte ins Land gegangen sind, versteht immer noch niemand wirklich, was an jenem 19. Oktober 1987 passiert ist. Sogenannte Experten machen dafür so unterschiedliche Dinge verantwortlich wie den programmierten Börsenhandel, den Hurricane über Großbritannien, eine Überbewertung von Aktien und einen Mangel an Liquidität. Soweit ich sehe, ist das Einzige, was wir aus dem Schwarzen Montag gelernt haben, Folgendes:

1. Vertraue nie den sogenannten Experten. Keiner von ihnen konnte den Schwarzen Montag vorhersagen. Meine eigene Ansicht ist: Man kann alle angeblichen Experten getrost vergessen.

2. Der gesamte Börsenmarkt ist ein Lotteriespiel und ungefähr so vernünftig wie meine Tante Beryl, wenn sie den ganzen Tag Sherry getrunken hat. Manche Menschen, die abergläubisch sind, weigern sich nach den beiden Börsenstürzen von 1929 und 1987, überhaupt noch im Oktober Geld zu investieren, andere wiederum behaupten, dass genau diese Tendenz dazu führt, dass die Aktien immer im Oktober hinter den Erwartungen zurückbleiben.

3. Es gilt eine gewisse Herdenmentalität. Die Aktienmärkte werden von menschlichem Verhalten bestimmt und Menschen können leicht in Panik verfallen. Klischee-Phrasen der City wie „der Trend ist dein Freund" und „greife nie in ein fallendes Messer" fördern den sogenannten Momentumhandel. Aber auch gegen den Trend zu gehen ist so klug, wie seine Eier einem Verrückten anzuvertrauen, der mit der Schere herumfuchtelt.

4. Glauben Sie niemals Menschen, die behaupten: „Diesmal ist alles ganz anders", und wenn sie Ihnen ein „neues Paradigma" grenzenlosen Wohlstands versprechen, bringen Sie sich in Sicherheit. Haussen und Baissen gibt es auch deshalb, weil zum Beispiel Leute wie meine Ex-Freundin plötzlich Jimmy-Choo-Designerschuhe haben möchte, ohne sie sich leisten zu können (zumindest nicht ohne meine Kreditkarte).

Wenn es nach mir ginge – ich würde nie Vorhersagen wagen, vor allem nicht solche, die die Zukunft betreffen. Leider ist das aber genau das, wofür Cityboys tagein, tagaus bezahlt werden. Analysten sind anscheinend nicht einmal in der Lage herauszufinden, warum bestimmte bedeutendere Ereignisse in der Vergangenheit passiert sind. Wie sollen sie dann Aussagen über künftige Entwicklungen treffen? Die Geschichte zeigt uns, dass die meisten Analysten nicht einmal einen Schneesturm in Alaska vorhersagen könnten. Das erklärt, warum nur eine von sieben US-amerikanischen Analystenempfehlungen im Februar 2000 negativ war – und das einen Monat vor dem 3-Jahres-Tief, in dem fast alle Wertpapiere auf die Hälfte ihres Wertes sanken. Es ist ganz einfach so, dass wichtige Kursdeterminanten wie der Ölpreis, Zinsraten und Wechselkursschwankungen so unwägbar sind, dass die meisten Vorhersagen so hellsichtig sind wie Alexander Graham Bells Ausspruch: „Eines Tages wird jede größere Stadt in Amerika über ein Telefon verfügen" (und er hatte das verdammte Ding ja selbst erfunden).

Kurz vor der Bonuszeit, die bei Megahit im Januar war, bestellte mich der Leiter der Research-Abteilung zu sich. Chuck Johnson war in jeder Hinsicht ein Arschloch. Er war laut, aggressiv und hatte seinen Doktor offensichtlich in Harvard gemacht – im Kurs „Widerlich, überheblich und ungehobelt in drei Tagen" (ein Kurs, der sich bei amerikanischen Investmentbankern großer Beliebtheit erfreut). Chuck war ein typisch amerikanischer Börsenmakler. Als seine Sekretärin mich mit den Worten: „Chuck möchte dich gern sprechen" einbestellte, schlug mir das Herz bis zum Hals. Ich fürchtete, wegen meines Drogenkonsums, wegen Frisierens von Spesenrechnungen oder nicht ordnungsgemäßen Befolgens der nach der Enron-Geschichte erlassenen Kontrollbestimmungen dran zu sein – alles Punkte, die man mir hätte vorwerfen können. Ich sagte ganz ruhig: „Ist gut, ich geh gleich rüber", dabei zermarterte ich mir insgeheim das Hirn, was man mir wohl vorwerfen würde.

Chuck begann mit den Worten: „Steve, wir haben ein Problem." Warum sprach er nicht gleich von mir, sondern sagte wie im Film „Apollo 13": „Houston, wir haben ein Problem"? War ich nun das Problem oder nicht? Ich erwiderte: „Ach ja ... du hast ein Problem?"

Meine leicht schwankende Stimme verriet meine Angst. In diesem Stadium schlug mein altbekannter Verfolgungswahn Kapriolen und ich fragte mich fieberhaft, was ich wohl verbrochen hatte. Wahrscheinlich waren die Jungs von der internen Kontrollabteilung wegen irgendwas hinter mir her. Wahrscheinlich, weil ich nur bestimmten, ausgewählten Kunden von meiner Unterredung mit einem bestimmten Finanzvorstand, der mir anvertraute, sein Unternehmen würde deutlich über fünf Prozent mehr Gewinn machen als allgemein angenommen, erzählt hatte. Vielleicht nahm die interne Kontrollstelle an, ich hätte Insiderhandel betrieben (und der betreffende Finanzvorstand „selektive Veröffentlichung"). Vielleicht hatte ich auch einigen meiner Lieblingskunden zu deutliche Hinweise gegeben, dass ich in Bälde eine Analyse veröffentlichen würde, in der ich meine bisherigen Empfehlungen zu einem bestimmten Wasserversorger deutlich nach unten korrigieren müsste. Denn weil ich inzwischen seltsamerweise ein angesehener Analyst war, hatten Korrekturen meiner eigenen Einschätzung bestimmter Aktien Gewicht und konnten den Markt durchaus etwas beeinflussen. An Tagen, an denen ich meine Empfehlung von „kaufen" in „verkaufen" änderte, ging der entsprechende Kurs im Allgemeinen um zwei bis vier Prozent runter (oder, im umgekehrten Falle, rauf). Vielleicht hatte ich auch unabsichtlich sogenanntes „Front Running"[37] betrieben, was ebenfalls streng verboten war. Die meisten Analysten neigen dazu, bevorzugten Kunden Hinweise zu geben, dass

---

37) Kauf oder Verkauf vor Bekanntgabe der Nachricht (Anm. d. Übers.).

sie eine bestimmte Empfehlung hinterfragen, ohne sie explizit darauf hinzuweisen, dass sie gerade eine entsprechende Analyse erstellen – vielleicht war ich einfach nur etwas zu geschwätzig gewesen. Da wir Analysten einige Kunden haben, mit denen wir nahezu täglich in Kontakt treten, ist es fast unmöglich, keine Meinung zu äußern, wenn man sieht, wie die Aktienkurse rauf- oder runtergehen. Der Kunde braucht dann nur noch den Hinweis aufzunehmen und dementsprechend zu handeln – natürlich tun das eher die Klienten der Hedgefonds als die der konventionellen Fonds, die etwas langfristiger denken (und obendrein meist ehrlicher agieren).

„Ja, ich fürchte, wir haben ein Problem", sagte Johnson und sah mir direkt in die Augen. „Komm schon", dachte ich, „spuck's aus! Spann mich nicht länger auf die Folter und gib mir schon den Laufpass!" Er sagte: „Es kann dir nicht entgangen sein, dass es Megashit in letzter Zeit nicht gut ging. Seit 2002 ist unser Gewinn Jahr für Jahr um 25 Prozent gesunken, insgesamt seit 1999 um 60 Prozent. Es gibt immer weniger Börsengänge, das Marktvolumen ist schrecklich niedrig und der Sarbanes-Oxley Act treibt unsere Ausgaben in die Höhe. Wenn wir im Februar unser Jahresergebnis veröffentlichen, werden unsere Aktionäre uns gehörig abstrafen. Ich fürchte, die ganze Bank muss empfindliche Einschnitte hinnehmen. Ich habe den Auftrag bekommen, dafür zu sorgen, dass unsere Research-Abteilung 40 Millionen Dollar weniger ausgibt. Jedes Team im Haus muss fortan sparsamer wirtschaften."

„Okay", dachte ich, „das war's. Jetzt bekomme ich meinen letzten Garantiebonus und dann darf ich mich trollen." Ich wunderte mich bloß darüber, dass er mir das jetzt mitteilte, denn es war erheblich logischer, es mir erst zu sagen, wenn ich meinen Bonus erhalten hatte, um sicherzugehen, dass ich auch bis zum letzten Tag hart arbeitete. Ich dachte nur noch: „Verdammt, dieser Sack von Hugo hat gewonnen! Gerade als ich dabei bin, den Kerl zu überholen, hat das Schicksal beschlossen, dass ich gehen muss. Mein Plan ist gescheitert." Ich muss ziemlich traurig ausgesehen haben, denn Chuck beeilte sich hinzuzufügen: „Keine Angst, Steve, wir wollen dich nicht verlieren!" Er grinste fast vor Schadenfreude über den Schlag, den er mir verpasst hatte. Ich hatte das Gefühl, es machte ihm Freude, ein bisschen mit mir zu spielen. Vielleicht war seine zweideutige Eröffnung nur dazu da, mir zu zeigen, dass er der Boss von uns beiden war ...

„Nein, nein, Steve. Wir mögen dich. Aber wir sind uns nicht so sicher, was Neil angeht. Wir wissen, dass er verdammt fleißig ist, aber er deckt nicht allzu viele Aktien ab. Wir können auch die anderen Teams absuchen und dort weitere Kürzungen vornehmen, aber er ist nun mal der teuerste Mitarbeiter in eurem Team, und falls er gehen müsste, wäre es nur logisch, dass wir dich zum Anführer des Teams ernennen. Du hast hervorragende Kundenbeziehungen und die Trader und Verkäufer halten dich alle für sehr fähig!"

Wow! Da hatte ich soeben noch befürchtet, entlassen zu werden, und nun sollte ich stattdessen zum Teamleiter aufrücken. Kaum zu glauben! Meine hässliche, ehrgeizige Hälfte riet mir, den Vorschlag auf der Stelle anzunehmen, und das Prestige und, noch wichtiger, das damit verbundene zusätzliche Geld auch. Aber zwei Aspekte ließen mich innehalten. Erstens war Neil ein wirklich netter Kerl mit Frau und Kindern, der mich bis zum heutigen Tag immer anständig behandelt hatte. Er übersah immer geflissentlich, obwohl es ihm nicht entgangen sein konnte, dass ich montags des Öfteren die „kolumbianische Grippe" hatte. Er zog meine „Montagskrankheiten" nie in Zweifel und nannte sie sogar belustigt „Krabbentage", nachdem ich ihm mehrfach die Entschuldigung aufgetischt hatte, ich hätte am Sonntag ein verdorbenes Krabbencurry gegessen und mir damit den Magen verdorben. Er wusste genau, dass das Bullshit war, und sagte nur scherzhaft, ich solle das nächste Mal lieber woanders essen gehen oder statt Krabben lieber Huhn bestellen. Er verteidigte mich auch, wenn aggressive Verkäufer, Trader oder Finanzvorstände von Unternehmen sich über mich beschwerten. Ich mochte Neil einfach. Zweitens brachte Neil wirklich etwas ins Team mit ein. Er war ein verdammt guter Mannschaftsführer, hatte eine ordentliche Liste von Kunden vorzuweisen und schrieb immer wieder interessante Analysen über unsere Sparte. Meine Chancen, Hugo in diesem oder dem nächsten Jahr einzuholen, waren mit Neil zusammen bestimmt größer als ohne ihn … andererseits – was ich als Teamleiter verdienen würde! Die Macht, die der Job mit sich brachte! Ich war fast sicher, dann in die Geschäftsleitung der Bank aufsteigen zu können. Ich würde alle möglichen Zusatzleistungen bekommen wie Reisen erster Klasse auf Geschäftsreisen. Alle Kollegen aus meiner Sparte würden mitbekommen, dass ich ein toller Hecht war. Ich würde das Team leiten – mit großem Herz und harter Hand. Endlich konnte ich mal bestimmen, wo's langgeht!

Ich sagte: „Na ja, es tut mir leid, das sagen zu müssen, aber ich glaube, du hast recht. Neil schuftet schwer, aber er ist nicht unbedingt notwendig für unseren Erfolg. Aber falls ich zum Teamleiter befördert werden sollte, bestehe ich darauf, noch im Sommer zum Mitglied der Geschäftsleitung befördert zu werden, und ich möchte meinen Namen auf einer dieser ganzseitigen Anzeigen in der *Financial Times* lesen, die unsere Bank so gerne veröffentlicht.

Ich erwarte dann auch eine Gehaltsüberprüfung in sechs Monaten und gehe natürlich auch davon aus, dass meine künftigen Boni meinen Zuwachs an Arbeitsbelastung und Verantwortung widerspiegeln." Chuck sah mich erstaunt an. Er war sichtlich beeindruckt, wie cool und berechnend ich sein konnte. Mir schwoll fast der Kamm, so stolz war ich auf meinen eigenen, widerlichen Ehrgeiz. Ich fühlte mich wie Darth Vader, der mit dem Imperator spricht und für all das Übel belohnt wird, das er anrichtet. Er glaubte bestimmt, ich hätte eine große Zukunft in dieser Branche!

Er erwiderte: „Okay, dann soll Neil also gehen. Ich stimme all deinen Bitten zu und ..." „Einen Moment", unterbrach ich ihn. „Tut mir leid, dass ich das sagen muss, aber das möchte ich bitte schriftlich haben. Wir alle wissen, dass ein mündlicher Vertrag nicht das Papier wert ist, auf dem er nicht geschrieben wurde." Ich wurde mir meiner Sache immer sicherer. Die Erleichterung, dass man mir nicht gekündigt hatte, stieg mir, verbunden mit der Aussicht auf Beförderung, zu Kopfe. Seine Antwort war: „Okay. Ich bitte Penny darum, mir das aufzusetzen. Ich werde Neil schon bald entlassen – voraussichtlich schon am Freitag. Wir zahlen nächste Woche unsere Boni aus, und das bedeutet, dass er einen Nullinger kriegt, also nichts. Als Zeichen meines Vertrauens und der Anerkennung für die künftig zu leistende harte Arbeit lege ich noch 100.000 Pfund zu deinem Garantiebonus drauf. Du musst ab jetzt noch härter arbeiten. Ein Teamleiter zu sein bedeutet viel Verwaltungskram und interne Sitzungen. Es bedeutet aber auch eine hübsche Belohnung, wenn du deinen Job gut machst. Wenn nicht, dann war's das. Willkommen im Team!"

Um mein Handeln zu rechtfertigen, dachte ich an das Zitat aus „Der Pate 3", wo es heißt: „Wirkliche Macht wird einem nicht geschenkt. Die nimmt man sich." Aber kaum hatte ich ihm die Hand gegeben, regte sich bereits mein christlich geprägtes Gewissen. Alles war so schnell passiert, dass ich dachte, es wäre nur ein Traum gewesen. Dabei war es bittere Wirklichkeit, dass ich soeben meinen direkten Vorgesetzten gestürzt hatte – einen guten Mann, der wahrlich Besseres verdient hatte. Egal wie viele Ausreden und Rechtfertigungen ich mir ausdachte, schließlich ging es mir nicht anders als Heather Mills-McCartney – ich hatte kein Bein, auf dem ich wirklich stehen konnte.

Wenn ich heute auf meine Börsenkarriere zurückblicke, muss ich sagen, dass es jener schwarze Moment war, in dem ich von einem einigermaßen anständigen Individuum zu einem abstoßenden, widerlichen Cityboy wurde. Wie jemand, der von einem Zombie gebissen wurde, war ich eine Zeit lang noch halbwegs Mensch gewesen, aber jetzt gehörte ich unzweifelhaft zu den lebenden Toten. Die Reise nach Ibiza, der edle Smoking, der unaufhaltsame

Marsch in die Kokainsucht, die Ablehnung meiner alten Schulkameraden und meine innere Entfernung von ihnen, meine Affäre mit dem Flittchen, die Sexparty, das Ende der einzig wirklich wichtigen Beziehung, die ich bis dahin jemals hatte, die Goldgräberinnen … all das waren Symptome meines moralischen Absturzes und jetzt war ich endgültig zu einem lupenreinen Cityboy geworden. Abschaum schwimmt immer obenauf. Um ehrlich zu sein, war ich beinahe froh über dieses letzte Stadium meiner Verwandlung. Bisher hatte ich immer wie ein Zwitterwesen zwischen zwei Stühlen gesessen – als Porsche fahrender Cityboy in Nadelstreifen mit christlichen, linken Hippie-Idealen. Jetzt war ich bereit, die Dinge über Bord zu werfen, die mich bisher ausgemacht hatten. Ich wurde endlich „einer von ihnen". Ich würde mein Leben lang möglichst viel Geld verdienen, Koks schnupfen und solariumgebräunte Frauen beglücken … und alles andere tun, was zu einem echten Cityboy gehörte. Ich hatte nie die Neigung besessen, Sachen nur halbherzig zu machen – jetzt würde ich den anderen Cityboys zeigen, was ein echtes Arschloch ist. Ich würde der ultimative Cityboy sein – Mitglied der Geschäftsführung, Teamleiter und bestplatzierter Analyst in einem. Alle sollten sie wie die Lakaien vor mir auf die Knie fallen. Dieser Hugo und seine idiotischen Kumpel würden mir bald auch zu Füßen liegen.

Was für ein Idiot ich geworden war! Ich hatte meine Seele dem schnöden Mammon verkauft und dabei ganz aus den Augen verloren, wer ich eigentlich war. So groß kann der Einfluss der City sein. Einst war die Wirklichkeit meine Freundin gewesen, aber ich hatte sie ganz bewusst verstoßen. Meine alten Freunde fingen an, mir aus dem Weg zu gehen, und selbst meine eigene Familie bat mich dringend, doch „netter" zu sein. Ich dachte nur: „Nett sein – was soll das? Ich bin nicht dahin gekommen, wo ich heute bin, durch Nettsein, ganz im Gegenteil. Vergiss das Nettsein, sei lieber fies – aber dafür erfolgreich." Die Leute um mich herum merkten schnell, wie sich meine Einstellung veränderte, und sahen mein großspuriges Auftreten als Folge meines gewachsenen Selbstvertrauens. Ich wurde abweisender gegenüber den Sekretärinnen und machte mich öfter über die niederen Angestellten lustig. Ich erwartete, nein verlangte, Respekt, und meine herablassende Arroganz prägte die meisten Unterhaltungen. Mit gekünstelter Lässigkeit schob ich Geldbeträge hin und her und ärgerte mich über jeden armen Schlucker, der nicht gleich anbiss, bloß weil ich es wollte.

Wenn ich heute darüber nachdenke, wie ich damals drauf war, zucke ich zusammen und kann nur die Hände über dem Kopf zusammenschlagen. Als Neil von Penny zum Gespräch mit Chuck gebeten wurde, hatte ich jedenfalls schreckliche Schuldgefühle, wusste ich doch, dass man ihm gleich kündigen würde. Neil bat mich: „Steve, ich bekomme jeden Moment einen Anruf von Fidelity, aber ich muss schnell zu Chuck rein. Kannst du den Anruf für mich entgegennehmen und denen sagen, dass ich in fünf Minuten wieder da bin?" „Klar, mache ich", sagte ich cool und vermied es, ihm in die Augen zu schauen. Ich tat, als sei ich gerade mit einem Spreadsheet beschäftigt. Der arme Kerl! Gleich würde er seine Kündigung bekommen, und dabei dachte er, alles wäre in bester Butter. „Kumpel", dachte ich, „in zweieinhalb Minuten ist dir vollkommen egal, ob dich noch jemand von Fidelity anrufen will!" Die nächste halbe Stunde war keine angenehme. Endlich, nach einer halben Ewigkeit, kam Neil an seinen Schreibtisch zurück. Er sah aus, als hätte ihm jemand aufs Grab gepisst. „Komm mit, Steve, lass uns einen Kaffee trinken gehen", sagte er. Er wirkte niedergeschlagen. „Was ist mit dem Kerl von Fidelity?", fragte ich. „Ich habe ihm gesagt, du rufst ihn zurück." „Zum Teufel mit dem Kerl von Fidelity!", brüllte er. Sein Gesicht lief rot an. Dabei war Neil jemand, der stets ausgeglichen war und sonst niemals fluchte. Sofort war dem gesamten Team klar, dass etwas Schreckliches passiert sein musste. Plötzlich war jeder ganz mit seiner Arbeit beschäftigt.

Bei einem dünnen Latte Macchiato im nahe gelegenen „Starbucks" erzählte mir Neil, was gerade passiert war. Ich war mittlerweile gewohnt zu schauspielern, schließlich musste ich tagein, tagaus meinen Kunden etwas vormachen und oft genug bei Riesenboni Enttäuschung heucheln, aber das jetzt war eine echte Herausforderung, meine Glanzstunde als Schauspieler, wenn man so will. Wären Al Pacino oder De Niro dabei gewesen, sie hätten sich bestimmt Notizen gemacht und Stanislavsky[38] gesagt, wohin er sich seine bescheuerten Theorien schieben könnte. Einen Moment lang sah ich Tränen in seinen Augen, als er sagte: „Ich habe mir den Arsch für diese Deppen aufgerissen, und das ist jetzt der Dank dafür. Und das noch dazu kurz vor der Bonuszeit. Wenn die denken, dass ich das einfach so hinnehme, ohne gegen sie vor Gericht zu gehen, haben sie sich schwer getäuscht!"

Das Problem dabei ist natürlich, dass Boni beliebige, nicht einklagbare Gratifikationen sind, sodass seine Chancen, etwas von Megashit zu bekommen, ungefähr so groß waren wie die von Margaret Beckett[39], Miss World zu werden. Aber Neil wusste natürlich, dass Banken nicht selten doch etwas heraus-

---

38) Konstantin Stanislavsky, ein Pionier der modernen Schauspieltheorie (Anm. d. Übers.).
39) Britische Labour-Politikerin (Anm. d. Übers.).

rücken, um die schlechte Publicity zu vermeiden, die mit einem Prozess verbunden wäre. Daher wollte er es auf jeden Fall versuchen. Es sollte zu keinem Gerichtsverfahren kommen und ich konnte später nicht herausfinden, ob er auf diese Weise doch noch Geld bekam. Wichtig war mir nur, dass er niemals herausfand, was für ein Verräter ich gewesen war. Ich glaube, es ist mir geglückt – bisher zumindest.

Ab Juni 2003 sah es für mich wirklich besser aus. Gut – ich hatte die Liebe meines Lebens verloren und mich in ein zutiefst verwerfliches menschliches Wesen verwandelt. Aber wenn man mal die positiven Seiten sieht: Ich hatte meine Gewissensbisse wegen meines früheren Chefs verloren und im vergangenen Jahr eine halbe Million Pfund verdient. Auch die Märkte erholten sich wieder. Sobald die Amerikaner in den Irak einmarschierten, schwand die Unsicherheit, die sich des Private-Equity-Marktes bemächtigt hatte, und die Märkte atmeten weltweit vor Erleichterung laut auf. Der sogenannte „Bagdad-Bounce", wie er bald genannt wurde, wurde sogar noch deutlicher, als man den Eindruck gewann, der Krieg gegen den Irak wäre in wenigen Wochen vorüber. Vom Baron von Rothschild stammt der berühmte Ausspruch, man solle dann investieren, „wenn das Blut auf den Straßen läuft", und jeder, der seinen Rat im März 2003 beherzigte, konnte eine Menge Gewinn machen. Die Börsenmärkte stiegen in den drei Jahren nach der Invasion im Irak ungefähr um 80 Prozent, auch wenn das Gemetzel weitaus länger dauerte als bis zum offiziellen Kriegsende. Während die tapferen Soldaten von Minen und Bomben zerfetzt wurden, saßen wir Cityboys entspannt in unseren Bürostühlen und fuhren die Ernte ein. Wir standen kurz vor dem Eintritt in ein goldenes Zeitalter, ähnlich dem der späten 90er-Jahre, und ich war zur richtigen Zeit am richtigen Ort, um es mit zu prägen. Ich saß im Glückszug, erste Klasse, auf Erfolg programmiert.

Die Enttäuschung kam im Juni 2003. Wir erfuhren, dass wir Hugos Jungs bei der Extel-Umfrage nicht schlagen konnten. Ich war wütend, aber nicht mutlos, denn die Ergebnisse zeigten, dass wir die Chance, den Jungs von der Mighty Yank Bank zu zeigen, wo der Hammer hängt, nur um Haaresbreite verfehlt hatten, und dass wir es im nächsten Jahr schaffen konnten. So sah es jetzt aus:

1. Platz: Mighty Yank Bank – 25,4 %
2. Platz: Megashit – 23,6 %
3. Platz: Merde-Bank – 21,2 %

Es schien mir klar ersichtlich, dass die Trennung von Neil uns nicht viele Stimmen gekostet hatte und dass wir die Jungs von Platz 1 im nächsten Jahr überholen würden, und es war kristallklar, dass ich eine schöne Summe von Hugo bekommen und die Geister, die mich so viele Jahre lang geplagt hatten, bald abschütteln würde.

Natürlich stachelte Hugo mich am Abend der Bekanntgabe der Ergebnisse an. Ich musste abermals mit ansehen, wie er nach oben aufs Podium gerufen wurde, um seine Auszeichnung in Empfang zu nehmen, aber diesmal hatten wir keines unserer üblichen Techtelmechtel, denn unsere Wege kreuzten sich an diesem Tag nicht. Aber wie es seine Art war, ließ Hugo die Sache nicht einfach auf sich beruhen. Er rief mich abends um 23.00 Uhr, als ich mich gerade schlafen legen wollte, auf dem Handy an. „Steeeeeve", sagte er und zog meinen Namen theatralisch in die Länge – die wehleidige Schlange. Seinem Tonfall nach zu urteilen, hatte er schon einige Drinks intus. „Ja, bitte, wer ist da?", fragte ich schläfrig. „Oh, du warst so nah dran … so nah, dass du den Sieg fast mit Händen greifen konntest!", sagte er mit leicht irrem Glucksen. „Ach, du bist's. Verpiss dich, Hugo, du armselige Pfeife!" „Ach, der arme kleine Stevie! Da versucht er es so eifrig und schafft's dann doch nicht ganz, nicht wahr? Wann wird er jemals kapieren, dass er nicht das Zeug hat, die Nummer 1 zu werden? Wann wird er endlich kapieren, dass er nur ein dummer kleiner Junge ist und dass das hier eine Männerwelt ist?" „Hugo, du bist ein widerlicher Arsch. Dass du mich jetzt anrufst, zeigt doch nur, wie nervös du bist! Du weißt genau, dass unser Wettstreit nur auf eins hinausläuft – wart's ab, wenn ich dir nächstes Jahr deine 20 Riesen abnehme, wirst du den Tag bereuen, an dem du dich auf die Wette mit mir eingelassen hast!" „20 Riesen? Wenn du Eier in der Hose hättest, lieber Herr Manager, würdest du mehr setzen. Was sagst du zu 100? Wird es nicht langsam Zeit, dass du Eier kriegst, Kleiner?" Scheiße! Was für ein gemeiner Hund! Er wusste genau, dass ich nicht Nein sagen konnte. Das hier war stärker als wir beide. Bevor ich auch nur darüber nachdenken konnte, antwortete ich: „Okay, du Großmaul, 100.000. Aber ich will es schriftlich, denn deinem Wort traue ich so wenig wie Dr. Harold Shipman[40] am Bett meiner Großmutter, du miese kleine Ratte!" „Okay, einverstanden. Der Vertrag geht dir Ende der Woche zu. Zieh dich warm an und bereite deine Leute auf ein höllisch heißes Kriegsjahr vor. Auf in den Kampf! Möge der beste Broker gewinnen!"

---

40) Englischer Arzt, genannt „Dr. Tod", der von 1970 bis 1998 250 Patienten tötete (Anm. d. Übers.).

Er legte auf. In dieser Nacht schlief ich nicht sehr gut. Alles, woran ich denken konnte, war: „Ich muss alles, alles geben, um diesen schrecklichen Kerl zu erniedrigen." Mein Leben hatte wieder einen Sinn und ich musste meinem Team klarmachen, wie viel mir dieser Zweikampf bedeutete. Ich musste meine Kunden bewirten wie damals in den besten Zeiten 1999. Kein Restaurant mit Michelin-Stern, kein größeres Sportevent oder Popkonzert durfte ich auslassen. Leider waren die Spesen für Unterhaltung und Bewirtung per Beschluss der Geschäftsleitung begrenzt worden, aber notfalls musste ich den Mist eben selbst bezahlen. Ich wollte die ganze Welt bereisen, Reden halten und Stimmen für mich sammeln wie ein Politiker im Wahlkampf. Ich wollte mich nicht länger mit den blöden Wertpapieranalysen herumschlagen. Ich würde jemanden dafür bezahlen, dass er die langweiligen Arbeiten für mich übernahm, während ich lügen, betrügen, stehlen und alles Mögliche tun wollte, um Hugos Schicksal zu besiegeln. Eines der Privilegien, das ich dafür bekam, dass ich Neil seinen Job weggenommen hatte, war, dass ich jemanden anmieten konnte, der für mich arbeitete. Ich durfte einen Trainee einstellen.

DER HOCHSCHULABSOLVENT 8

Der Monat September war immer ein ganz komischer Monat für uns Investmentbank-Mitarbeiter, denn da hatten wir für gewöhnlich die Freude, ein paar ehrgeizige Auszubildende, die direkt von der Uni kamen und noch nicht trocken hinter den Ohren waren, in unserer Mitte willkommen zu heißen und wie die Lämmer zur Schlachtbank zu führen. Diejenigen unter uns, die einen Sinn für Humor und Absurdes hatten, warteten schon ungeduldig auf ihre Ankunft, wie man auf eine Truppe unfreiwillig komischer Schauspieler wartet. Es gab zwei Typen von Absolventen, die ängstlichen, übertrieben respektvollen Blödmänner und die angeberischen, arroganten Idioten (die in irgendeinem schlauen Buch gelesen hatten, dass man nur so im Haifischbecken der City überlebt) – Letztere waren mir immer lieber als Erstere. Die armen Leute haben keinen blassen Schimmer, dass es genau ihre arrogante Art ist, die dazu führt, dass man sie einer Reihe übler Scherze aussetzt, aus denen sie entweder persönlich gestählt und geläutert hervorgehen und/oder die Bank bald wieder verlassen. Bevor es ernst wurde, setzten wir die neuen Kandidaten heimlich auf die Abonnentenliste für ein krasses Schwulen-Magazin, wobei wir die Büroadresse als seine Privatanschrift angaben. Wenn das arme, nichts ahnende Würstchen dann ein Paket mit einer DVD mit dem Titel „Ryans Intimrasur" öffnete, war das Gelächter groß. Wenn diese Art Gag nicht ausreichte, um die Einstellung eines Neulings „anzupassen", gingen wir heimlich an seinen Computer und tippten ins hausinterne Intranet (das jeder Mitarbeiter der Bank lesen konnte und zu dem jeder Zugang hatte) als Message den Domain-Namen einer dubiosen Website ein – z. B. www.luesterne-chorknaben.net oder so – und sorgten auf diese Weise dafür, dass jeder Mitarbeiter über seine sexuellen Präferenzen informiert war.

Aber gegen Ende meiner Karriere erinnerten diese Milchgesichter ausgebrannte Veteranen wie mich eher daran, was wir selbst einmal für nette, harmlose Kerle waren, und wie ein in die Jahre gekommener Pennäler, der die jüngeren Mitschüler mobbt, sorgte nun ich dafür, dass sie dieselben Ängste ausstanden, die wir Jungs einst auszustehen gehabt hatten. Mein Drang, sie zu piesacken, wurde beflügelt, wenn ich in ihren naiven, unschuldigen Augen den Optimismus sah, den ich selbst einst gehegt hatte, der aber im Laufe der Zeit durch die nervige Routine, die unser Job mit sich brachte, kaputt gemacht worden war.

Im Jahr 2003 gab es in meiner Bank ungefähr 60 neue Absolventen, die alle nur vorstellbaren Stereotype abdeckten: Ehrgeizige, weiße, männliche, heterosexuelle Oxford-Abgänger, die wahrscheinlich schon in der City arbeiten wollten, seit sie 14 Jahre alt waren. Die meisten von ihnen waren schon am College, in der Besuchsrunde von Firmenvertretern an der Schule, aufgefallen, weil sie eine Begeisterung zeigten wie die britischen Soldaten, die man mit Gehirnwäsche traktiert hatte und die sich kopfüber in die Schlacht an der Somme in den sicheren Tod stürzten. Viele von ihnen hatten schon in der Schulzeit, während der großen Sommerferien, ein Praktikum in der City gemacht, anstatt Tequila auf Ibiza zu saufen (was ich, wenn ich mich recht erinnere, getan habe, als ich 20 war, aber ich weiß es heute nicht mehr so genau). Ich dachte, wenn ich etwas zu sagen hätte, würde ich so einen Knilch, der seine beste Zeit im Büro vergeudete, bevor er 13 Stunden am Tag dem schnöden Mammon widmete, sowieso nicht nehmen. Schließlich war ich selbst ja 1996 auch nur durch Zufall in die City gelangt – weil ich zum einen gerade nichts Besseres zu tun hatte und zum anderen einen Bruder hatte, der schon drin war. Obwohl es immer Vetternwirtschaft gegeben hat und wohl immer geben wird, verirrten sich jetzt, im Jahr 2003, so gut wie keine Hochschulabgänger, die es nicht unbedingt wollten, mehr in unsere City-Gefilde. Die City bestand inzwischen längst auf die Art von Background, die garantiert einseitige, langweilige, stromlinienförmige Roboter mit der Fantasie einer Channel-5-Fernsehdokumentation hervorbringt.

Benjamin Drisp war der typische Absolvent und für meine Zwecke hervorragend geeignet. Er war 21 Jahre alt, hatte in Cambridge Wirtschaftswissenschaften studiert und mit Prädikatsexamen abgeschlossen. Er war schrecklich ehrgeizig und viel vernünftiger, als ich selbst es jemals war. Von dem

Tag an, als er zu uns ins Team kam, war er extrem fleißig; er kam morgens um 6.45 Uhr ins Büro und blieb oft bis nach 20.00 Uhr. Als ich einmal an einem Sonntag ins Büro kam, saß er da und studierte ein langweiliges Spreadsheet. Wäre ich nicht so besessen von meinem Plan gewesen, hätte ich ihm auf der Stelle gesagt, er solle endlich aufwachen, sich den Kaffeegeruch um die Nase wehen lassen und aufhören, seine besten Jahre mit diesem Unsinn zu vergeuden. Stattdessen klopfte ich ihm nur auf die Schulter und sagte freundlich: „Weiter so."

Auch aus anderen Gründen war dieser Benjamin ein typischer City-Hochschulabgänger. Zum einen war er weiß. Henry Ford hat einmal gesagt, man könne jede Farbe für sein Auto wählen, „solange es schwarz ist". Die Personalchefs der Investmentbanken scheinen das genau andersherum zu handhaben. Die Gründe dafür, dass Finanzdienstleistungen fast ausschließlich von Angehörigen der kaukasischen Rasse ausgeübt werden, sind sehr kompliziert – es besteht jedenfalls kein Zweifel daran, dass alles fest in weißer Hand ist. Es gibt auch ein paar Börsenmakler und Fondsmanager, die asiatischen Ursprungs sind, aber so gut wie keine dunkelhäutigen – außer natürlich beim Kantinen- oder Toilettenreinigungspersonal. Dies trägt leider dazu bei, dass Außenstehende das (ziemlich zutreffende) Vorurteil hegen, die City sei eine Clique, in der es nur darum geht, Angehörige der weißen Rasse binnen möglichst kurzer Zeit möglichst reich zu machen. Es gibt Ausnahmen. So war der frühere Vorstandschef von Merrill Lynch, Stan O'Neal, schwarz, aber er gehörte zu den wenigen Ausnahmen, die die Regel bestätigen. Und solange sich an dieser Regel nichts ändert, werden erfolgreiche City-Jobs unseren dunkelhäutigen Brüdern und Schwestern wohl weiterhin verschlossen bleiben.

Benjamin war männlichen Geschlechts. Während meiner Zeit in der City kamen auf der Käufer- wie auf der Verkäuferseite etliche Damen zur Belegschaft hinzu, aber noch im Jahr 2007 waren ungefähr 80 Prozent aller Front-Office-Investmentbanker männlich. Ein Sammelklageverfahren gegen eine deutsche Bank aus dem Jahr 2006 förderte die schockierende Zahl zutage, dass nur zwei Prozent ihrer Geschäftsführer weiblich waren. Dieser und ähnliche Fälle erklären die lange Liste von Klageverfahren aus den letzten Jahren gegen Institutionen der City wegen des Vorwurfs des Sexismus – wie das Verfahren von Katharina Tofeji, die 2007 gegen BNP Paribas vor Gericht ging (und verlor). In einer Vielzahl von Fällen kommt es nie zu einer Anklage, weil die Banken eine außergerichtliche Einigung vorziehen, um negative Publicity zu vermeiden und die weiblichen Angestellten an langwierigen

Prozessen nicht interessiert sind. Die Vorherrschaft von Männern in der City liegt zum Teil auch daran, dass die Erfolgreichsten auf der Square Mile diejenigen sind, die Arroganz, Aggressivität und rücksichtslosen Ehrgeiz an den Tag legen, Eigenschaften, die – Gott sei Dank – beim „schönen Geschlecht" in der Regel nicht so ausgeprägt sind. Manche Leute sind interessanterweise der Ansicht, Frauen, die in der Finanzwelt Karriere machen wollten, müssten ihre Weiblichkeit an der Garderobe abgeben und zur Westentaschen-Thatcher mutieren, wenn sie erfolgreich sein wollen. Die Realität sah so aus, dass Frau Tofeji sich unter anderem darüber beschwerte, man habe ihr gesagt, sie solle „ihre weiblichen Reize einsetzen, um die Kundschaft zu bezirzen", was die sexistische Haltung, die ich selbst bei den Investmentbanken sehen konnte, genau wiedergibt. Der Anwalt von Frau Tofeji sagte, nachdem sie den Prozess verloren hatte: „Leider wurde mit diesem Urteil die Chance vertan, sich mit der weitverbreiteten sexuellen Diskriminierung in der City zu beschäftigen."

Tag für Tag sah ich, wie heftig die weiblichen Börsenmakler mit ihren vornehmlich männlichen Kunden flirteten und wie sie diese Taktik ganz bewusst für ihren Erfolg einsetzten. So lachten sie etwas zu ausgiebig über deren fade Witze und berührten ihre Kunden bei gemeinsamen Ausflügen des Öfteren. Da ein großer Teil der männlichen Klienten in der Finanzwirtschaft sexuell verklemmte Loser sind, ist es kaum überraschend, dass sie lieber mit einer schicken Lady essen gehen, die ihrem Ego schmeichelt, indem sie ihnen vorschwindelt, wie attraktiv sie sie findet, als mit einem hässlichen Neandertaler wie mir. Ich meine, ich hatte damals zwar für einen Mann ziemliche Titten, aber irgendwie waren die bei den Männern nicht so gefragt wie die meiner weiblichen Kollegen. Ich persönlich war immer der Meinung, dass wir jeden uns zu Gebote stehenden Trick nutzen mussten, um in diesem verdammt harten Wettbewerb zu bestehen. Dass die männlich dominierte City bestimmte Frauen zwang, ihre weiblichen Reize einzusetzen, um Klienten zu bezirzen, war daher nicht nur unvermeidlich, sondern meiner Meinung nach nur allzu verständlich. BNP Paribas jedoch war angeklagt worden, weil sie eine Mitarbeiterin ausdrücklich darum gebeten hatten, das zu tun, was, wenn es stimmt, nicht nur dumm war, sondern genauso notwendig, wie wenn mich mein Boss ausdrücklich gebeten hätte, Kunden in Striptease-Lokale auszuführen und mit ihnen Champagner zu trinken, um zu mehr Geschäftsabschlüssen zu gelangen.

Diese Fälle von sexueller Diskriminierung werden immer häufiger, aber ich finde, viel überraschender ist, wie wenige solcher Klagen es überhaupt gibt angesichts der Tatsache, wie häufig sexistisches Verhalten in der City ist. Natürlich gibt es auch Glücksritter, die sich solche Klagen einfallen lassen, um von ihrer Ex-Firma eine kleine Extra-Abfindung zu kassieren – das ist kein seltenes Mittel, seine Vergütungen aufzubessern. Die Banken einigen sich lieber außergerichtlich, als vor Gericht gezerrt zu werden, denn das gibt nur schlechte Publicity, und sie wissen, dass sie wahrscheinlich sowieso gegen ein paar Bestimmungen verstoßen haben (es sei denn, sie haben alle Bestimmungen nachweislich befolgt). Was manche Frauen vielleicht davon abhält, ist das Bewusstsein, dass Prozesse gegen Banken von Nachteil für andere Frauen sein könnten, die künftig in der City arbeiten wollen (zumal sie ja ohnehin wegen der Besorgnis einer möglichen Schwangerschaft gegenüber den Männern benachteiligt sind). Ich bin mir ziemlich sicher, wir Männer würden zahlreich prozessieren, wenn wir wüssten, dass wir dadurch die eine oder andere Million herausschlagen können. Ich jedenfalls würde es tun.

Zum dritten war Benjamin heterosexuell. Das ging sogar so weit, dass er jetzt, im zarten Alter von 21 Jahren, bereits beabsichtigte, seine Freundin aus College-Tagen zu heiraten – der arme, liebeskranke Narr! Zwar habe ich bis heute keine Probleme mit unseren homosexuellen Brüdern (solange sie mich in Ruhe lassen), aber obwohl ich ziemlich tolerant bin, musste ich feststellen, dass ich während meiner gesamten Zeit in der City nur drei offensichtlich schwule Männer kennengelernt habe, was statistisch sehr unwahrscheinlich ist. Natürlich ist es möglich, dass sich unter uns auch viele heimlich Schwule befanden, aber falls das so war, gab es eine Menge Frauen, die uns vorspielten, Freundin oder Ehefrau eines dieser Männer zu sein, denn sie waren fast alle gebunden. Es wäre natürlich angesichts der Macho-Kultur in der City einigermaßen verständlich gewesen, wenn unsere homosexuellen Kollegen versucht hätten, ihre wahre sexuelle Veranlagung zu verbergen. Mehr als in jeder anderen Institution, die ich kennengelernt habe (darunter auch das Rugby-Team der Schule und der Stammtisch der Kommilitonen an der Uni), prägten sexuelle Anspielungen unsere Unterhaltungen. Wehe dem armen Kerl, der es gewagt hätte, über Innenarchitektur oder gar über seine Gefühle zu reden! Wer nicht über Sport, Geld oder Frauen sprach, wurde da schnell zum Außenseiter. Selbst ich fühlte mich manchmal ein bisschen weibisch, so derb waren die meisten unserer Gespräche. Das ging bis an den Punkt, an dem ich mich fragte, ob es einer Frau noch erträglich erschiene und ob ich nicht etwa von einem Haufen heimlicher Schwuler umgeben war, die ihre Veranlagung zu verschleiern versuchten, indem sie andauernd nur über Männer sprachen, die sich im Dreck wälzten und einem seltsam geformten Ball nachjagten (was einem Freud sicher viel zu denken gegeben hätte).

Das vierte Rollenklischee, das Benjamin erfüllte, war, dass er ein netter Oxbridge[41]-Absolvent aus der Mittelklasse war. Als er ungefähr drei Monate bei uns war, fragte ich ihn, um welche Stellen sich seine Kommilitonen so bewarben. Zu meinem Entsetzen antwortete er, von seinen 40 Freunden und Bekannten aus Cambridge hätten 30 in der City angefangen und fünf weitere würden sich noch um City-Jobs bewerben! Er sagte, dasselbe gelte auch für Oxford. Das war meines Wissens bei den Cambridge-Absolventen im Jahr 1994 noch ganz anders gewesen! Die City wurde ab 2003 immer mehr zur Geldmaschine und saugte in den darauffolgenden Jahren immer mehr Talent, das dieses Land und andere zu bieten hatten, auf. Die Konsequenz: Der Forschung gingen immer mehr kluge Köpfe verloren. Intelligente Leute, deren Aufgabe es hätte sein können, den Klimaveränderungen auf den Grund zu gehen, als angehende Mediziner ein Mittel gegen AIDS zu finden oder als hervorragende Ingenieure Schutzmechanismen gegen das Ansteigen des Meeresspiegels zu entwickeln, saßen lieber im Büro und schoben Wertpapiere hin und her. Das liegt nur daran, dass die Bezahlung in der City so unverhältnismäßig viel höher ist als in allen übrigen Branchen und Regionen Großbritanniens, sodass die Begabtesten der Begabten, die früher große Erfinder, Forscher und Künstler geworden wären, sich dazu verführt sehen, hier ihr Glück zu suchen. Ich bin mir sicher, dass unsere Kultur und unsere Gesellschaft eines Tages die Folgen dieser Verschwendung von Talenten zu spüren bekommt.

Ich freute mich auf Benjamin, denn seine Arbeit bei uns bot mir die Gelegenheit, all das Wissen, das ich von David, Tony und aus eigener Erfahrung gesammelt hatte, an ihn weiterzugeben. Ich führte ihn allmählich in die feinsten Bars des Canary Wharf aus (was nicht viel heißen will) und brachte ihm einiges von dem bei, was man einst mich gelehrt hatte. Natürlich ließ ich bestimmte Tipps weg, die mir Probleme bereiten konnten, wie den Trick, damit zu drohen, man wolle die Bank verlassen, um einen Garantiebonus herauszuschlagen. Es lief nach einem festen Ritual ab. Erst mal ging ich auf die Toilette und zog mir eine Line rein, dann schrie ich ihn stundenlang an, um ihm zu erklären, wie man in der City erfolgreich wird. Er war der perfekte Begleiter zum Koks, denn ihm war alles andere egal und er schätzte mich als 31-jährigen Geschäftsführer einer großen US-amerikanischen Bank sehr. Mein

---

41) Oxbridge: entweder aus Oxford oder aus Cambridge, den besten Hochschulen Englands (Anm. d. Übers.).

bereits ziemlich außer Kontrolle geratenes Ego saugte jedes bisschen Achtung von ihm wie ein Schwamm auf. Außerdem brauchte ich, weil ich den Kontakt zu meinen alten Freunden immer mehr verlor, weil ich immer mehr zu einem egoistischen Sack mutierte, jemand Neuen, der ruhig dasaß und zuhörte, während ich ihm erklärte, was für ein unglaublich erfolgreicher Mensch ich doch sei: „... da ist noch was. Du solltest keine Hemden mit Kragenknopf tragen. Das ist nicht die City-Uniform! Deine Hemden sollten keine Kragenknöpfe haben, auch keine Brusttaschen, dafür aber doppelte Manschetten. Geh und kauf dir morgen drei Thomas-Pink-Hemden – ein gelbes, ein rosafarbenes und ein blaues. Und dazu noch ein paar witzige City-Manschettenknöpfe – Fässer, Würfel, Glühbirnen, solche mit der Aufschrift ‚VIP‘ oder einen mit ‚kaufen‘ und einen anderen mit ‚verkaufen‘. Sei nie nachlässig gekleidet. Dies ist ein seriöses Geschäft. Du solltest auch entsprechend aussehen. Niemand nimmt den Rat eines schlecht gekleideten Idioten an, der keine originellen Manschettenknöpfe trägt. Hier sind 200 Pfund. Kauf dir was." Hätte ich sechs Jahre zuvor, als ich noch einen Anzug für sechs Pfund anhatte, einen wie mich so einen Mist labern gehört, hätte ich mir vermutlich mit einem Kugelschreiber in den Hals gestochen.

„Ach ja, und noch etwas: Du musst es schaffen, dass die Kunden glauben, dass du sie gern hast. Versuch es und der Rest ergibt sich von allein. Dann verzeihen sie dir auch, wenn du sie am Telefon missverstehst oder wenn du irgendeine Analyse in den Sand setzt. Sie werden für dich stimmen und viele Stimmen bedeuten viel Geld, mein Junge! Haustiere bekommen alles, verstehst du?" Ich weiß nicht mal mehr genau, wie ich diesen Satz gemeint habe, vielleicht wusste Benjamin es auch nicht; aber er ließ sich nichts anmerken. Er schlürfte still seine Cola light, während sein immer konfuserer Chef fortwährend dummes Zeug redete.

„... und noch etwas. Spreadsheets sind ein notwendiges Übel, aber nimm sie nicht allzu wichtig. Sie sind nur begrenzt hilfreich. Ich kann dir gar nicht sagen, wie oft ich es schon erlebt habe, dass ein Finanzvorstand einer Firma mir Dinge erzählt hat, die mir dabei geholfen haben, den voraussichtlichen Gewinn eines Unternehmens zu überschlagen. Also, zerbrich dir nicht zu sehr den Kopf damit, Steuersätze und den ganzen Mist auszurechnen, es gibt viel zu viele Unwägbarkeiten. Versuch einfach, es den Finanzchefs der Unternehmen aus dem Kreuz zu leiern."

„... und noch was: Timing ist alles. Ich sag dir, die ganze Wall Street ist buchstäblich ‚übersät von den Gräbern derer, die zu früh zu korrekt waren‘, wie es Gordon Gekko[42] oder ein anderes Genie so treffend sagt. Manche

Scherzkekse behaupten schon seit Jahren, dass United Utilities ihre Dividenden kürzen wollen, aber ich sage dir, das passiert wahrscheinlich erst ein paar Jahre vor der nächsten Regeländerung im Jahr 2010. Wenn ich dann immer noch da bin, trete ich etwa 2007 vor die Presse und sorge dafür, dass jeder denkt, es war meine Idee, und die anderen Loser vergisst. Das nennt man ,sich eine Idee aneignen', obwohl ehrliche Leute es als Klauen bezeichnen würden."

So laberte ich weiter ... und weiter ... und weiter. Der gutmütige Benjamin saß da und dachte insgeheim vermutlich, was für ein Idiot ich sei, aber er hütete sich, es offen zu sagen. Falls es tatsächlich so war, hatte er gute Karten in unserer Branche – ich machte es mit meinen Klienten vom ersten Tag an so. Das Dumme war: Während ich auf den armen Benjamin einredete wie ein Maschinengewehr, hämmerte mir ständig ein Gedanke im wunden Hirn: „Steve, du bist doch nur noch ein armer alter Dinosaurier. Deine Tage sind gezählt. Der, der hier vor dir sitzt, seine Cola light trinkt, nicht raucht, keine Drogen nimmt und wahrscheinlich regelmäßig ins Fitnessstudio geht, der ist die Zukunft des Aktienhandels, nicht du. Du dachtest immer, mit Saufen und Drogen aufzuhören lässt einen nicht wirklich länger leben, das Leben kommt einem dann nur länger vor, aber das ist wohl nicht Benjamins Sicht von der Welt. Er ist ein ganz normaler, ordentlicher Börsenhändler, eine gut funktionierende Maschine, absolut verlässlich, aber ziemlich langweilig. Er arbeitet sorgfältig und baut niemals Mist. Wahrscheinlich hat er niemals Drogen angerührt und wusste mit zwölf Jahren schon mehr über Mathe als du heute. Er wird stets gründlich arbeiten und keine ,Krabbentage' haben. Er mag seine Arbeit und ist der Überzeugung, etwas wirklich Sinnvolles zu tun. Er hat inzwischen wahrscheinlich schon mehr Dinge über Excel und Powerpoint vergessen, als du jemals darüber wusstest. Er wird deine Arbeit tun, besser als du. Das einzige, was du ihm voraus hast und was er vielleicht nicht hat, ist eine Persönlichkeit."

Dieser Gedanke brachte mich in die Wirklichkeit zurück: Okay, Benjamin konnte Modelle klarmachen (ich meine natürlich Rechenmodelle, keine Fotomodelle), schneller, als ein Hase ficken konnte, und er konnte binnen weniger Minuten komplexe Analysen erstellen, aber er verstand nicht viel von Menschen. Es fehlte ihm am Gespür für Menschen. Die Kunden würden wohl kaum vier Stunden lang mit ihm essen und trinken gehen wollen. Sie

42) Ein Milliardär aus dem Film „Wall Street", der an der New Yorker Börse spielt (Anm. d. Übers.).

konnten sich bestimmt etwas Interessanteres vorstellen, als in seiner Begleitung für fünf Tage nach Las Vegas oder Miami zu fahren.

Ich dachte: „Trotz des schädlichen Einflusses der amerikanischen Banken und ihrer seelenzerstörenden Regeln und Bestimmungen gibt es da draußen immer noch junge Männer, die auch mal über all den Quatsch kichern wollen – auch wenn sie immer seltener werden, weil immer mehr ‚Roboter‘ das Kommando übernehmen. Solange das noch so ist, haben auch aus der Art geschlagene Typen wie ich eine Zukunft – wenn auch eine begrenzte. Du hast immer noch ein paar Jahre Kraft in dir, mein Sohn! Um es mit Daley Thompson zu sagen: Benjamin und die Jungs von seinem Schlag sind vielleicht jünger und körperlich fitter als ich, aber ich werde sie trotzdem schlagen."

Benjamin übte tatsächlich von Anfang an einen positiven Einfluss auf unser Team aus, was ungewöhnlich ist, denn die meisten Hochschulabsolventen sind in den ersten paar Monaten, in denen sie da sind, für das Team nichts als Zeitverschwendung. Wenn es nach mir ginge, würde ich sogar vorschlagen, dass man den jungen Leuten in den ersten sechs Monaten ihrer Anwesenheit ungefähr 40.000 Pfund im Jahr zahlt, bloß damit sie zu „Starbuck's" Kaffee trinken gehen – was, verglichen mit sonstigen Löhnen, immer noch eine tolle Bezahlung wäre. Benjamin jedoch erstellte fast vom ersten Tag an hervorragende Modelle für mich. Er bestand auch die Software-Prüfung auf Anhieb. Wäre er durchgefallen, hätte er sich allerdings auch zum Gespött der ganzen Abteilung gemacht, da sie wirklich nicht schwer ist. Ich hatte ihm dringend geraten, alles zu tun, um die Prüfung zu bestehen, denn ein Nichtbestehen hätte ihn bei Megashit für alle Zeit zum Gespött der Leute gemacht. Die Prüfung gilt schon als bestanden, wenn man zwei einfache Multiple-Choice-Prüfungen besteht, die meiner Meinung nach schon ein zurückgebliebener Neunjähriger packen müsste. Das Amüsante daran ist: Wenn man die Prüfung bestanden hat (und als „fähig und geeignet" eingestuft wird), ist man berechtigt, Leute, die Rentenfonds und Aktien verwalten, zu beraten, welche Aktien sie kaufen und welche sie verkaufen sollen! Mein Gott – nach nur einem Monat Ausbildung in unserer Bank durfte ein Benjamin schon über das Einkommen einer x-beliebigen Großmutter entscheiden! Inzwischen bestehen die meisten Banken darauf, dass ihre Absolventen den weitaus schwereren dreijährigen CFA-Kurs machen, obwohl ich mich nie darum gekümmert habe, meine Zeit mit so einem Quatsch zu verschwenden.

Benjamin machte sogar ein paar Vorschläge, die wirklich halfen, meinen Austausch mit den Kunden zu verbessern und mich in meiner Mission gegen Hugo zu unterstützen. Erstens fiel ihm auf, dass ich mir die Namen der Kinder meiner Kunden und andere derartige persönliche Daten nicht merken konnte. Ich hatte schon immer ein Gedächtnis wie ein Sieb gehabt (was durch reichlich Alkohol und Drogen natürlich auch nicht besser wurde), und das hatte mich immer ein bisschen belastet, wenn ich mit meinen Kunden telefonierte und so tat, als wäre ich ihr bester Freund. Benjamin schaffte Abhilfe und entwarf eine Tabelle mit allen wichtigen Kundendaten. Eigentlich war das keine besondere Idee und ich kannte auch Kollegen, die so etwas hatten, aber ich hatte meinen fetten Hintern nie hoch bekommen, um so etwas selbst anzulegen. Die Datei enthielt die Geburtstage der meisten meiner Kunden, die Vornamen ihrer Ehefrauen, die Namen ihrer Kinder, ihre Adressen, ihre Lieblings-Fußballmannschaft und so weiter. Wenn ich mit einem Kunden telefonierte, öffnete ich die Datei auf einem meiner zwei Bildschirme und fragte ganz locker, wie es dem kleinen Johnny und Mabel gehe. Dann tröstete ich den Kunden darüber hinweg, dass seine Tottenham Hotspurs am Wochenende mal wieder eins auf den Deckel gekriegt hatten. Bevor ich mit einem Klienten einen trinken ging, sah ich seine Daten in der Datenbank nach und beeindruckte ihn mit Detailfragen nach der Pilzinfektion seiner Frau oder ob Wolfie noch Eichhörnchen jage. Wir versandten sogar Glückwunschkarten zum Geburtstag. Unsere Kunden waren echt begeistert und dachten, sie hätten eine besondere persönliche Beziehung zu mir, während ich einfach nur eine gute Datei mit ähnlichen Daten zu weiteren 50 Kunden hatte!

Es war ein deutlicher Schritt in die richtige Richtung, wie sich anlässlich einer besonders desaströsen Kundenveranstaltung zeigte, die ich zu organisieren hatte. Im Dezember 2002 hatte ich wie jedes Jahr ein großes Weihnachtstreffen für die Kunden in einem guten Restaurant organisiert. In jenem Jahr entschied ich mich für Fergus Hendersons großartiges Restaurant „St. Johns" nahe am Smithfield Market. Das Lokal war ein Paradies für Fleischliebhaber und warb damit, dass es auf Wunsch ganze Tiere „vom Kopf bis zum Schwanz" serviere. Ich konnte es kaum abwarten, es auszuprobieren, obwohl einige im Team meinten, es klinge zu sehr nach Fleischabfällen. Die Dame, mit der ich im Restaurant gesprochen hatte, überredete mich zur Bestellung eines ganzen gebratenen Schweins und ich tat es und leckte mir schon mal die fleischlüsternen Lippen. Aber wegen der damals noch fehlenden Kundendatei und meines vom Koks benebelten Hirns hatte ich doch glatt vergessen, dass fast die Hälfte der 16 Kunden, die zum Mittagessen kommen wollten, gar kein Schweinefleisch essen konnten, da sie entweder Juden oder Moslems oder Vegetarier waren. Erst als wir im Restaurant saßen und meine Kunden sich die Weihnachts-Speisekarte ansahen, dämmerte mir, dass sieben von ihnen nur eine Vorspeise und ein Hauptgericht wählen konnten – die beide nicht besonders schmackhaft klangen. Als ich schon dachte, dass es nicht schlimmer werden könne, wurde ein Schweinekopf auf einer silbernen Platte serviert und direkt zwischen ein schönes jüdisches Mädchen und einen Hardcore-Vegetarier gestellt. Ich rutschte auf meinem Stuhl herum und tat so, als würde ich es nicht bemerken, als ein besonders blutrünstiger Klient sich vornüberbeugte und am Gesicht des Schweins herumsägte. Das Blut tropfte ihm aus den Mundwinkeln, als er sagte: „Die Wange ist natürlich mit Abstand der saftigste Teil vom Schwein!" Noch peinlicher wurde es für mich, als ein Witzbold dem Schwein eine brennende Zigarette ins Maul schob und dabei kicherte und den sichtlich angeekelten muslimischen Burschen neben ihm anstupste.

Eine weitere Innovation, die mein technisch begabter Schützling bei uns einführte, war eine herausragende Erfindung namens „Voice Push". Er hatte gesehen, dass ein anderes Team in der Bank so etwas benutzte, und mich dazu überredet, es mal auszuprobieren. Ich kann gar nicht sagen, wie furchtbar öde der Job eines Analysten sein kann, wenn wir am Vormittag unsere wichtigsten Kunden anrufen. Im Laufe meiner Jahre in der City wuchs die Zahl der Kunden, die ihr Telefon auf Mailbox stellten, immer mehr an. Das nahm solche Formen an, dass ich manchmal vormittags 40 Klienten hintereinander anrufen musste, weil ein bestimmtes Unternehmen bestimmte Ergebnisse veröffentlicht hatte und ich nur fünf oder sechs von allen persönlich erreichte. Da saß ich nun, verdiente zwar eine halbe Million Pfund im Jahr, musste aber zwei nervige Stunden damit zubringen, 35 Idioten exakt dieselbe Nachricht aufs Band zu sprechen – von denen viele meine Nachricht wahrscheinlich sowieso löschten, ohne sie sich je anzuhören, weil sechs andere Analysten aus anderen Banken ihnen dieselbe Nachricht übermittelten.

Diese absurde Situation fiel dem Genie auf, das „Voice Push" erfand. Wie es ging? Ganz einfach: Ich zeichnete meine Botschaft, die ich zu übermitteln hatte, mittels des Geräts auf Band auf und rief anschließend den Kunden an. Falls er oder sie tatsächlich ranging, sprach ich natürlich persönlich mit ihnen, aber wenn ihr Telefon auf Mailbox geschaltet war, bedurfte es nur eines Mausklicks, und meine zuvor aufgezeichneten Weisheiten landeten auf ihrem Gerät und ich konnte sofort den nächsten Kunden anrufen, der auf meiner Liste stand. Das Ding war besser als eine automatische Voice-Mail, denn die konnte man nur spät abends benutzen, sonst riskierte man, dass ein Kunde den Hörer abhob und irgendeine vorher aufgezeichnete

253

Nachricht hörte, was nicht gut ankommt. Dank der wundervollen technischen Erfindung war es mir möglich, meine Kunden-Rundrufe binnen einer halben Stunde zu erledigen, und das, ohne irgendeine veraltete Nachricht zu hinterlassen, weil ich zuvor eine perfekte Ansage auf Band aufnehmen konnte. Bald herrschte die absurde Situation, dass die City voll von Maschinen war, die anderen Maschinen Botschaften hinterließen für Leute, die diesen Quatsch größtenteils gar nicht hören wollten. Aber das war mir egal. Es erleichterte mir die Arbeit und ich finde grundsätzlich alles gut, was diesen Effekt hatte.

Benjamins abgefeimteste Idee war es, eine Datei der Institutionen zu erstellen, die tatsächlich in Extel abstimmten (manche scherten sich nicht darum) und wie sie abstimmten. Wir waren im Umgang mit den Umfragen immer ein bisschen zu sehr auf Zufälle angewiesen gewesen, obwohl wir mit der Zeit eine ungefähre Ahnung hatten, wer überhaupt seine Stimme abgab und ob man die Stimme vielleicht nur aus der neuesten internen Broker-Befragung hochgerechnet hatte. Durch Gespräche mit vielen anderen Analysten in unserem Haus fand Benjamin heraus, dass er eine Liste der Institutionen erstellen konnte, die abstimmten, derjenigen, die nicht abstimmen wollten, und so weiter. Bald wussten wir genau, welche Klienten wir umwerben mussten und wann. Wir fanden heraus, dass manche Institutionen nur die jüngste interne Broker-Befragung verwendeten, was bedeutete, dass wir genau zum richtigen Zeitpunkt dieser internen Abstimmung auf sie einwirken konnten. Und wir wussten, dass andere Klienten dann abstimmten, wenn die Umfrage auf ihrem Schreibtisch landete, was bedeutete, dass wir unsere Bemühungen um den 15. März herum intensivierten, dem Versendetermin der Papierformulare für die Extel-Umfrage.

Ich hatte den Eindruck, mit der vielversprechenden Kombination von richtigem Timing, Michaels sagenhaftem Gehirn, meiner unverwüstlichen Leber und Benjamins jugendlichem Elan und Erfindergeist müsste der Sieg bei der Extel-Umfrage 2004 eigentlich klappen. Aber ein wahrscheinlicher Sieg genügte mir nicht. Ich wollte absolut sichergehen, dass Hugo bald um 100.000 Pfund ärmer und ich Master of the Universe sein würde. Daher arrangierte ich im Dezember 2003 ein Treffen, denn ich wollte sichergehen, dass wir ein paar herausragende Analysen erstellen konnten, die jeden Widerstand zunichte machen sollten. Ich sagte: „Passt auf, Leute. Ich habe euch schon 1.000 Mal gesagt, dass wir nicht hier sind, um die Wahrheit zu verkaufen. Ich will einfach nur plausibel klingendes, innovatives Material, das wir mit Daten und Fakten belegen können und das sich vom übrigen Zeug, das an der Börse kursiert, abhebt. Und ich will Kursziele haben, die richtig hoch sind. Fällt dir dazu was ein, Michael?" „Die EU eröffnet am 1. Januar 2005 einen neuen CO2-Markt. Ich glaube, das wird die Energiepreise hochtreiben. Wir könnten eine Empfehlung schreiben, dass jeder die europäischen Energieerzeuger kaufen soll, besonders die Betreiber mit wenig kohlenstoffintensiven Anlagen wie Kernkraft und Wasserstoff." „Cool. Klingt gut. Was ist mit meinen Aktien? Habt ihr dazu irgendwelche Ideen?"

Eigentlich war es absurd, andere Analysten nach Vorschlägen zu meiner Sparte zu fragen, für die ich verantwortlich war, aber das Team kannte mich, und ich hatte es schon lange aufgegeben, so zu tun, als beschäftigte ich mich noch ausführlich mit den britischen Wasserversorgern. Michael antwortete: „Ich schlage vor, wir sagen einfach, dass alles dafür spricht, dass die für 2005 geplante Regeländerung sich gut auswirkt und folglich alle Wasserwerte begünstigt sind – besonders die Aktien der stärker fremdfinanzierten Unternehmen, da sich die Bewertung ihres Kapitals den Preiskontrollen besser anpassen lässt. Warum sagt ihr nicht einfach, dass ein paar Fusionen und Übernahmen aus dem Private-Equity-Bereich ausstehen, wo ihr schon dabei seid?" „Ausgezeichnet! Okay, damit ist das erledigt. Dann schicken wir also diese Nachricht im Januar raus und veröffentlichen sie weltweit als großartige Neuigkeit."

Genau das taten wir. Von Tokio bis San Francisco sprachen wir jeden Klienten an, bis alle einwilligten, zu einem Treffen zu kommen, bei dem wir ihnen unseren neuesten Bullshit präsentieren wollten.

Ich wollte selbst nach Tokio fahren, denn ich war noch nie dort gewesen und mich reizte diese exzentrische Kultur der Konformität. Tatsächlich war mein Besuch der Tokioter Börse eines der seltsamsten Erlebnisse, das ich beruflich je hatte. Mein Jetlag war so stark, dass ich gar nicht peilte, was los war. Die ganzen drei Tage dort fühlte ich mich wie im Traum – so ähnlich, wie es der Film „Lost in Translation" so brillant zeigt. Aber das war nicht so schlimm, denn die Kunden, mit denen ich Geschäftsgespräche führte, wussten entweder sowieso schon alles über die Sparte oder sie konnten kaum Englisch. Am witzigsten war ein Kunde, der ungefähr zehn Minuten nach Beginn meines Vortrags einschlief. Nun weiß ich auch, dass die europäischen Energieversorger nicht gerade ein Thriller sind, aber so etwas war mir bislang noch nie passiert. Schließlich knallte ich ihm meine Powerpoint-Präsentation auf den Tisch und weckte ihn damit unsanft, aber schon nach fünf Minuten wurden seine Augen wieder rot und rollten wieder in seinen Kopf zurück. Ich dachte, das sei ungewöhnlich, aber der Verkäufer, der mich begleitete, sagte mir, das sei bei diesem Kunden oft so, auch bei anderen. Diese Technik heiße „inemuri“, die wörtliche Bedeutung sei „schlafen, während man eigentlich anwesend ist“ und es gebe strenge Regeln, wer es tun dürfe und wann. Ich selbst finde es immer noch unhöflich, wenn jemand in einem Vortrag, den ich nur für ihn halte, einfach „abtaucht“.

Witzig fand ich auch die Zeremonie, die stattfand, wenn man mit einem Klienten die Visitenkarten tauschte. Das erste Mal, als ich eine Visitenkarte überreicht bekam, steckte ich sie einfach in die Brusttasche meines Anzugs. Später erklärte mir ein sichtlich verlegener Verkäufer, dass man es so nicht machen dürfe. Er sagte, ich solle die Karte eingehend studieren, während ich sie zwischen zwei Fingern festhalte, dann meinem Kunden direkt in die Augen sehen und dann abermals auf die Visitenkarte schauen. Von da an machte ich es so.

Amüsant war auch die Verbeugungszeremonie nach jeder Kundenpräsentation. Als wir nach einer Sitzung den Aufzug bestiegen, verneigte sich mein mich begleitender Verkäufer vor dem Kunden. Der Kunde erwiderte die Verneigung. Der Verkäufer verneigte sich noch tiefer. Nun verneigte sich auch der Kunde noch etwas tiefer, woraufhin sich der Verkäufer so tief verbeugte, dass sein Kopf fast auf der Höhe seiner Leisten war, als die Türen des Aufzugs sich schlossen. Ich dachte schon, der arme Kerl würde sich seinen Kopf noch zwischen den Aufzugstüren einklemmen. All das sah für mich ziemlich lächerlich aus, und ich musste unwillkürlich grinsen, als ich es nach der nächsten Sitzung genauso machte. Sobald die Aufzugstüren zu waren, sagte mein armer Begleiter, ein einfacher Händedruck zum Abschied würde genügen, denn ich sei ja kein Japaner.

Offen gesagt kam mir Tokio so exotisch und fremd vor, dass ich beinahe alles anders fand als zu Hause. Das einzige, was so war wie zu Hause, war die Dominanz schrecklich großer blonder osteuropäischer Stripperinnen in den Nachtlokalen des Rotlichtviertels von Tokio, in Roppongi. Während ich in Roppongis bekanntestem Strip-Lokal saß und mir all die Fotos berühmter männlicher Schauspieler ansah, die schon hier gewesen waren, staunte ich über all die kleinen, drahtigen japanischen Geschäftsleute, die 1,90 Meter große, blonde Helgas mit hohen Plateauschuhen für sich tanzen ließen. Der Verkäufer, der mich begleitete, erklärte mir unmissverständlich, diese Stripperinnen seien der bevorzugte Frauentyp japanischer Männer. Ich fand den Kontrast so amüsant, dass ich meinem kleinen japanischen Verkäufer einen Tanz spendierte und ihn mit einer Dame beglückte, die so groß war, dass sein Gesicht auf einer Höhe mit ihren gewaltigen Silikonbrüsten war, obwohl er stand und nicht saß.

256

Ich fuhr in Geschäften nicht nur nach Tokio, sondern auch nach Paris und in die Schweiz, wo ich froh war festzustellen, dass die Kunden sich ganz gewohnt verhielten. In Zürich traf ich Leute, die zu den langweiligsten gehörten, die ich jemals kennengelernt habe. Der Mangel an Lebensfreude, der die Schweizer auszeichnet, wird nur noch von ihrem Anspruchsdenken übertroffen. Ich glaube, das meint Orson Welles am Ende des Films „Der dritte Mann", wo er sagt, die einzige Leistung der neutralen Schweizer sei es, die Kuckucksuhr erfunden zu haben. In Paris empfing man mich mit einer Arroganz, die selbst mich als alten Cityboy erstaunte. Der Handel mit Aktien setzt notwendigerweise voraus, dass der Analyst mehr weiß als der Investor, der ihn um Rat fragt. Das jedoch ist jedes Mal ein Problem, wenn man mit einem in Paris angesiedelten Fonds zu tun hat. Ich konnte stets nur durch bestimmte erprobte verbale Tricks verhindern, dass immer wieder kleinlicher Streit ausbrach. Selbst wenn der Kunde eine erwiesenermaßen falsche Behauptung in den Raum stellte, sagte ich vorsichtig: „Ich kann Ihren Standpunkt gut verstehen, Monsieur, aber in einem winzigen Detail bin ich anderer Meinung als Sie …" Wenn der Kunde trotz meiner Überzeugungskraft auf seinem bescheuerten Standpunkt verharrte, ging ich lieber zu einem anderen Thema über und sagte: „Nun, man braucht ja nicht immer einer Meinung zu sein, nicht wahr? Was ich noch sagen wollte …"

Mit unserem Marketing lief alles wie geschmiert und wir alle trafen uns wie die Ritter der Tafelrunde nach bestandenen Abenteuern Ende Januar 2004 in London, um uns über unsere Siege auszutauschen, nachdem wir dafür gesorgt hatten, dass unser guter Ruf weltweit Verbreitung fand. Wir erzählten einander von unseren Erfolgen in fernen Ländern und hatten das Gefühl, dass unsere Kampagne so brillant war wie Napoleons Strategien und dass sie sämtliche Widerstände überwinden musste. Auch Benjamin hatte inzwischen so viel dazugelernt, dass wir ihm schon erlaubten, ein paar kleinere, weniger wichtige Kunden anzurufen. Er wurde immer besser in der Kunst, auch den wenigen Kunden, die dummerweise viel von unserem Geschäft verstanden, einen Bären aufzubinden. Er lernte, dezent das Thema zu wechseln, wenn ein Kunde auf Dinge zu sprechen kam, von denen er nicht viel verstand, und er lernte schnell die goldene Regel des Flunkerns – wenn ein Kunde nach einer bestimmten Zahl fragt, zum Beispiel welcher Prozentsatz der in Großbritannien erzeugten Energie Kernenergie ist, und wenn man es nur ungefähr weiß, immer eine präzise Zahl zu nennen, auch wenn es nur geraten, also eigentlich gelogen ist. Man sollte dann nie „etwa 30 Prozent" sagen, sondern lieber „32 Prozent" – das klingt viel sicherer, also überzeugender.

Auch das Tempo, mit dem Benjamin die leeren City-Phrasen aufschnappte, die ich und andere ältere Teammitglieder so von uns gaben, amüsierte mich sehr. Innerhalb einer einzigen Kunden-Anrufaktion sagte er die folgenden leeren Phrasen, alles uralte Klischees, bei denen ein alter Hase nur noch müde gähnt. Dass der gute Benjamin die meisten dieser Ausdrücke von mir aufgeschnappt hatte, zeigte mir deutlich, dass mein blödes Geschwätz, mit dem ich meine Klienten seit Jahren traktierte, auch nicht mehr das Wahre war. Hier ein paar Beispiele:

„Deren Vorstandsvorsitzender ist so unfähig, der trifft nicht mal den Hintern einer Kuh mit 'nem Banjo." „Greifen Sie zu, die Dinger gibt's fast umsonst. Wer zuerst kommt, mahlt zuerst." „Wie, Sie haben mit einem Typen vom Finanzamt gesprochen? Sprechen Sie nicht mit dem Affen, sondern lieber gleich mit dem Leierkastenmann persönlich." „Sie schätzen, die berufen eine außerordentliche Hauptversammlung ein? Sie kennen doch den alten Spruch: ‚Wer schätzt, kann sich leicht verschätzen …'" „Sie sind immer noch nicht günstig genug, auch jetzt noch nicht. Greifen Sie nie in ein fallendes Messer … glauben Sie mir, das ist ein Strohfeuer …" „Nein, echt, mit dem von uns prognostizierten Profit könnte das ein Verfünffacher werden" (das hieß, der Aktienkurs hatte das Potenzial, auf das Fünffache des aktuellen Wertes zu steigen). „Dieses Management hat keine vernünftige Strategie; denken Sie immer daran – wer nicht plant, hat von nichts 'nen Plan." „Kaufe nach Gerücht, verkaufe nach Fakten … es ist besser zu reisen als anzukommen." „Der Trend ist dein Freund, aber nur wer mitmacht, kann gewinnen." „Wie bitte, die Banque Inutile behauptet, United Utilities hätten eine nachhaltige Dividende von sieben Prozent? Also ehrlich: Wenn etwas zu gut klingt, um wahr zu sein, dann ist es meist auch nicht wahr." „Deren Finanzvorstand wird so bald nicht zurücktreten. Wer zurücktritt, kann nicht gewinnen, und wer gewinnt, tritt nicht zurück." „Warum der Kurs hoch geht? Weil es mehr Käufer als Verkäufer gibt."

Aber Benjamins Beitrag zum Team erschöpfte sich nicht im unreflektierten Verbreiten unserer Phrasen; er half uns wirklich bei unserem Siegeszug. Ich war glücklich damit, wie sich die Dinge entwickelten, und es lief sogar noch besser als gedacht. Es war wieder mal Bonuszeit und die idiotischen Yanks von Megashit entschieden in ihrer unendlichen Weisheit und Güte, mir 650.000 Pfund zu bezahlen. Mein Gott, was für eine Summe! Aber inzwischen war ich so abgehoben, dass ich an meinen eigenen Höhenflug glaubte. Zum ersten Mal in meiner Karriere hatte ich das Gefühl, so viel Geld wirklich verdient zu haben. Ich war mir sicher, es gab andere Leute da draußen, die mehr als ich verdienten, aber bestimmt nicht so gut waren wie ich. Ich zog mein übliches Schauspiel durch, als Chuck mir die Zahl nannte, aber mein Ego war diesmal so groß, dass ich richtig etwas Entrüstung in der Stimme hatte! Jedenfalls war alles im grünen Bereich; ich hatte den Eindruck, nichts könne mehr schiefgehen.

„Äh, Steve, kann ich dich mal kurz sprechen?" Michael sah etwas verlegen aus. Wir gingen miteinander in einen leeren Büroraum – mein Herz begann wie wild zu schlagen. Es war einen Tag, nachdem der Bonus auf unsere Konten geflossen war. Nun bin ich kein Sherlock Holmes, aber ich ahnte, was Michael mir zu sagen hatte. „Hör mal, Steve, vielleicht ahnst du schon, was ich dir mitzuteilen habe. Wir hatten eine Superzeit zusammen, aber jetzt wird es Zeit aufzuhören. Ich möchte wieder als Unternehmensberater arbeiten. Es war sehr schön hier, aber ich habe jetzt eine kleine Familie und ich habe mit Ernst & Young einen Vertrag ausgehandelt, der mir künftig mehr Freizeit für Frau und Kinder lässt. Tut mir leid, Kumpel, ich weiß, was es dir bedeutet, die Nummer 1 im Extel-Ranking zu werden, aber ich muss jetzt daran denken, was das Beste für meine Frau und mich ist."

Scheiße! Von all den schrecklichen Dingen, die er hätte sagen können, war das mit Abstand das Schlimmste! Lieber wäre mir gewesen, er hätte mir gesagt, ein Atomkrieg sei ausgebrochen und wir alle hätten nur noch vier Minuten zu leben. Wenn er mir gesagt hätte, ich hätte den Ebola-Virus, hätte ich nur gewiehert. Aber mir zu erzählen, er bleibe nicht mehr hier, um Stimmen für die Extel-Umfrage einzusammeln, bedeutete, dass Hugo wieder gewann, und das war für mich einfach nicht hinnehmbar. Verdammt noch mal, ich musste mir jetzt was ausdenken, und das möglichst schnell! „Hör zu, Michael, ich verstehe gut, dass du mehr Zeit für deine Familie brauchst und so. Das ist völlig okay für das ganze Team und mich, aber du kannst doch jetzt nicht einfach abhauen. Nicht jetzt, so kurz vor unserem alles entscheidenden Sieg. Du hast doch einen Vertrag mit drei Monaten Kündigungsfrist, nicht wahr? Gut. Ich bitte dich auf Knien, bleib noch hier bis Mitte April und hilf uns zu erreichen, dass unser Team die Nummer 1 wird. Es sind nur noch wenige Monate. Bitte, bitte, hilf mir! Ich muss diese Schweinebacke Hugo schlagen, und wenn es das Letzte ist, was ich überhaupt tue!"

Ich kniete tatsächlich auf beiden Knien vor ihm, mit Tränen in den Augen. Eine Sekretärin, die vorüberging, sah mich durch die Glastür hindurch vor dem stehenden Michael knien und kicherte in sich hinein.

Er erwiderte: „Oh Mann! Sieht so aus, als wolltest du diese Mighty Yank Bank wirklich schlagen, koste es, was es wolle. Ich mach dir ein Angebot: Wenn du

Chuck dazu bewegen kannst, mir schriftlich zu garantieren, dass meine auf Widerruf lautenden Anteile an Megashit nicht verloren sind, wenn ich gehe, dann bleibe ich und wir schlagen dieses Großmaul mit vereinten Kräften!" „Fantastisch! Was für ein herrlicher Tag!", jauchzte ich vor Freude. Ich hatte schon bemerkt, dass Michael auf seine alten Tage ein bisschen gierig und herrschsüchtig geworden war. Ich nehme an, die Gier färbt auch auf die Besten von uns ab, wenn sie tagaus, tagein davon umgeben sind.

Alles, was ich jetzt noch tun musste, war, die Kunden bei Laune zu halten, wie ich es noch nie zuvor getan hatte. Es war mir egal, ob sie nur kleine Lichter mit wenig Gewicht in der Umfrage waren. Ich ging mit jedem Einzelnen von ihnen zum Mittagessen und schleppte sie an jedem verdammten Wochenende mit zu einem Rugby- oder Footballspiel. Falls die Bastarde tatsächlich für einen anderen als mich stimmten, dann gnade ihnen Gott. Manchmal gab ich von meinem privaten Vermögen fast mehr für sie aus, als sie meiner Bank an Geld einbrachten. Als ich hörte, dass auch Hugo die Spendierhosen anzog und dass das ganze Mighty-Yank-Bank-Team zum Marketing-Feldzug ausschwärmte, war das nur Wasser auf meine Mühle. Bis April ähnelte meine Leber einem kranken, verrotteten alten Dudelsack, und meine Nasenlöcher waren vom vielen Koksen so wund, dass mir ständig die Nase lief. Die Quälgeister, die mich früher nur gelegentlich bei Nacht heimgesucht hatten, suchten mich nun, auf der Zielgeraden zum Sieg, fast täglich heim. Ich war auf dem besten Wege, mich umzubringen, aber falls das nötig war, um den Kampf zu gewinnen, wollte ich auch das auf mich nehmen. Nichts konnte mich stoppen, nicht einmal der mögliche Tod!

Auf einmal war er da, der große Tag, der 9. Juni 2004. In der Nacht zuvor hatte ich kein Auge zugemacht. Um 22.00 Uhr hatte mir Hugo noch eine SMS geschickt mit dem Wortlaut: „Wenn nicht jetzt, wann dann? Wenn nicht du, wer dann, mein Kleiner?" Meine Antwort war weniger rätselhaft und erheblich weniger poetisch. Sie lautete: „Verpiss dich!"

Am Morgen jenes schicksalhaften Tages war ich nicht mehr fähig zu arbeiten. Alles, was ich tat, war, auf die Uhr zu starren. Minuten wurden zu Stunden. Um Punkt 11.55 Uhr nahmen Michael und ich die Stadtbahn vom Canary Wharf zur Bank und marschierten feierlich in die Guildhall in der Gresham Street. Wir setzten uns zusammen mit acht anderen Analysten von Megashit an einen runden Tisch ganz vorn am Podium und versuchten zu essen, was man uns servierte. Mein Magen war so verkrampft, dass ich den schalen Krabbencocktail und das Gummihähnchen Kiev nicht hinunter bekam. Erst einmal mussten wir einen stinklangweiligen Vortrag eines risikofreudigen Investors über uns ergehen lassen, der sich über die Fülle der Regeln und Bestimmungen in der City beklagte. „Du Vollidiot", dachte ich, „wir haben doch ganz im Gegenteil viel zu wenige Schutzmaßnahmen gegen Fehlentwicklungen jeder Art." Aber in starkem Gegensatz zu früher, wo ich das als ernst zu nehmendes Problem angesehen hatte, das dringend geklärt werden müsse, war ich jetzt der Meinung, weniger Bestimmungen seien vielleicht doch ganz gut. Warum? Weil eine laxe Regulierung dazu beitrug, dass London New York als Finanzhauptstadt der Welt ablöste und dieser Prozess sich wiederum nur gut auf meine Brieftasche auswirken würde.

Als der Vortrag endete, sah ich Hugo zur Toilette gehen. Ich ging ihm nach. Er stand an einem der Urinale, als ich ihn ansprach: „Na, Hugo, wie geht's? Weißt du, was noch kleiner ist als das, was du gerade in der Hand hältst? Dein armseliges Ego, wenn du hörst, dass du gegen mich verloren hast!" „Täusch dich da mal nicht, Kleiner! Ich nehme dir dein Geld ab und kaufe mir noch 'nen Ferrari dafür … du bist so ein Loser, du wirst sehen, du vermasselst auch diese Chance!" Er lachte laut, schob mich beiseite und ging in die Halle zurück. Sein Selbstvertrauen war anscheinend unerschütterlich. Ob er das Umfrageergebnis etwa schon kannte? Plötzlich fühlte ich mich irgendwie unsicher. Ich ging zurück an meinen Platz und setzte mich wieder an den Tisch.

Endlich war es so weit. Die Preisverleihung, der Moment der Wahrheit, nahte. Mein Magen fuhr Karussell. Ich sah alle paar Minuten hinüber zu Hugos Tisch. Ich beneidete ihn um seine Ruhe und die Selbstsicherheit, mit der er den Kopf zurückwarf und lachte. Da die Preise für die einzelnen Sparten in alphabetischer Reihenfolge vergeben wurden, waren wir von den Versorgungsunternehmen erst ganz zum Schluss dran. Ich hatte das dumpfe Gefühl, dies sei unvermeidlich – irgendwie gottgegeben. Während ich hörte, wie die glücklichen Gewinner der übrigen Sparten genannt und beglückwünscht wurden, musste ich daran denken, wie all das hier begonnen hatte. Ich dachte an meine öffentliche Blamage im „Hotel Balmoral", an die Golfpartie in Schottland, an die Wasseraufbereitungsanlage vor Edinburgh. Plötzlich musste ich erkennen, dass all das sechs Jahre lang mein Antrieb gewesen war, dass ein anderer Typ mein Leben bestimmt hatte. Ich kapierte, dass ich mich selbst vor lauter Wettbewerb mit ihm verloren hatte. Aber das war jetzt nicht mehr wichtig. Es würde sowieso gleich vorbei sein. Alles würde gleich in Ordnung sein. Ich wollte mir selbst und allen anderen beweisen, dass ich ein Sieger war, ein toller Bursche – ein Held.

„... und schließlich, der Sieger, der Erstplatzierte im Bereich Versorgungs-unternehmen, ist ..."

Ich konnte kaum noch hinsehen, so nervös war ich. Ich krallte mich an meinem Stuhl fest, bis meine Knöchel weiß waren. Selbst der sonst stets besonnene Michael neben mir sah nervös und gespannt aus. Die Leute an den übrigen Tischen sprachen durcheinander. Ich machte „psssst". Wie konnten sie es wagen, im Augenblick meines Triumphes nicht aufzupassen?

„... übrigens, dies ist der geringste Abstand zwischen den zwei Erstplatzierten, den es bei Extel je gab ..." „Jetzt red schon, du Idiot", dachte ich. „Die Mighty Yank Bank mit Hugo Bentley ist auf dem ersten Platz. Wir müssen erwähnen, dass Megashit mit nur 0,1 Prozent Rückstand ganz dicht dahinter ist, der zweitbeste Analyst in dieser Sparte ist Steve Jones. Damit sind Hugo Bentley und die Mighty Yank Bank zum achten Mal hintereinander das beste Versorgerteam. Darüber hinaus erhalten sie einen Preis dafür, dass sie die meisten Stimmen aller Sparten bekommen haben. Applaus, meine Damen und Herren, für Hugo Bentley und das Versorgerteam der Mighty Yank Bank!"

Ich fühlte mich wie tot. Niemals vor und nach diesem schrecklichen Tag habe ich mich so mies gefühlt. Mein Inneres löste sich auf. Verzweifelt versuchte ich, die Tränen zurückzuhalten, aber ich schaffte es nicht. Ich saß da, hielt den Kopf zwischen den Händen und weinte wie ein kleines Mädchen, und das vor all meinen 200 geschätzten Kollegen. Wie sollte ich diese Niederlage jemals verwinden? Michael legte den Arm um mich, was die Sache nicht wirklich besser machte. Anstatt als Sieger dazustehen, musste ich die größte Niederlage einstecken, die ich, die ein Mensch nur erleben konnte. Hugo stand auf und ging ganz ruhig aufs Podium zu, an meinem Tisch vorbei, mit einem Grinsen im Gesicht, wie es Tony Blair nicht besser hingekriegt hätte. Diesmal bedankte er sich nicht nur für die Auszeichnung, sondern er nützte die Gelegenheit zu einem Seitenhieb auf mich.

Er sagte: „Dies ist eine große Ehre. Vielen Dank. Wir von der Mighty Yank Bank nehme solche Auszeichnungen sehr ernst ... wenn auch nicht so ernst wie manch andere." Dabei sah er mir direkt ins Gesicht und grinste triumphierend. Die ganze Halle brach in ein Gelächter aus, und ich wurde so rot, dass, wenn es eine Fernsehübertragung gewesen wäre, Millionen Leute ihre Bildschirme blasser eingestellt hätten. Hugo verließ das Podium, nahm seine Auszeichnung mit und lachte hysterisch über seinen eigenen Gag. Als er an meinem Tisch vorbeiging, hielt er kurz inne, klopfte mir auf die Schulter und flüsterte mir ins Ohr: „Ich seh dich draußen. Bring dein Scheckheft mit."

Sobald das unkontrollierbare Schluchzen aufhörte – die meisten waren schon gegangen –, zog ich meine Jacke über und ging schleppend Richtung Ausgang. Die letzten zehn Minuten hatte ich damit verbracht, den Kopf in die Hände zu legen und alles und jeden zu verfluchen – die Götter, meine Eltern, das Schicksal, mein Schicksal, Hugo, Michael – alle, die ich nur irgendwie für diese unerträgliche Schmach, die ich fühlte, verantwortlich machen konnte. Bevor ich aufstand, stellte ich Hugo Bentley einen Scheck über 100.000 Pfund aus. Blinzelnd trat ich hinaus in die Sonne. Hugo lehnte an einem Pfeiler, ein Bein lässig über das andere geschlagen, und wartete auf mich. Zögernd schritt ich auf ihn zu, den Scheck in der ausgestreckten Hand.

„Danke schön", sagte Hugo, faltete den Scheck zusammen und schob ihn in seine Brusttasche. Ich drehte mich um, um zu gehen. Ich war unfähig, etwas zu sagen oder zu denken. Hugo meinte: „Bevor du gehst, möchte ich dir noch was sagen. Du hasst mich, aber du, mein Freund, bist inzwischen schlimmer als ich. Du nimmst diesen Job ernster, als ich es tue. Für mich ist es nur ein Weg, Geld zu verdienen, aber du bist davon wie besessen. Sieh dich doch an mit deinem Maßanzug und deinen Schuhen für 300 Pfund. Deine Kunden haben mir erzählt, dass du früher links warst und ein Hippie und Globetrotter. Aber jetzt weißt du nicht mehr, wer du eigentlich bist, und deshalb hast du verloren. Wer eine Rolle perfekt spielt, ist deswegen noch lange kein Mensch mit Charakter, Kleiner."

Mit diesen Worten drehte er sich um und lief davon. Ich stand da wie ein begossener Pudel und blickte zu Boden. Ich wusste, er hatte recht. Ich wusste, ich war längst nur noch ein Schatten meiner selbst. Meine Persönlichkeit wurde vom ganzen Stress und Quatsch hier so sehr in Beschlag genommen, dass es keinen Raum mehr für das Gute in mir gab.

Ich ging direkt zur U-Bahn-Haltestelle der Bank und nahm die nächste U-Bahn nach Hause. Ich stieg in Shepherd's Bush aus, stieg auf meinen Motorroller, der dort parkte, und fuhr so schnell ich konnte Richtung Fluss. Ich fuhr an Lattimer Upper, meiner ehemaligen Schule, vorbei und kam nach wenigen Minuten an die Hammersmith-Brücke. Dort stellte ich den Roller ab und ging zu Fuß weiter, bis ich mitten auf der Brücke stand. Dort hielt ich an, legte die Arme übereinander, legte mein Kinn auf das Brückengeländer und starrte nach Westen hinüber.

Ich weiß nicht, wie lange ich so da stand und was ich getan habe. Ich bin mir nicht sicher, ob ich ernsthaft daran dachte, hinunter zu springen. Alles, was ich weiß, ist, dass ich einmal kurz darüber nachdachte und genau in diesem Moment ein Boot unter der Brücke hindurch fuhr, dessen Steuermann seine Leute anbrüllte: „Los, Jungs! Konzentriert euch. Einen Schlag nach dem anderen. Wir schaffen's schon noch!" „Er hat recht", dachte ich, „wir schaffen's schon noch." Langsam ging ich zu meinem Motorroller zurück. Fünf Minuten später fuhr ich mit ungefähr 60 km/h die King Street entlang. Plötzlich, ohne jede Vorwarnung, wachte ich auf. Ich lag auf dem Rücken und starrte an die Decke eines Krankenwagens. Meine Hände waren blutig und verbunden, meine Hose am rechten Knie aufgerissen, meine Lippen fühlten sich stark geschwollen an. Ein Polizist versuchte mir einen Alkomaten in den Mund zu schieben. „Ach, deshalb bin ich so plötzlich wieder zu mir gekommen", dachte ich. Mein guter alter Überlebensinstinkt setzte wieder ein. Vor lauter Nervosität hatte ich beim Extel-Lunch mindestens eine ganze Flasche Weißwein getrunken und war wohl nicht mehr fahrtüchtig gewesen. Als ich den Polizisten sah und kapierte, dass mir eine Festnahme drohte, war ich wohl zu mir gekommen. Anscheinend hatte ich, obwohl ich ungefähr 30 Sekunden, nachdem ich mit dem Kopf auf den Asphalt geknallt war, das Bewusstsein verlor, mich zuvor noch ganz normal mit der Krankenwagenbesatzung unterhalten, allerdings konnte ich mich nicht mehr daran erinnern. Ich tat sofort, als wäre ich nicht mehr in der Lage, in das blöde Gerät hineinzublasen und klagte, meine Lippen seien zu wund. Nach zwei weiteren vergeblichen Versuchen sagte der leitende Rettungssanitäter: „Schluss jetzt, der Mann ist verletzt. Wir müssen ihn unverzüglich ins Krankenhaus bringen!"

Wir brauchten nur 20 Minuten bis ins Charing Cross Hospital, aber fast 40 Minuten vergingen bis zum nächsten Atemtest. Als der Test ergab, dass ich alkoholisiert war, aber knapp unterhalb der gesetzlich vorgeschriebenen Promillegrenze lag, dankte ich meinem Schöpfer. Als ich dann jedoch mein rechtes Knie ansah, das bis hinunter zur Kapsel offen war, hielt sich meine Dankbarkeit in Grenzen.

Ich glaube heute, die drei Tage im Krankenhaus haben mir das Leben gerettet. Ich stand damals kurz vor einem Nervenzusammenbruch, ich war nur noch ein Monster. Ich hatte die beste Beziehung zerstört, die ich je hatte. Ich hatte meinen ehemaligen Chef betrogen – einen Mann, der immer gut zu mir gewesen war. Ich hatte wie besessen einem Arschloch hinterhergejagt, das ich besser ignoriert hätte. Ich hatte die meisten meiner früheren Freunde verloren – und alle meine alten Ideale gleich mit. Ich hatte meine Familie, die mich sehr liebte, total enttäuscht. Ich hatte mich von Geld und Statussymbolen blenden lassen. Seit Monaten, wenn nicht gar seit Jahren, hatte ich nur noch an mich gedacht. Ich schnupfte Kokain in einem Maße, das selbst Pete Doherty als exzessiv bezeichnen würde. Die City hatte mich verschlungen und spuckte mich jetzt wieder aus. Ich war zu jemandem mutiert, dem mein altes Ich aus dem Weg gegangen wäre.

In dem 8-Bett-Zimmer im Krankenhaus traf ich Menschen, die viel schlimmer dran waren als ich. Jetzt erst begriff ich, wie verquer meine Weltsicht inzwischen war und was für ein undankbarer Bastard ich geworden war. Auf meiner Station lag ein armer Kerl aus Polen, der nicht mal einen Nachttopf besaß und sich auf einer Baustelle die Wirbelsäule gebrochen hatte. Der arme Teufel würde nie mehr gehen können und hatte keine Menschenseele, die ihn besuchte. Er konnte kein Wort Englisch, trotzdem lächelte er hin und wieder und versuchte, sein Schicksal anzunehmen. Welches Recht hatte ich, mich selbst zu bemitleiden, wo ich doch spätestens in zwei Monaten wieder gehen konnte? Ich saß in meinem Krankenbett und dachte darüber nach, was für ein egoistischer, gieriger Idiot ich doch geworden war. Ich entschied, die einzige Lösung für all meine Probleme war, mein Leben als Cityboy aufzugeben und wieder ein „Normalsterblicher" zu werden. Ich kapierte: Wer ein „Mister Wichtig" werden will, wird unweigerlich zum Idioten, und ich war auf diesem Weg schon ziemlich weit fortgeschritten. Ich musste die City verlassen und mich auf die Suche nach den wirklich wichtigen Dingen im Leben begeben. Vielleicht sollte ich auch versuchen, für andere Gutes zu tun. Mein Crash mit dem Motorroller war eine Art göttliches Zeichen, ein Appell zur Umkehr, und ich konnte ihn als Chance nutzen, wie Phönix aus der Asche zu steigen und ein neuer Mensch zu werden ... oder vielmehr wieder mein früheres Selbst.

Selbstverständlich sprechen viele von uns Cityboys davon, mit 35 oder 40 in Rente zu gehen oder irgendetwas anderes zu machen, etwas Kreativeres oder Wichtigeres. Aber nur die wenigsten von uns tun es. Wir gehen immer wieder neu in die Falle, aus Mangel an Alternativen und/oder bedingt durch die hohen Geldbeträge, die uns die gemeinen Bosse am Jahresende zuschieben. Wir sind ein bisschen wie in die Jahre gekommene Bankräuber, die sich sagen: „Den einen Coup noch, dann ist endgültig Schluss", aber dann doch immer wieder weitermachen, weil wir süchtig sind nach der Hektik, dem Geld und dem gehobenen Lebensstil. Es ist eine altbekannte Tragödie, dass wir Cityboys die besten Jahre unseres Lebens wegwerfen, unsere Gesundheit kaputtmachen und Luftschlösser bauen, was wir später mal machen wollen. Aber ehe wir es merken, sind wir 45, zweimal geschieden und müssen in dieser üblen Branche weiterarbeiten, um die Schulgebühren für unsere Kinder und die Alimente für unsere Ex-Frauen bezahlen zu können.

Witzigerweise verhinderte aber ausgerechnet eine Unterredung mit meinem links-liberalen Vater, von dem ich angenommen hatte, er würde meine Entscheidung, der City den Rücken zu kehren, gutheißen, meinen Entschluss, die City zu verlassen. Er kam, saß an meinem Bett und fragte mich, wie es mir gehe. Als ich ihm meine Absicht mitteilte, mich neuen Ufern zuzuwenden, zog er ein Gesicht und erklärte mir in ruhigen, gemessenen Worten, warum ich meine Entscheidung noch einmal überdenken sollte.

„Sieh mal, Steve, du bist jetzt 32 und verdienst schon über eine halbe Million Pfund im Jahr. Sofern du nicht zufällig eine fußballerische Naturbegabung bist, wovon ich bis jetzt aber nichts bemerkt habe, gibt es keinen anderen Job, in dem du so viel verdienen kannst. Wenn du jetzt gehst, musst du in einem anderen Job ganz von vorne anfangen; du wirst nur ungefähr zehn Prozent von dem bekommen, was du jetzt verdienst, und musst dich mit Leuten messen, die zehn Jahre jünger sind als du. Hast du wirklich die Energie, das zu tun? Wirst du das nicht ziemlich deprimierend finden? Warum machst du nicht noch drei oder vier Jahre in der City weiter und gehst dann, im Bewusstsein, dass du genug gespart hast, um verschiedene Optionen zu haben? Dann kannst du der Gesellschaft etwas zurückgeben. Ich finde es nicht gut, dass man in der City so wahnsinnig hohe Summen verdient, und ich bin kein Fan des Systems, das sie dort repräsentieren und zugleich ausbeuten. Ich hasse besonders die negativen Auswirkungen, die der auffällige Konsum der Cityboys auf die übrige Londoner Bevölkerung hat, aber daran wird sich so bald nichts ändern. Du bist nun mal drin in dem System … nutze es noch ein bisschen zu deinen Gunsten, und dann nutze das, was du dort gelernt hast, nimm das Geld, das du dort verdient hast und tu was Gutes damit."

„Aber Dad, die City verändert einen wirklich sehr zum Schlechten. Ich habe alles aus dem Blick verloren, was dir und Mum wichtig ist. Wenn ich mir ansehe, was ich in den letzten Jahren getan habe, gefällt es mir überhaupt nicht … und noch weniger gefällt mir das, was dort aus mir geworden ist."

„Unsinn. Vielleicht hast du dich ein bisschen von dem ganzen Kram blenden lassen – ich gebe zu, das hat uns allen in der Familie ziemlich zu schaffen gemacht –, aber ich glaube, das ist jetzt vorbei. Halte noch drei Jahre durch und verschaff dir eine solide Basis für dein weiteres Leben. Denk darüber nach, was du wirklich tun möchtest. Bis dahin kannst du deinen Porsche verkaufen, Geld für wohltätige Zwecke spenden, fleißig arbeiten und die Nase sauber halten." Ich weiß bis heute nicht, ob dieser letzte Ratschlag meines Vaters eine feine Anspielung auf meine Kokainsucht sein sollte (wusste er davon?) oder ob es nur so eine Redensart war. Wir umarmten einander, und als er gegangen war, dachte ich lange über seine Worte nach. Natürlich hatte er recht. Ich wusste gar nicht wirklich, was ich mit meinem Leben anfangen wollte. Jetzt zu gehen, wäre in mehrfacher Hinsicht ziemlich bescheuert gewesen. Ich war ziemlich an der Spitze meiner Branche und die Arbeit würde künftig eher leichter als schwerer für mich werden. Wegen der vielen Arbeit, die ich schon hinter mir hatte, kannte ich meine Wertpapiersparte wie meine Westentasche, und die sieben Jahre Gänseleberpastete essen und Kylie- und Madonna-Konzerte gucken hatten zu zahlreichen engen Kundenbeziehungen geführt. Ich würde künftig etwas den Fuß vom Gas nehmen und den Job einfach nur als gute Verdienstmöglichkeit ansehen – nicht mehr und nicht weniger. Im Jahr 2007 oder 2008 würde ich dann kündigen, aber erst, nachdem ich meine zukünftigen Möglichkeiten geprüft und mir einen Plan für meine Zukunft zurechtgelegt hatte. Bis dahin konnte ich das System vielleicht von innen heraus angreifen, etwa indem ich eine anonyme Kolumne darüber schrieb, vielleicht sogar ein Buch ...

Drei Wochen nach meinem Unfall hinkte ich auf Krücken an meinen Arbeitsplatz zurück. Man hieß mich willkommen wie einen verwundeten Soldaten. Zu Hause, während der Genesung, hatte ich mit dem langen und mühsamen Prozess begonnen, mein Herz und meinen Verstand wieder zu entdecken und war gerade wieder einigermaßen in der Lage, meine Arbeit zu machen. Meine Sekretärin hatte die meisten Leute in unserem Großraumbüro (von denen ich sehr wenige wirklich kannte) gebeten, auf einer Grußkarte an mich zu unterschreiben, und das gab mir, zusammen mit den vielen Kollegen, die an meinen Schreibtisch kamen und mich fragten, wie es mir ging, fast das Gefühl, man würde mich wirklich mögen. Mein Weinkrampf von damals wurde mit keiner Silbe erwähnt, obwohl ich nicht daran zweifle, dass die meisten meiner Kollegen Bescheid wussten. Langsam fand ich in die Routine eines Börsenmaklers zurück, aber jetzt ohne den verbissenen Ehrgeiz und die beinharte Rücksichtslosigkeit, die mich früher zu einem hervorragenden Broker und zugleich zu einem Arschloch gemacht hatten. Michael war nicht mehr da, um uns zu unterstützen, und das war sicher schlecht für das Team, aber inzwischen war mein Ziel sowieso nicht mehr, die Nummer 1 der Sparte zu werden, sondern nur noch, Geld zu verdienen und dann möglichst bald die Fliege zu machen.

Ich glaube, ich sollte Gott dafür dankbar sein, dass ich mich dafür entschied zu bleiben. Die guten Zeiten kamen tatsächlich zwischen 2004 und 2007 in der City, und obgleich mein Team im Ranking etwas zurückfiel, verdienten ich und mit mir viele andere Cityboys wahnsinnig viel Geld. Die Rohstoff-Blase sorgte dafür, dass die Versorgungssparte weitere drei Jahre überdurchschnittlich gut abschnitt und wir uns bequem zurücklehnen konnten und den Ruhm ernteten für einen Trend, der die Provisionen in der Versorgungssparte sozusagen von selbst anhob, ohne dass es von unseren „brillanten" Fähigkeiten abhing.

Die einzige Enttäuschung war ein unerwarteter Nebeneffekt der Subprime-Hypothekenkrise und der damit in Verbindung stehenden Kreditknappheit. Man wird kaum bezweifeln, dass die milliardenschweren Abschreibungen der Großbanken, der Run auf Northern Rock (der erste Run auf Aktien einer britischen Bank seit 1866) und der Rücktritt mehrerer Bankenchefs perfekte Beispiele für Entwicklungen sind, mit denen die Urheber selbst den Ast absägen, auf dem sie sitzen. Die Versuche der Banken, Gewinne zu machen, indem sie Amerikanern, die sich nie und nimmer ein Haus leisten konnten, Kredite für Häuser aufschwatzten, erinnern uns daran, dass es immer zügellose und kurzsichtige Gier geben wird und dass sie an der Wall Street zu Hause ist. Vielleicht finden wir nur zu bald heraus, dass die Aktien einiger weniger, zu gieriger Banker zu einer weltweiten Rezession führen, in deren Gefolge weltweit Unternehmen zumachen müssen und Jobs verloren gehen. Der aktuelle Niedergang der amerikanischen Großbank Bear Sterns ist vielleicht nur der traurige Vorbote vieler anderer Banken-Zusammenbrüche. Das gibt mir das Gefühl, dass die Lehren aus dem Enron-Debakel längst schon wieder vergessen sind, wie immer, wenn kurzfristiges Gewinnstreben vorherrscht.

Die Hypothekenkrise machte mir persönlich die Entscheidung, der City Anfang 2008 den Rücken zu kehren, nur leichter. Ich hatte es schon lange aufgegeben, Vorhersagen ernst zu nehmen, aber eines kann man sagen – die nächsten Jahre werden bestimmt nicht leicht. Eine Kombination aus ständig steigenden Ölpreisen, Kreditknappheit und einer kränkelnden US-amerikanischen Wirtschaft lässt für die Performance der Aktien und daher auch der Boni in nächster Zeit nichts Gutes erwarten. Ich wäre in der Tat nicht überrascht, wenn wir in den nächsten zwei Jahren eine größere, sogenannte Korrektur am Aktienmarkt hätten, die dazu führen könnte, dass die mittelgroßen Investmentbanken von der Bildfläche verschwinden und viele Cityboys sich gezwungen sehen, ihre „Optionen" neu zu überdenken. Vielleicht wäre das gar nicht so schlimm ...

Ich verbrachte also noch einmal dreieinhalb Jahre in der Vorhölle namens City. Ich arbeitete konzentriert und tat, was ich konnte, um zu verhindern, dass aus mir wieder das Biest wurde, das ich schon mal war. Ich gab die harten Drogen auf und besuchte sogar einen Yoga-Kurs. Gelegentlich traf ich auf Hugo, aber wir hatten unseren Wettkampf ausgetragen und es kam zu keinen aggressiven verbalen Ausfällen mehr. Er hatte unseren Kampf gewonnen, aber vielleicht hatte auch ich dabei gewonnen – nämlich die Erkenntnis, dass ich es nie mehr nötig haben würde, solche Spielchen mitzumachen, während der gute Hugo immer noch tief in diesem sinnlosen Konkurrenzdenken verhaftet war. Na ja, wenn ich mir diesen Mist lange genug vorsage, dann glaube ich ihn am Ende vielleicht sogar! Alles in allem waren diese letzten Jahre an der Börse für mich persönlich ziemlich ereignislos, ich ließ mich treiben und war immer weniger motiviert. Wenn man's so nimmt, hatte ich innerlich schon 2004 gekündigt ... ich hatte es bloß meiner Bank noch nicht erzählt.

Am 31. Januar 2008 ging ich ganz ruhig ins Büro, als sei nichts Besonderes. Um genau 9.45 Uhr ging ich in meine Barclays-Bankfiliale und sah nach, ob mein Bonus für 2007 schon auf meinem Bankkonto war. Es war der höchste Bonus, den ich je bekommen hatte. Nachdem ich also wusste, dass alles in Butter war, ging ich in den riesigen Wolkenkratzer zurück, in dem die Megashit-Bank residierte, marschierte in Chucks Büro und überreichte ihm mein Kündigungsschreiben. Wie zu erwarten war, probierten sie jeden nur möglichen Trick, um mich zum Bleiben zu überreden, aber sie gaben ziemlich schnell auf, sobald sie kapiert hatten, dass ich was Besseres, wenn auch nicht unbedingt Größeres vorhatte. Meine Unterredung mit Chuck war wie ein Austausch zwischen zwei einander völlig fremden Spezies: Mein früherer Boss konnte einfach nicht begreifen, warum noch mehr Geld und Beförderungsaussichten mir nichts mehr bedeuteten.

Mein letzter Arbeitstag bei Megashit war der 20. März 2008. Die Scheißkerle zwangen mich, noch ein paar Wochen zu bleiben, um den Übergang zu einem neuen Teamchef zu ebnen und damit meine Extel-Stimmen nicht ganz verloren gingen. Am Abend zuvor gab ich eine kleine Abschiedsparty und ich hörte ständig von Kollegen und Klienten, sie wünschten, sie selbst fänden endlich auch den Mut zu tun, was ich tat. Ich sagte ihnen, es falle mir viel leichter zu gehen, als zu bleiben, aber das quittierten sie nur mit Unverständnis. An meinem allerletzten Tag packte ich meine paar persönlichen Dinge in meine Sporttasche und sagte meinem Team Lebewohl. Die in sich gekehrten Gesichter meiner Kollegen bei unserem Abschied zeigten mir, dass mein radikaler Schritt sie veranlasste, über ihre eigene Situation nachzudenken – obwohl wahrscheinlich nur die wenigsten von ihnen die Bequemlichkeit eines geld- und prestigeträchtigen Jobs aufzugeben bereit waren. Aber einen gab es, auf den ich vielleicht noch einwirken konnte. Er repräsentierte die nächste Generation von Börsenmaklern, und wenn es mir gelang, wenigstens diesem einen Typen die Problematik dieses Jobs verständlich zu machen, wäre das zumindest ein Anfang. Ich entschied mich dafür, Benjamin zu einem Drink einzuladen und mit ihm zu reden, um zu verhindern, dass er dieselben Fehler machte wie ich. Diesmal ging ich allerdings nicht alle zehn Minuten aufs Klo, denn die Tage als Kokainsüchtiger waren ein für allemal vorbei. Trotzdem war ich etwas überdreht, denn ich hatte schon zum Mittagessen ein paar Drinks gehabt.

Ich sagte: „Hör zu, Benjamin, du musst hier raus, solange du es noch kannst. Die Börse ist schlecht und sie verdirbt einen. Du bist doch ein anständiger Kerl, auch jetzt noch, wo du schon ein paar Jahre von dem Quatsch hinter dir hast – ich war auch mal so drauf wie du, als ich an der Börse anfing, und jetzt schau, was aus mir geworden ist! Dieses System, das wir durch unsere Arbeit unterstützen ... das wir noch fördern ... von dem wir ein Teil geworden sind ... das ... das macht die Welt kaputt. Und die Menschen auch. Wir konsumieren und konsumieren und vergrößern die Kluft zwischen armen und reichen Menschen immer mehr. Das kann nur in einem Blutvergießen enden – oder in einer ökologischen Katastrophe. Intelligente Leute wie du und ich, wir sollten auf der richtigen Seite kämpfen oder wir sind verloren. Wir sind alle zum Untergang verurteilt! Verstehst du mich?"

Wenn ich so darüber nachdenke, muss ich zugeben, ich habe ein bisschen dick aufgetragen. Aber das hat auch damit zu tun, dass ich zu jenem Zeitpunkt noch nicht ganz über den Berg war. Ich brauchte ein paar Monate in Goa und außerhalb der Square Mile, bis ich mich wieder beruhigt hatte und wieder zu dem fand, der ich eigentlich war.

Natürlich hat der gute Benjamin mich nicht verstanden. Im Gegenteil, er machte mir den Vorwurf, ich sei ein Heuchler, der erst dann ging, nachdem er die Früchte des Systems, das er verurteilte, genossen und geerntet und seine Schäfchen ins Trockene gebracht hatte. Ich muss zugeben, ich kämpfe immer noch mit diesem nicht ganz unberechtigten Vorwurf ... obwohl ich hoffe, dass es mir in ein paar Jahren gelingt, ein halbwegs stichhaltiges Gegenargument dagegen zu finden! Vielleicht darf ich in diesem Zusammenhang erwähnen, dass ich plane, einen hübschen Teil meines unverdient erworbenen Vermögens für karitative Zwecke zu spenden ... obwohl ich das selbstverständlich nicht öffentlich machen will, da ich darüber nicht gerne sprechen möchte.

Benjamin arbeitet nach wie vor bei Megashit und kommt dort ganz gut zurecht. Es würde mich nicht wundern, wenn er eines Tages, in ein paar Jahren, selbst Teamleiter wird. Ich nehme an, jeder muss seine Fehler selber machen. Man lernt nicht aus den Irrtümern anderer. Das ist wohl einer der tragischen Begleitumstände des menschlichen Lebens.

EPILOG (DER HIPPIE)

Ich bin viel ruhiger geworden, seit ich begonnen habe, dieses Buch zu schreiben. Das ist die Folge von zwei Monaten, die ich überwiegend am Strand von Goa verbracht habe. Hier in Goa verwenden die Einheimischen ein Wort, das ihre Lebenseinstellung am besten beschreibt: „susegad". Das kommt von dem portugiesischen „socegado" und bedeutet, wie der „Lonely Planet"-Reiseführer schreibt, so viel wie: „Entspann dich und genieße das Leben, so lange du kannst." Ich kann dem nur zustimmen! Diese Lebenseinstellung hat schon deutlich auf mich abgefärbt und ich finde, sie würde vielen von uns Menschen aus der westlichen Welt guttun. Diese Lebensanschauung, Sonne, Meer und ein fettes Motorrad von Enfield haben mir dabei geholfen, langsam, aber sicher, die besseren Teile meiner eindeutig verführbaren Persönlichkeit wieder zu entdecken. Ich habe damit begonnen, die verrückten Jahre in diesem verrückten Job zu verarbeiten. Jetzt fühle ich mich stärker als je zuvor – vielleicht, weil einen so schnell nichts mehr umwerfen kann, wenn man zeitweise den Verstand verloren hat.

Ich habe inzwischen auch meine Ansichten etwas revidiert. Ich sehe jetzt ein, dass die City die einzige gut gehende Branche ist, die unserem gottverlassenen Land noch geblieben ist, und dass mit den vielen Steuern, die sie erwirtschaftet, ja auch unsere Krankenhäuser und Schulen finanziert werden. Ich glaube auch nicht mehr, dass die Cityboys und die City an sich schlecht sind. Sie sind vielmehr ein Symptom für ein Wirtschaftssystem, das, falls man es ungehindert gewähren lässt, unweigerlich zu einem extrem ungesunden und gewalttätigen Gesellschaftssystem führt, sowie zur

273

Zerstörung der Umwelt durch globale Erwärmung und Umweltverschmutzung. Allerdings müssen die Politiker und die Aufsichtsorgane der City noch erheblich mehr tun, um sicherzustellen, dass gegen die schlimmsten Auswüchse, die ich miterlebt habe, wie Insiderhandel, Steuerflucht und Verbreiten falscher Gerüchte, energisch eingeschritten wird. Wenn dies nicht geschieht, wird dieser korrupte und sozial schädliche Ort noch mehr zu einem solchen – und das führt zu immer stärkerer Ablehnung und Unzufriedenheit der Leute außerhalb der Square Mile, die wie ein Bettler die Hand aufhalten, uns um unseren Wohlstand beneiden und uns unsere grenzenlose Gier vorwerfen.

Natürlich würde eine gründliche und ganzheitliche Systemänderung zu einer gesünderen und gerechteren Gesellschaft führen, aber leider wird das trotz sich stetig verschlechternder Missstände so gut wie sicher nur ein schöner Wunschtraum bleiben. Trotzdem – auch geringfügige Verbesserungen können positive Folgen haben. Ich glaube nicht an die alten, sattsam bekannten Argumente, dass etwas höhere Steuersätze oder strengere Bestimmungen in Großbritannien zur Verlagerung des europäischen Finanzzentrums nach Frankfurt oder Paris führen würden (obwohl schlecht gemachte oder drastische Veränderungen das zur Folge haben könnten). Es ist vielmehr so, dass die City viel widerstandsfähiger ist, als die Untergangpropheten es wahrhaben wollen – in der Tat steht sie heute besser da als je zuvor. Allerdings werden moderate Reformen die Lage nur geringfügig verbessern können, und deshalb liegt es wirklich an jedem einzelnen Cityboy, es anders zu machen. Wenn genügend Cityboys ihren deutlich sichtbaren Konsum zügeln, ihre Steuern ordentlich bezahlen und einen Teil ihres unverdient großen Vermögens für karitative Zwecke spenden, wird unsere Gesellschaft vielleicht doch ein freundlicherer Ort, ohne dass es zu gewalttätigen Aufständen oder Umweltkatastrophen kommen muss.

Shakespeare traf den Nagel auf den Kopf, als er darauf hinwies, dass wir Menschen primitive Tiere sind, aber auch Engel, Wesen „von edler Vernunft und unendlich großen Fähigkeiten". Wir sind fähig, wundervolle und selbstlose Dinge zu tun, sind aber zugleich unseren niederen, animalischen Instinkten unterworfen. Im Internet kann man beides sehr deutlich sehen. Dieses großartige Medium wurde von Menschen entworfen – und wir haben es anfangs hauptsächlich benutzt, um uns damit Pornos reinzuziehen. Wir sind nichts anderes als Schimpansen, deren Stirnlappen vor ungefähr 2,5 Millionen Jahren mutiert sind, was uns unser Bewusstsein geschenkt hat, aber auch das schreckliche Wissen um unsere eigene Sterblichkeit. Wir haben Götter und alle möglichen Dinge erfunden, die der Gesundheit dienen, wir haben das Rad erfunden und Waffen und die Aktienmärkte, um unsere Produkte zu verkaufen. Dass wir gierige, egoistische Schweine sein können, war keine große Überraschung. Die City erleichtert diesen Prozess nur, und das auf so extreme und deutlich sichtbare Art und Weise, dass alle um uns herum sich fühlen, als arbeiteten sie in Billigjobs, und nicht umhin können, Ekel und Unzufriedenheit zu empfinden. Was wir Cityboys tun sollten, ist, die negativen Auswirkungen unserer nicht enden wollenden, egoistischen Gier auf die Gesellschaft zu sehen und zu versuchen, unser gutes Potenzial wiederzuentdecken.

Leider (für Nicht-Cityboys) sind alle alternativen Wirtschaftssysteme diskreditiert worden und ein Laissez-faire-Kapitalismus regiert die Welt. Vor 40 langen, harten Jahren gab es im Westen einen echten Versuch, ein gerechteres sozioökonomisches System zu schaffen, das der Mehrheit nützt und nicht nur einigen wenigen Privilegierten. Die Revolutionsversuche von 1968 hätten die Welt auf einen weniger rassistischen, sexistischen und menschenfeindlichen Pfad führen können, aber sie schafften es nicht, ein System fundamental zu ändern, das Egoismus und einen Mangel an Sympathie für unsere Mitmenschen immer wieder belohnt. Wir sind heute alle Kinder von Margaret Thatcher und sehen Konsum und das Anhäufen von Wohlstand als den einzig richtigen Weg zur Erfüllung an. Die Ansicht von Milton Friedman[43], Unternehmen sollten nichts sozial Nützliches tun, es sei denn, es dient dazu, ihre Aktionäre reicher zu machen, passt da gut ins Bild. Heute will fast jeder nur noch reich sein – und sonst nichts. Sobald unsere Brüder und Schwestern in China und Indien wohlhabender werden und, verständlicherweise, ihre Kühlschränke und Autos verlangen, ist die Welt noch schlimmer dran. Es ist ungewiss, wie unsere arme Umwelt diese riesigen, stetig zunehmenden Belastungen verkraften soll. Auch die Gesellschaft wird darunter leiden, denn selbst wenn manche Bestimmungen die Auswüchse des freien Marktes einschränken sollten, wird die Schere zwischen Armen und Reichen trotzdem immer größer. Geld erzeugt Geld und der Kapitalismus braucht stetes Wachstum. Wenn die Entwicklung so weitergeht, leben wir bald in Aldous Huxleys „schönen neuen Welt"[44], mit superreichen „Alphas" in abgeschotteten Villenvierteln, die das System managen, während „Epsilons" unsere Toiletten

---

43) US-amerikanischer Ökonom, 1912–2006, wird neben John Maynard Keynes als der einflussreichste Wirtschaftswissenschaftler des 20. Jahrhunderts angesehen (Anm. d. Übers.).
44) Englischer Roman von 1932 (Anm. d. Übers.).

reinigen. Da in der Hauptsache männliche, weiße Mittelklasse-Typen wie ich oben schwimmen, hört man nicht allzu viele kritische Kommentare über die wachsende Ungleichheit in unserer Gesellschaft und die sich entwickelnde ökonomische Apartheid. Natürlich ist das Interesse unserer Eliten an der Aufrechterhaltung des Status quo so groß, dass es einer massiven Krise bedarf, bevor unsere Herren Anführer einsehen werden, dass sich einiges ändern muss. Wir brauchen Aufstände und Straßenkämpfe, gegen die die britischen Kopfsteuer-Demos wie ein Treffen junger Pfadfinder wirken, bevor die Politiker eine sozial gerechtere Politik zu machen bereit sind, und Amerika wird das Kyoto-Klimaprotokoll erst unterschreiben, wenn New York sechs Fuß tief unter Wasser steht.

Ich bin der Überzeugung, dass die Periode, in der ich in der City war, eine außergewöhnliche war. Es waren aufregende Zeiten, als die Märkte von der Internet-Blase hin- und hergewirbelt wurden, vom 11. September, vom Krieg im Irak (einer logischen Folge des unstillbaren kapitalistischen Hungers nach Öl) und der Hypothekenkrise geschüttelt wurden. In Wirklichkeit jedoch gibt es kaum langweilige Zeiten in der City, denn die Märkte produzieren und reagieren auf Ereignisse, die die Welt verändern. Das Problem ist nur, dass solche Ereignisse im letzten Jahrhundert beängstigend stark zugenommen haben und in Zukunft vermutlich noch häufiger und stärker werden. Sollte ich tatsächlich noch ein paar Jahrzehnte zu leben haben, werde ich wahrscheinlich Zeuge der folgenschwersten Entwicklungen werden, die dieser Planet jemals gesehen hat. Das Leben wird wie immer grausam sein, aber auch interessant. Ich könnte mir denken, dass die Ereignisse so überwältigend werden, dass wir nur noch die Wahl haben, ob wir darüber lachen oder weinen sollen. Hoffentlich bin ich dann noch dazu in der Lage, das zu tun, was ich ein Leben lang getan habe, nämlich erstere Option zu wählen.

Ich persönlich muss gestehen, dass es eine kleine Restwahrscheinlichkeit gibt, dass ich es bedaure, meine lukrative Karriere an den Nagel gehängt zu haben ... aber ehrlich gesagt bezweifle ich es. Wenn ich eines gelernt habe, dann ist es, dass Geld und Glück nicht Hand in Hand gehen. Was ist das Tragische am schädlichen Einfluss des Geldes auf die Gesellschaft? Dass man kaum an etwas anderes denken kann, wenn man wenig oder kein Geld hat. Daraus zieht man oft den Schluss, der tagtäglich von den Massenmedien bestätigt wird, dass nur Geld glücklich macht. So kommt es, dass relativ arme Menschen manchmal kein Bedürfnis verspüren, sich auf andere Aspekte ihres Lebens zu konzentrieren, wenn sie das Gefühl haben, unzufrieden zu sein oder ein unerfülltes Leben zu haben und nicht wissen, warum. Wie

falsch diese Schlussfolgerung ist, sieht man ja schon daran, dass frisch geba-
ckene Lottogewinner sofort einen Ratgeber zur Seite gestellt bekommen. Wer
ein Leben lang unglücklich war und das auf seine relative Armut geschoben
hat, dann aber merkt, dass über Nacht gekommener Reichtum auch keine
sofortige Freude bringt, ist gezwungen, darüber nachzudenken, was ihm im
Leben wirklich fehlt. Ich schätze, es ist ein tieferer, spiritueller Sinn der
Erfüllung, der auf uralten Konzepten wie Liebe, Freundschaft, „Körperlich-
keit" und der Entdeckung unserer selbst und der Welt, auf der wir leben,
beruht – so ist es bei mir, aber was für mich gilt, muss noch lange nicht für
andere gelten.

Ein erfreuliches Ergebnis der Veröffentlichung dieses Buches ist jedenfalls,
dass ich damit endlich alle Brücken hinter mir abbrechen werde. Ich kann
mir nicht vorstellen, dass irgendein Unternehmen der City mich noch einstellen möchte, nachdem ich auf mehreren Hundert Seiten dargelegt habe,
was für ein korrupter, gieriger Haufen meine ehemaligen Kollegen waren
und wie rauschgiftsüchtig ich damals war. Sollte ich in einem schwachen
Moment versuchen, meine frühere Karriere wieder aufzunehmen, wäre ich
vermutlich nicht mehr willkommen.

Ein weiterer möglicher positiver Effekt der Veröffentlichung dieses Buches
ist, dass ich jetzt vielleicht als „Künstler" gelte. Das war lange schon mein
Wunsch – nicht wegen des Prestiges, das so ein Titel mit sich bringt, sondern weil sogenannte Künstler, wie ich feststelle, vieles dürfen, was andere
nicht dürfen. Bei Untreue können sie sich herausreden von wegen „normale
soziale Konventionen gelten nicht für Künstler", wenn sie betrunken sind
oder sich übel benehmen, wird auch das akzeptiert, weil sie ja „so schrecklich kreativ sind". Ein Künstler zu sein, das klingt wie die Karte „du kommst
aus dem Gefängnis frei" beim Monopoly, und meine analytischen Fähigkeiten sind groß genug, um mir so etwas zu wünschen.

Künstler arbeiten im Normalfall nur ein paar Stunden am Tag, was man
vom durchschnittlichen Cityboy nicht behaupten kann, der bis zu 70 Stunden pro Woche arbeitet. Trotz der hohen Bezahlung finde ich eine solche
Verschwendung wertvoller Zeit schrecklich. Noch schlimmer ist, dass Gespräche mit Jungs aus „normalen", ziemlich schlecht bezahlten Bürojobs
erkennen lassen, dass auch bei der Allgemeinbevölkerung die Balance zwischen Arbeiten und Leben aus den Fugen geraten ist. Wir Briten arbeiten
länger und härter als fast jeder andere in Europa, und viele von uns leben
eher, um zu arbeiten, als umgekehrt. Wenn ich frühmorgens in der U-Bahn
sitze, dann sehe ich nicht viele glückliche Menschen. Die meisten Umfragen

ergeben, dass die Mehrheit der Berufstätigen in ihrer Arbeit nicht glücklich ist. Wenn man bedenkt, dass unser Leben ziemlich schnell vorbeigeht, dass es kein Spiel ist und dass wir schon morgen von einem Bus erfasst werden und sterben können, finde ich es höchst erstaunlich, dass so viele Menschen so viel Zeit dafür aufwenden, Dinge zu tun, die ihnen keinen Spaß machen, wo sie doch ihr Leben genießen sollten, solange sie können. Nun, viele brauchen halt das Geld, um ihre Miete zu bezahlen und sich und ihre Kinder satt zu kriegen, aber für uns Cityboys gilt diese Begründung ja wohl nicht, denn jeder von uns, der nur einigermaßen erfolgreich ist, kann locker mit 40 Jahren aufhören zu arbeiten – es sei denn, er ist Kokser oder hat all sein Geld bis dahin schon mit Frauen oder Pferdewetten durchgebracht.

Der Grund, warum die meisten Cityboys mehr und mehr Geld anhäufen, obwohl sie sich längst aufs Altenteil zurückziehen könnten, ist blanke Gier sowie ihr Bettgenosse, der Materialismus. Diese zwei üblen Laster gehen Hand in Hand mit dem, was mein persönlicher Antrieb und mein Schreckgespenst wurde – mit dem krankhaften Ehrgeiz, der Sieger sein zu wollen. Meine Überzeugung ist, dass dieses Konkurrenzdenken in jedweder Form unseren schönen Planeten kaputt macht. Mein Kampf gegen Hugo war auch nichts anderes als dieser besonders schädliche Charakterzug. Das Verlangen nach einem größeren Motor, einem heißeren Betthasen oder mehr nuklearen Sprengköpfen wird die Welt entweder langsam zerstören, etwa durch steigende CO_2-Emissionen, oder sie sehr schnell zerstören, zum Beispiel, wenn irgendein Wahnsinniger plötzlich auf einen Knopf drückt. Ich habe jetzt drei Jahre damit zugebracht, dieses blöde Konkurrenzdenken aus mir herauszubekommen (es ist wie eine Art Exorzismus), aber das ist nicht leicht. Es scheint so stark in uns Menschen angelegt zu sein, speziell in uns Männern, dass es ein Leben lang dauern kann, bis wir es unter Kontrolle bekommen. Der Witz ist, dass ich neulich Hippies kennengelernt habe, die untereinander wetteifern, wer am wenigsten besitzt und wer am billigsten leben kann! Zugegeben, das ist eine umweltfreundlichere Form des Wettstreits, aber trotzdem kommt es mir doof vor, denn ihre Handlungen sind von einem ähnlich kindischen Drang motiviert, die Leute zu beeindrucken, wie beim anderen Extrem (es gibt doch nichts Uncooleres als Leute, die versuchen, cool zu wirken!). Hier in Goa verdient man sich die Achtung der Umgebung, indem man zeigt, wie wenige Dinge man braucht – ein Spiegelbild dessen, was in der City und im Westen allgemein passiert. Ich habe festgestellt, dass irgendwo jedes Bedürfnis nach Konkurrenz aus Gefühlen der Unzulänglichkeit und inneren Unsicherheit herrührt, und das macht es auch für mich persönlich so schmerzlich.

Kürzlich traf ich einen alten Hippie, der mich fragte, wonach ich „suche". Als ich ihm antwortete: „Ich suche nach innerem Frieden", kicherte er und sagte: „Streich doch einfach die ersten beiden Worte – „ich" und „suchen" –, und du hast deinen inneren Frieden." Ich habe versucht, damit anzufangen, aber ich fürchte, es wird nicht leicht werden, diese beiden Aspekte, die bisher mein Leben bestimmt haben und das der meisten anderen Menschen auf unserem traurigen Planeten bestimmen, abzustreifen! Auf jeden Fall ist das vorliegende Buch der erste Schritt auf meinem Weg, „etwas Gutes zu tun". Die Mächte der Dunkelheit haben den Kampf noch nicht gewonnen. Noch gibt es Grund zur Hoffnung. Ich habe schon so viele junge Leute kennengelernt, die Gutes tun wollen, dass ich, entgegen meinem Instinkt, schon ein bisschen optimistischer bin. Ich bin nicht mehr so sicher, dass das einzige Licht am Ende des Tunnels ein entgegenkommender Zug ist, der uns überrollt. Wir können tatsächlich etwas erreichen!

Ich weiß, ehrlich gesagt, noch nicht genau, was ich als Nächstes tun werde, aber das eine weiß ich: Obwohl die Aussichten für uns Menschen ganz und gar nicht rosig sind, ist es für mich persönlich keine Option mehr, einfach nur daneben zu stehen. Ich bin jetzt bereit, es mit der „wirklichen Welt" aufzunehmen. Welchen Weg ich auch immer wählen werde, ich möchte niemanden mehr über den Tisch ziehen und nicht mehr dazu beitragen, unsere Lebensgrundlagen zu zerstören. So viel ist sicher.

Vielleicht klingt es trivial, aber meine ganze Reise bis hierher hat mir deutlich gemacht, dass Liebe alles ist – die Liebe zu uns selbst, die Liebe zueinander und die Liebe zu diesem Planeten, auf dem wir leben. Erst die Liebe gibt dem Leben Bedeutung und macht es lebenswert. Alles andere ist nur belangloses Geschwätz.

DANKSAGUNG

Herzlichen Dank (verbunden mit der Bitte um Verzeihung) an Toby, Nick, Angus, Jim, Razzall, Jerome, Uppy und Warren – ihr alle habt mir, ohne es zu wissen, viele Jahre lang die meisten Gags, die in diesem Buch vorkommen, geliefert. Ich danke allen meinen früheren Kollegen und Klienten aus der City für das Rohmaterial zu diesem Buch. Es tut mir leid, dass ich euch als einen Haufen Nichtsnutze dargestellt habe, wo einige von euch doch wirklich anständige Menschen waren (aber ich hatte meine Botschaft zu vermitteln ...). Ich nenne hier keine Namen, denn die meisten von euch verdienen immer noch Millionen, und ihr sollt durch mich keinen Ärger bekommen, aber ihr werdet wissen, wer ihr wirklich seid.

Besonderen Dank an Piers Blofeld (verrückter Name, verrückter Typ) von Headline, der als Erster die Idee, dieses Buch zu schreiben, an mich herantrug, und Ross Hulbert, der wie ein Besessener dafür Werbung machte. Danke auch an Martin Deeson und meine Agentin Lizzy Kremer von David Higham Associates sowie an die nette Leute von *thelondonpaper* (besonders Bridget, Stefan und Lisa), die mir in meiner „Cityboy"-Kolumne die Gelegenheit boten, mir vieles von der Seele zu schreiben, das sonst in einem größeren Nervenzusammenbruch geendet hätte.

Schließlich möchte ich mich aufrichtig bedanken bei meinen Eltern, Brüdern, Onkeln und Tanten, die mich zu dem Menschen gemacht haben, der ich heute bin. Ich habe euch gebeten, dieses Buch nicht zu lesen ... aber wenn ihr es tut, seid versichert, dass nichts von dem, was ich über Sex und Drogen schreibe, auf mich zutrifft, ehrlich.

Wenn Sie mir Ihre Gedanken zu diesem Buch mitteilen möchten, können Sie mir schreiben unter cityboy69@hotmail.co.uk.

DER WOLF
DER WALL STREET

Die Geschichte einer Wall-Street-Ikone:
Multimillionär mit 26, Sträfling mit 36 –
ich feierte wie ein Rockstar, lebte wie ein König
und überlebte nur knapp meinen tiefen Fall.

JORDAN BELFORT

Jordan Belfort – Der Wolf der Wall Street

Am Tag verdiente er Tausende Dollars pro Minute, bei Nacht verpulverte er sie ebenso schnell für Drogen, Sex und Reisen um die Welt. In den 1990er-Jahren war Jordan Belfort einer der berüchtigsten Männer der amerikanischen Finanzwelt. In seiner Autobiografie erzählt Belfort eine Geschichte von Gier, Macht und Exzessen, die man so nicht erfinden könnte.

704 Seiten / gebunden mit SU / 978-3-938350-74-4 / 22,90 €

Henry Blodget – Selbstverteidigung für Anleger

Henry Blodget war dabei, als die Internetblase platzte. Mehr noch, der Strudel riss ihn mit in die Tiefe. Doch Blodget hat daraus gelernt. Der ehemalige Star-Analyst und „Entdecker" von Amazon weiß um die Fehler, die man beim Investieren machen kann. Aber noch wichtiger: Henry Blodget weiß, wie man diese Fehler vermeidet. Und er verrät es Ihnen.

304 Seiten / gebunden mit SU / 978-3-938350-55-3 / 29,90 €

Monica Langley – Der Wall Street Fighter

Zu Beginn seiner Karriere wurde Sandy Weill an der Wall Street nur als Laufbursche geduldet. Dieses Buch erzählt seine Geschichte und wirft einen spannenden Blick hinter die Kulissen der internationalen Hochfinanz. Am Ende seiner beispiellosen Laufbahn hatte sich Weill zum Chef der größten und einflussreichsten Bank der Welt hochgearbeitet. Absolut lesenswert!

576 Seiten / gebunden mit SU / 978-3-938350-25-6 / 24,90 €

Richard Bookstaber – Teufelskreis der Finanzmärkte

Die Zahl und die Häufigkeit der Finanzkrisen nimmt stetig zu. Richard Bookstabers Erkenntnis: Finanzkrisen resultieren meist aus den global vernetzten Finanzmärkten selbst. Er setzt sich auf die Spur der Ursachen und nennt gleichzeitig Wege, wie Anleger sich schützen können. Eine spannende und sehr aufschlussreiche Lektüre!

448 Seiten / gebunden mit SU / 978-3-938350-64-5 / 29,90 €

Roger Lowenstein

Buffett

Die Geschichte eines
amerikanischen Kapitalisten

„Ein Meisterwerk!"
– *The New York Times*

DER AKTIONÄR EDITION

Roger Lowenstein – Buffett

Warren Buffett wurde an der Börse zum reichsten Mann der Welt. Starjournalist Roger Lowenstein erhielt für sein Buch drei Jahre lang in nie dagewesenem Ausmaß Zugang zu Buffetts Familie, seinen Freunden und Kollegen. Auf Basis der vielen Gespräche war er in der Lage, ein Bild Warren Buffetts aus der Perspektive des Insiders zu zeichnen.

728 Seiten / gebunden mit SU / 978-3-938350-87-4 / 24,90 €

Stanley Bing – Sun Tzu war ein Weichei!

Dass es im modernen Geschäftsleben nicht immer friedlich zugeht, ist bekannt. Viele Manager schwören deswegen auf die Lehren des chinesischen Generals Sun Tzu. „Sun Tzu war ein Weichei!", behauptet hingegen „Fortune"-Kolumnist Stanley Bing im gleichnamigen Buch. Deshalb lehrt er seine Leser die neue Kriegskunst und rüstet sie so für die Schlachten des täglichen Lebens.

288 Seiten / gebunden mit SU / 978-3-938350-18-8 / 22,90 €